专家特别推荐·四季饮食与营养忠告·营养食谱搭配精选

W9-CTA-780

新编家常菜谱
2000例

双福　朱太治◎编著

化学工业出版社
·北京·

本书精选大众最爱吃的经典家常菜，将菜细分为家常凉菜、家常炖补、养生汤、家常小炒、猪肉类、羊肉类、蔬菜类等32大类。更为喜爱寿司、饮品、甜点的时尚人群和重视四季养生的人群编写了专门的食谱。每个菜品均详细介绍了原料、做法和特点，配以彩色成品图，查阅方便，清晰明了，是极好的家庭烹饪指导书。

此外，还为读者精心编写了厨事实用内容，如做菜更好吃的厨房秘技300例、食品安全选购与食用窍门400例等，让您厨艺、厨事、事事通。

全书内容丰富，实例众多，文字科学实用，精美彩印，更特别赠送厨艺绝招Ⅱ实用VCD光盘，让您真正"一册在手，下厨不难"。

图书在版编目（CIP）数据

新编家常菜谱2000例 / 双福，朱太治编著. ——北京：化学工业出版社，2010.1

（时尚美食馆）

ISBN 978-7-122-06487-5

Ⅰ.新… Ⅱ.①双…②朱… Ⅲ.菜谱-中国 Ⅳ.TS972.182

中国版本图书馆CIP数据核字（2009）第142270号

新编家常菜谱2000例

责任编辑：李 娜
责任校对：凌亚男
出　　版：化学工业出版社(北京市东城区青年湖南街 13 号 邮政编码 100011)
发　　行：新华书店北京发行所
印　　装：北京画中画印刷有限公司
　　　　　880mm×1230mm 1/24 印张 15½ 字数 280 千字
　　　　　2012 年 1 月北京第 1 版第 4 次印刷
定　　价：29.80元

购书咨询：010-64518888(传真：010-64519686)
售后服务：010-64518899
网　　址：http://www.cip.com.cn
凡购买本书，如有缺损质量问题，本社销售中心负责调换。

目录 Contents

PART4 [家常小炒]

PART5 [猪肉类]

PART6 [牛肉类]

PART10 [蔬菜类]

PART11 [水果类]

PART12 [豆类及豆制品类]

PART13 [菌菇类]

PART14 [鱼类]

PART15 [虾类]

PART16 [家常小海鲜]

PART17 [家常辣味]

PART18 [经典川菜]

PART19 [家常粥]

PART20 [滋补粥]

PART21 [饺子、馄饨、包子]

PART22 [家常饼]

PART23 [家常面条]

PART24 [家常米饭]

蚝油生菜

原料

生菜500克，蒜末、蚝油、酱油、料酒、清汤、盐、味精、胡椒粉、湿淀粉、香油、花生油各适量。

制作

1. 生菜择洗干净，下入加盐、花生油的开水中焯烫，捞出沥干入盘。
2. 炒锅注油烧热，下蒜末爆香，加入蚝油、酱油、料酒、味精、胡椒粉、清汤烧开，用湿淀粉勾芡，淋上香油，浇入生菜即可。

特点

色彩翠绿，鲜嫩香脆。

三丝生菜

原料

生菜200克，木耳150克，干辣椒50克，姜丝、香油、盐、醋、白糖、味精各适量。

制作

1. 将生菜择洗干净，切长段，加盐稍腌沥干；干辣椒去籽泡软切丝，木耳水发后洗净切丝。
2. 生菜加入醋、白糖、味精拌匀，装入盘内，放上干辣椒丝、木耳丝、姜丝，再将香油烧沸浇在各种丝上，拌匀即成。

特点

色彩分明，清脆香辣，回味甜酸。

凉拌生菜

原料

生菜200克，水发木耳150克，姜、盐、糖、味精、醋、香油各适量。

制作

1. 将生菜择洗干净，切成段，加盐拌匀稍腌；木耳洗净，姜去皮，均切成细丝。
2. 生菜加入盐、糖、味精、醋拌匀，装入盘内，放上木耳丝、姜丝，淋入香油拌匀即成。

特点

味道甜酸，活血通络，降脂减肥。

双耳拌黄瓜

原料

黄瓜100克，银耳、木耳各25克，葱丝、姜丝、盐、味精、香油各适量。

制作

1. 将银耳、木耳泡软，黄瓜洗净切片，共入沸水锅中烫熟，捞出沥干水分，装盘。
2. 将姜丝、葱丝、香油、盐、味精拌匀，浇在双耳和黄瓜上即可。

特点

鲜脆可口。

黄瓜拌粉皮

原料

粉皮200克，黄瓜100克，芝麻酱、芥末各25克，盐、辣椒油、香油、醋各适量。

制作

1. 将黄瓜洗净，切丝。
2. 将粉皮泡发，切成宽条盛盘，撒上黄瓜丝。
3. 将芝麻酱、芥末、盐、辣椒油调入粉皮和黄瓜丝内，浇上醋、香油，拌匀即成。

特点

清凉味美，盛夏佳品。

炝黄瓜条

原料

黄瓜500克，干辣椒25克，盐、糖、花椒、醋、料酒、香油、清汤各适量。

制作

1. 黄瓜洗净去心切条；干辣椒切段；盐、糖、醋、料酒、清汤调成味汁。
2. 炒锅注油烧热，下入花椒炸香，除去花椒加入干辣椒炸红，放入黄瓜条炒匀，淋香油入盘，摆入黄瓜条，浇入味汁即成。

特点

色泽鲜嫩，麻辣脆香。

拌番茄黄瓜

原料

番茄200克，黄瓜50克，盐、白糖、酱油、香油各适量。

制作

1. 番茄洗净，用开水冲烫，去皮、蒂，切成薄片。
2. 黄瓜洗净，用开水烫一下，切成片。
3. 将番茄片、黄瓜片加入酱油、盐、糖、香油，拌匀即可。

特点

爽口开胃。

黄瓜拌粉丝

原料

黄瓜500克，细粉丝200克，葱丝、蒜末、味精、胡椒粉、酱油、醋各适量。

制作

1. 将细粉丝用开水泡软后煮一下取出，盛在大碗里。
2. 将黄瓜洗净，切成丝。
3. 将黄瓜丝放在粉丝上面，再放入葱丝、蒜末、味精、胡椒粉、酱油、醋，拌匀即成。

特点

白丝映绿，椒香利口。

洋葱拌番茄

原料

洋葱、番茄各200克，盐、白糖、胡椒粉、醋、香油各适量。

制作

1. 洋葱去老皮，切掉根部，洗净切成丝。
2. 番茄去皮切成厚橘瓣形片，码在盘中。
3. 洋葱丝放在番茄上，加盐、白糖、胡椒粉、醋拌匀，放入冰箱冷藏30分钟，取出加香油拌匀即可。

特点

甜酸清凉。

番茄拌菠菜

原料

番茄200克，菠菜、水发粉丝各50克，白糖、盐、醋各适量。

制作

1. 粉丝、菠菜分别下入开水锅中焯熟，捞出过凉沥干，切长段，加少许盐拌匀；番茄洗净，用开水烫一下，剥皮，去蒂，切片。
2. 将粉丝段放盘内，码上番茄片，最后放入菠菜段，撒上白糖，浇上醋即可。

特点

酸甜开胃，凉爽适口。

姜汁菠菜

原料

菠菜心500克，姜末25克，盐、味精、酱油、醋、香油各适量。

制作

1. 菠菜心洗净，放入开水中焯熟，捞入盘内，撒盐，淋入香油拌匀，晾凉，将菠菜整齐地码在盘内。
2. 酱油、香油、盐、醋、味精、姜末调成汁拌匀，浇在菠菜上即成。

特点

色泽嫩绿，清淡爽口。

清香碎油菜

原料

油菜25克，盐、味精、酱油、花生油各适量。

制作

1. 油菜洗净切碎。
2. 炒锅注花生油烧热，滴入酱油，随即放入碎油菜，用旺火急炒，加少许盐、味精，待菜烂时即可。

特点

色艳味美，营养丰富。

蒜泥蕨菜

[原料]

蕨菜500克，蒜泥50克，盐、味精、醋、香油各适量。

[制作]

1. 将蕨菜择洗干净，切成3厘米长的段，投入开水锅中焯透，捞出沥干水分，切成段，晾凉。
2. 将大蒜去皮洗净，捣成泥。
3. 蕨菜放入盘中，加蒜泥、盐、味精、醋、香油拌匀即可。

[特点]

脆嫩香辣。

蕨菜拌皮蛋

[原料]

蕨菜150克，皮蛋200克，蒜末、盐、味精、料酒、香油、辣椒油各适量。

[制作]

1. 将蕨菜择洗干净，放入沸水锅中焯透，捞出过凉，沥干水分，切成4厘米长的段。
2. 加入蒜末、盐、味精、料酒、香油、辣椒油，拌匀装入盘内。
3. 皮蛋洗净后剥去壳，切成橘子瓣，与蕨菜拌匀即成。

[特点]

清凉香辣。

拌合菜

[原料]

绿豆芽、芹菜、胡萝卜、青笋、豆干、蒜薹共500克，粉条、盐、味精、芥末、香油、醋各适量。

[制作]

1. 把盐、味精、芥末、香油、醋混合调成味汁；粉条用开水泡透稍煮后晾凉；豆干切丝；青笋、胡萝卜去皮切丝；绿豆芽去根；芹菜去筋切丝；蒜薹切段。
2. 将所有蔬菜用开水氽熟后晾凉，浇上味汁拌匀即可。

[特点]

清淡爽口，别有风味。

芥油拌合菜

原料

菠菜、嫩白菜叶、粉丝各200克，金针菇100克，木耳50克，芥末油、盐、味精、醋、蒜泥、花椒、酱油、植物油各适量。

制作

1. 菠菜、嫩白菜叶分别烫熟切段；金针菇切段，同粉丝、木耳下入沸水锅汆过，沥干水分；花椒下入热油锅炸香。
2. 将菠菜段、白菜叶段、金针菇段、粉丝、木耳加芥末油、醋、蒜泥、盐、酱油、味精、花椒油拌匀即成。

特点

清脆有味，香咸鲜酸。

蒜末荷兰豆

原料

荷兰豆350克，蒜末100克，盐、味精、湿淀粉、香油、色拉油各适量。

制作

1. 荷兰豆择洗净，切成段；锅内放入适量清水、少许色拉油和盐烧开，下入荷兰豆焯水，取出沥干水分。
2. 炒锅注油烧热，下蒜末炒香，放入荷兰豆、盐翻炒，加味精调味，用湿淀粉勾芡，淋入香油装盘即成。

特点

鲜香清爽，和中下气。

金钩荷兰豆

原料

荷兰豆400克，虾米50克，蒜粒、盐、糖、料酒、色拉油各适量。

制作

1. 荷兰豆择洗净，切段，虾米切成粒，用料酒浸泡。
2. 炒锅注油烧至六成热，下入蒜粒爆香，放入虾米、荷兰豆翻炒，加入盐、料酒、糖，炒至荷兰豆变色，出锅即成。

特点

颜色碧绿，脆嫩爽口。

冰爽蜜汁苦瓜

原料

苦瓜250克，枸杞25克，雪碧、矿泉水、橙汁、蜂蜜、冰糖各适量。

制作

1. 将苦瓜洗净，顺长切成两半，挖去瓜瓤，切片。
2. 碗内放入冰糖，加入雪碧、矿泉水融化后，泡入苦瓜片、枸杞，放入冰箱冰镇。
3. 将冰好的苦瓜装盘即可，食用时可佐以蜂蜜、橙汁。

特点

脆嫩爽口。

豉茸苦瓜

原料

苦瓜300克，豆豉50克，盐、白糖、味精、香油、花生油各适量。

制作

1. 苦瓜洗净，去瓤，切片，下入沸水中焯过，捞出沥干，加香油拌匀。
2. 豆豉剁成茸，下入热油锅中小火炒至酥香，盛出待用。
3. 苦瓜片加豆豉茸、盐、白糖、味精拌匀，装盘即成。

特点

咸鲜爽口，豉味香浓。

爽口花生仁

原料

花生仁150克，红椒50克，盐、味精、香油各适量。

制作

1. 花生仁煮软，过凉，去皮；红椒切小块，下入沸水锅中焯至断生。
2. 将花生仁和红椒块放入盆内，加入盐、味精、香油拌匀，装盘即可。

特点

嫩脆爽口，咸鲜清香，增强记忆，滋润皮肤。

甜脆花生米

原料

带衣花生米200克，鸡蛋1个，糖、面粉、花生油各适量。

制作

1. 鸡蛋液加面粉、少许水调成糊；将洗净的花生米倒入面粉糊内，加入糖拌匀。
2. 炒锅注油烧至5成热，下入花生米滑散，用中火炸至琥珀色捞出，晾凉即可。

特点

脆甜酥香，别有风味。

炝拌莴笋

原料

莴笋500克，干辣椒2个，姜丝、花椒、盐、白糖、白醋、花生油各适量。

制作

1. 莴笋切成条，加盐拌匀略腌沥干，放上姜丝；干辣椒切段。
2. 炒锅注油烧热，分别下入干辣椒段、花椒炸香，把热油浇在姜丝上。
3. 锅中下入白糖和白醋，熬化后浇在莴笋碗中，浸渍3小时，捞出装盘即成。

特点

脆嫩爽口，甜酸微辣。

三丝绿豆芽

原料

绿豆芽200克，水发香菇75克，胡萝卜、黄瓜皮各50克，葱丝、姜丝、盐、味精、料酒、花椒油、花生油各适量。

制作

1. 绿豆芽择洗净沥干；香菇、胡萝卜、黄瓜皮均洗净切丝。
2. 炒锅注花生油烧热，下葱姜丝炒香，放入绿豆芽、香菇、胡萝卜、黄瓜皮丝翻炒，加入料酒、盐、味精炒熟，淋入花椒油即成。

特点

清淡素雅，咸鲜爽口。

三丁拌咸菜

原料

洋葱200克，咸菜头100克，尖椒、炸花生米各50克，炒香白芝麻25克，味精、米醋、生抽、酱油、香油各适量。

制作

1. 洋葱择洗净切成丁；尖椒去籽切丁；花生米去皮。
2. 咸菜切丁，用水泡去咸味。
3. 将所备原料放入碗内，加味精、米醋、生抽、酱油、香油拌匀装盘，最后撒上炒香白芝麻即可。

特点

咸香爽口。

香椿干丝

原料

白豆腐干150克，香椿100克，盐、香油各适量。

制作

1. 将香椿洗净后放入大碗内，加入开水淹没香椿，加盖闷约10分钟后捞出挤去水分，切成细末。
2. 豆腐干洗净，用沸水焯烫后切成丝，放入盆内，加入香椿末、盐、香油，拌匀装盘即可。

特点

脆嫩鲜香。

珊瑚藕片

原料

鲜藕350克，花生油、白糖、米醋、干红辣椒各适量。

制作

1. 鲜藕洗净，去皮切成薄片，下入开水锅中焯烫，捞出过凉沥干，加白糖、米醋调匀；干红辣椒切丝。
2. 锅内注油烧热，下辣椒丝炸出辣味，浇在藕片上拌匀，码入盘内，再取几根辣椒丝，点缀在藕片上即成。

特点

微甜酸辣，清爽脆嫩。

葱油海带丝

原料

水发海带250克，葱丝、姜丝、盐、糖、醋、胡椒粉、香油、酱油、色拉油各适量。

制作

1. 海带洗净切细丝，放入沸水锅中焯烫，捞出沥干入盘。
2. 酱油、盐、糖、醋、胡椒粉、香油调匀，浇在海带丝上，撒上葱丝、姜丝。
3. 锅内注油烧热，浇在葱姜丝上，拌匀即可。

特点

适合缺碘、气血不足的老年人食用。

温拌银耳干贝

原料

水发银耳250克，黄瓜100克，水发干贝50克，葱段、姜丝、花椒、盐、味精、色拉油各适量。

制作

1. 银耳洗净，撕成小片；水发干贝切成丝；黄瓜洗净，切成片。
2. 银耳片、干贝丝、黄瓜片加入姜丝、盐、味精拌匀。
3. 炒锅注油烧热，下入花椒、葱段，用慢火炸至暗红色，捞去，浇在银耳上，拌匀即成。

特点

清爽鲜嫩。

尖椒拌虾皮

原料

青尖椒、红尖椒各100克，虾皮150克，葱、香菜、香油、美极鲜酱油、米醋、花生油各适量。

制作

1. 青尖椒、红尖椒、大葱洗净切小丁；香菜去叶洗净切末。
2. 虾皮洗净，下入热油锅炸脆捞出。
3. 将虾皮、大葱丁、青红尖椒丁、香菜末加香油、美极鲜酱油、米醋拌匀，装盘即可。

特点

咸鲜辣脆。

芝麻拌嫩茄

原料

长茄子500克，炒香的白芝麻、芝麻酱、芥辣酱、味精、米醋、浅色酱油、香油、熟色拉油各适量。

制作

1. 茄子削皮洗净，蒸烂，撕成条。
2. 把芝麻酱、芥辣酱、米醋、浅色酱油、味精、香油调匀，加入茄子条，淋入熟色拉油拌匀装盘。
3. 撒上炒香的白芝麻即成。

特点

软滑酸辣，清凉可口。

蒜泥拌凉粉

原料

凉粉200克，嫩辣椒2～3个，蒜、香菜末、盐、糖、味精、醋、香油各少许。

制作

1. 凉粉洗净，切成小块；辣椒去籽，洗净，入沸水中焯烫，捞出沥干，切碎。
2. 蒜剥去蒜衣，洗净，切成碎末，再剁成泥。
3. 将辣椒、蒜泥、香菜一起放入凉粉盘内，撒入盐、糖、味精，淋入醋、香油，拌匀即可。

特点

酸中带辣，清香适口。

珊瑚白菜

原料

白菜400克，冬笋100克，香菇、干辣椒各50克，青椒、红椒各1个，色拉油、葱花、姜末、盐、糖、醋各适量。

制作

1. 青红椒、干辣椒、冬笋、香菇分别洗净切丝；白菜洗净切块，焯透过凉沥干，加入盐、糖、醋拌匀；干辣椒入油炸成红油。
2. 炒锅注油烧热，下葱、姜爆锅，放入青红椒、冬笋、香菇丝煸炒，加入糖、醋、盐调味，放入白菜块拌匀即可。

特点

咸鲜味美。

糖醋拌三丝

原料

白菜心300克，鸭梨1个，胡萝卜100克，白糖、米醋、盐各适量。

制作

1. 白菜心洗净，切细丝，加盐稍腌沥干；鸭梨、胡萝卜均切成丝。
2. 白菜丝加入梨丝、胡萝卜丝，搅拌均匀。
3. 将白糖和米醋加少许清水熬化，倒出晾凉后浇在三丝上即成。

特点

层次分明，色泽美观，甜酸清爽，解腻开胃。

醋熘海米白菜

原料

白菜400克，水发海米25克，葱花、姜丝、蒜片、白糖、盐、鸡精、淀粉、醋、香油、色拉油各适量。

制作

1. 白菜洗净，切片；醋、白糖、淀粉调匀制成芡汁。
2. 炒锅注油烧热，下葱花、姜丝、蒜片炝锅，放入白菜片、海米，烹醋，淋入调好的芡汁，翻炒均匀，加盐、鸡精，滴入香油，出锅装盘即成。

特点

酸咸脆嫩，清香爽口。

炝拌土豆丝

原料

土豆300克，青椒、红椒各50克，盐、味精、花椒油各适量。

制作

1. 将土豆洗净去皮，切成细丝，焯水过凉。
2. 将青红椒去蒂、籽，洗净，切成细丝，焯水过凉。
3. 将土豆丝、青红椒丝加盐、花椒油、味精拌匀，装盘即成。

特点

清淡爽口，颜色鲜艳。

白果竹丝鸡汤

原料

竹丝鸡（乌骨鸡）300克，荞麦100克，白果、芡实、车前子各25克，姜、干枣、盐各适量。

制作

1. 荞麦、芡实淘洗净；车前子洗净用布包好；生姜洗净；红枣去核洗净；白果去壳取肉；竹丝鸡洗净剁块。
2. 锅内添适量清水，放入竹丝鸡、荞麦、白果、芡实、车前子、生姜、红枣用大火煮沸，转小火煲至熟烂，加盐调味即可。

特点

清热祛湿，健脾止带。

黄芪莲子鸡汤

原料

净鸡300克，莲子50克，黄芪25克，姜、盐、味精、料酒、植物油各适量。

制作

1. 鸡切块，下油锅加姜爆香，淋少许料酒。
2. 黄芪、莲子肉洗净，与鸡块一起放入汤锅内，添适量清水，大火煮沸，再改小火煲2小时。
3. 加入盐、味精调味即可。

特点

补气健脾。

蘑菇鸡丁奶油汤

原料

蘑菇300克，牛奶250克，干面粉150克，鸡肉100克，葱、盐、味精、料酒、花生油各适量。

制作

1. 葱切花；鸡肉洗净切丁，加水、葱花、料酒小火煮烂，盛出备用。
2. 炒锅注油烧热，加入干面粉，用小火炒至金黄；将煮鸡肉的水倒入炒面锅内，同时充分搅拌成糊状，不要成疙瘩。
3. 倒入鸡丁、蘑菇，淋入牛奶，烧沸后，撒盐、味精即可。

特点

菇滑奶香，汁浓味厚，健脾开胃。

雪菜野鸭汤

原料

野鸭200克，雪菜、鸡脯肉各50克，葱、姜、盐、味精、料酒各适量。

制作

1. 野鸭加水、葱、姜、料酒煮熟，取肉切片；雪菜洗净切长段放入大汤碗内。
2. 将鸡脯肉切成末，加料酒、清水、葱、姜入汤锅烧开，将鸡汤调清，倒入大汤碗内，加盐、味精、料酒、葱、姜，上笼蒸烂取出，除去葱姜，原汤碗上桌即成。

特点

鲜香，原汁原味；滋补，助消化。

银耳鹌鹑汤

原料

鹌鹑肉250克，水发银耳150克，蘑菇、番茄各50克，煮熟去壳的鹌鹑蛋、黄酒、葱段、姜片、味精、盐各适量。

制作

1. 鹌鹑洗净，抹黄酒、盐腌渍20分钟，加水用大火煮沸，撇去浮沫，加黄酒、姜片、葱段用小火煮25分钟。
2. 放银耳、蘑菇、鹌鹑蛋，加盐，用大火煮沸5分钟，最后加入味精、番茄片即可。

特点

香醇丰厚。

椰肉银耳煲鸽汤

原料

雏鸽100克，椰子肉50克，银耳、火腿、蜜枣、盐各适量。

制作

1. 椰子肉去黑皮，切小块；蜜枣洗净；银耳浸发撕成小朵略煮。
2. 鸽子去脚洗净，入滚水中煮10分钟取出。
3. 煲内添适量水煲滚，放入鸽子肉、火腿、蜜枣、椰子肉、银耳煲滚，慢火煲3小时，撒盐调味即可。

特点

补益滋润，健脑益智。

鸭血豆腐汤

[原料]

豆腐300克，鸭血250克，红辣椒、葱末、盐、味精、酱油、香油、高汤各适量。

[制作]

1. 将鸭血洗净，切块；豆腐切块；同时焯一下，捞出控干。
2. 汤锅添高汤烧开；放鸭血块、豆腐块煮至漂起。
3. 撒盐、味精，淋酱油，下入葱末、红辣椒；待汤再开，起锅盛入汤碗内，最后淋入香油即可。

[特点]

营养丰富，颜色鲜艳，味美。

黄花鱼瘦肉汤

[原料]

黄花鱼400克，猪肋条肉150克，香菜、葱白、姜、盐、酱油、味精、料酒、胡椒粉、花生油各适量。

[制作]

1. 香菜择洗净切段；葱白、姜切细丝；猪肋条肉去皮切片；黄花鱼去鳃、鳞、内脏，洗净。
2. 锅内注油烧热，放入鱼煎透，留底油烧热，下入葱姜丝、盐、猪肉片略炒，添入开水、酱油、盐、料酒、胡椒粉煮开，放入鱼块煮至熟烂，撒入味精、香菜段即可。

[特点]

汤鲜美，肉细嫩，开胃爽口。

鲫鱼赤小豆汤

[原料]

鲫鱼250克，赤小豆100克，料酒25克，葱段、姜片、盐各适量。

[制作]

1. 鲫鱼留鳞、去内脏，洗净，加入料酒腌渍。
2. 锅内添适量清水，放入赤小豆用小火慢煮至六七成熟，放入鲫鱼、姜片、葱段煮成汤。
3. 加少许盐调味即可。

[特点]

鲜浓味美，小豆软烂。

15

苦瓜鲤鱼汤

原料

净鲤鱼肉400克，苦瓜250克，白糖、盐、醋各适量。

制作

1. 将净鲤鱼用餐巾纸吸干水分。
2. 苦瓜洗净，一切两半，去瓤、籽，用开水烫一下，捞出切片。
3. 汤锅内添清水用旺火烧开，放入鱼及苦瓜片，加醋、糖、盐调味，用文火煮5分钟即可。

特点

鲜咸适口，健脾利湿，消热解毒。

蛤蜊鲫鱼汤

原料

鲫鱼1条（约300克），蛤蜊、黄豆、花生仁各50克，姜片、盐各适量。

制作

1. 将鲫鱼去鳞及鳃、内脏，洗净，用布抹干鱼身。
2. 蛤蜊放入锅中煮开，捞出取肉；黄豆、花生仁用清水洗净。
3. 将鲫鱼、黄豆、花生仁、蛤蜊肉、姜片一同放砂锅内，加适量清水、盐，大火煮沸，再改用文火煲煮约2小时即可。

特点

鲜香味浓，滋补清火。

归芪鲤鱼汤

原料

鲤鱼500克，当归、黄芪、盐、香菜、花生油、盐各适量。

制作

1. 将鲤鱼洗净，去鳃、内脏及鱼鳞；香菜洗净切段。
2. 锅内添水，放入鲤鱼、花生油、当归、黄芪煮熟烂，拣出当归，加少许盐、香菜调味即可。

特点

清淡味美，营养丰富。

生姜泥鳅汤

原料

泥鳅250克，姜片、盐、白酒、植物油各适量。

制作

1. 将泥鳅放在有少许植物油的水盆中，使泥鳅吐出泥沙。
2. 把泥鳅洗净，放入油锅中煎至金黄色，加入姜片、适量清水和酒，慢火煮至汤呈奶白色。
3. 加入盐、白酒调味即成。

特点

味道鲜浓，营养丰富。

芥菜鱼头汤

原料

鲢鱼头500克，芥菜600克，蜜枣、盐、味精各适量。

制作

1. 鱼头、蜜枣洗净，芥菜洗净切段。
2. 将鱼头、蜜枣放入砂锅里，添适量清水，大火煮沸片刻，再放入大芥菜，改用小火煲1小时。
3. 加盐、味精调味即可。

特点

滋肾降火，健胃生津。

鱼头豆腐煲

原料

豆腐500克，鲢鱼头400克，冬笋75克，香菇25克，豆瓣酱、白糖、盐、酱油、黄酒、植物油各适量。

制作

1. 鱼头洗净，入沸水锅中汆过，捞出，加豆瓣酱、酱油略腌；豆腐切成厚片，下入沸水锅中汆一下；冬笋洗净切成片。
2. 炒锅注油烧八成热，下入鱼头煎黄，添适量水，加入黄酒、酱油、白糖略烧，放入豆腐片、笋片、香菇烧沸，撒盐略炖即可。

特点

滋味香浓，营养丰富。

蒜味豆腐鱼头汤

原料

鲢鱼头500克，豆腐200克，蒜100克，盐、味精、植物油各适量。

制作

1. 蒜洗净去衣，鱼头洗净，豆腐洗净切块；豆腐、鱼头分别下油锅煎香，铲起。
2. 锅内添适量清水，放入煎香的豆腐、鱼头与大蒜，用小火慢煲半小时，加盐、味精调味即可。

特点

清热祛湿，健脾止带。

葱豉鱼头汤

原料

鲢鱼头500克，豆腐300克，香菜、淡豆豉、葱白、盐、味精、植物油各适量。

制作

1. 鱼头去鳃，洗净切开；香菜、淡豆豉、葱白均洗净，香菜、葱白分别切碎。
2. 将鱼头下油锅煎香，放入淡豆豉、适量清水煮沸，改用小火煲半小时，放入香菜、葱白煮沸片刻，加盐、味精调味即可。

特点

健脾和胃，味道鲜美。

芙蓉豆腐汤

原料

豆腐400克，莴笋50克，香菇、豌豆尖、鲜蘑菇各25克，牛奶、盐、淀粉、素汤、白糖、湿淀粉、胡椒粉、味精各适量。

制作

1. 豆腐剁碎，加牛奶、盐、淀粉调匀，蒸10分钟入碟。
2. 香菇、鲜蘑菇、莴笋、豌豆尖洗净，蘑菇、莴笋分别切片。
3. 炒锅注油烧热，放入素汤、香菇、蘑菇、莴笋、豌豆尖，烧开煮熟，捞出摆入碟四周，汤里加盐、胡椒粉、白糖、味精搅匀，用湿淀粉勾芡即成。

特点

造型美观，营养丰富。

黄花木耳猪蹄汤

原料

猪蹄500克，黄花菜、木耳各25克，姜片、盐、味精、胡椒粉各适量。

制作

1. 猪蹄洗净入冷水锅中煮沸，捞出洗净；黄花菜、木耳择洗干净。
2. 汤锅内添适量清水，下入姜片，放猪蹄煮沸，改用小火煨熟。
3. 加入黄花菜、木耳，大火烧沸，再煨约10分钟，撒盐、味精、胡椒粉调味即可。

特点

醇厚香浓，营养丰富。

淮杞煲猪手

原料

猪蹄500克，山药干50克，枸杞25克，盐适量。

制作

1. 将猪蹄刮洗干净，剁块，放在瓦煲里，添入适量开水煲煮。
2. 加入山药干、枸杞煲开，改用中火煲烂，加入盐调味，撇去汤面油即成。

特点

味道浓香，营养丰富。

花生猪蹄汤

原料

猪蹄500克，花生仁50克，盐适量。

制作

1. 将猪蹄刮洗干净，花生仁洗净。
2. 锅内注水烧沸，放入猪蹄和花生仁，大火煮沸，改用小火煎煮至猪蹄熟烂。
3. 加盐调味即可。

特点

美容养颜，催奶滋补。

粉葛猪蹄汤

原料

猪蹄400克，粉葛300克，章鱼25克，蚝豉、陈皮、盐各适量。

制作

1. 猪蹄刮洗净，剁块，加水煮10分钟，取出过凉；粉葛撕去皮，洗净，横切厚片；章鱼、蚝豉浸软，洗净。
2. 锅内注水烧沸，放入粉葛、章鱼、陈皮，大火煮20分钟。
3. 加入猪蹄、蚝豉，用中火煮20分钟，加盐调味即可。

特点

营养丰富，味道鲜美。

猪蹄煮丝瓜豆腐

原料

猪蹄500克，丝瓜250克，豆腐200克，香菇50克，葱、姜、盐各适量。

制作

1. 将猪蹄去毛，洗净；丝瓜洗净去皮切块，豆腐切块；葱切末，姜切片；香菇洗净切块。
2. 砂锅添适量清水，放入猪蹄、香菇大火烧沸，转小火煮熟烂。
3. 加入葱末、姜片、盐调味，下入丝瓜块、豆腐块煮熟即可。

特点

肉烂汤美，营养丰富。

枸杞银耳瘦肉汤

原料

猪肉500克，银耳、干贝、火腿片、枸杞各25克，姜、盐各适量。

制作

1. 枸杞洗净；干贝洗净，用清水浸1小时；银耳浸发撕成小朵，略煮捞起，沥干；瘦肉放入滚水中煮5分钟，捞起洗净切片；
2. 煲内添水烧滚，放入银耳、干贝、瘦肉、火腿、枸杞煲滚，慢火煲15分钟，撒盐调味即可。

特点

营养丰富，味道鲜美醇厚。

芥菜咸蛋肉片汤

原料

芥菜250克，咸鸭蛋150克，猪肉100克，姜、淀粉、酱油、花生油各适量。

制作

1. 芥菜洗净切段，沥干；咸鸭蛋洗净，取蛋黄；瘦肉切薄片，加酱油、淀粉腌10分钟，放滚水中焯至半熟，捞起沥干。
2. 煲内注油烧热，爆香姜，添水煲滚，放芥菜、咸蛋黄、瘦肉煲熟，放咸蛋白拌匀，盛入汤碗内即成。

特点

清热下火，开胃增食欲。

木瓜花生排骨汤

原料

猪小排、木瓜各500克，花生仁（生）100克，蜜枣50克，盐少许。

制作

1. 木瓜去皮、籽洗净，切厚块；花生仁用清水浸1小时，捞出。
2. 蜜枣洗净；排骨放入滚水中煮5分钟，捞出。
3. 煲内添入适量水，加入花生仁、排骨、木瓜、蜜枣煲滚，慢火煲3小时，撒盐调味即可。

特点

营养丰富，香味浓郁，甜香可口。

火腿冬瓜汤

原料

冬瓜1000克，火腿100克，盐、味精、胡椒粉、鸡油、清汤各适量。

制作

1. 冬瓜去皮、瓤切厚片，略煮捞出；火腿切片，嵌在冬瓜夹片中间，加盐、味精、胡椒粉、清汤蒸20分钟取出，倒入汤碗内。
2. 汤锅内添入清汤，撒盐、味精，待汤烧开，淋入鸡油，起锅盛入装有冬瓜的汤碗内即成。

特点

鲜香、色白，清热利尿。

冬瓜茯苓蛏肉汤

原料

冬瓜500克，蛏肉150克，茯苓15克，通草、陈皮、盐、味精各适量。

制作

1. 冬瓜去皮、瓤，切块；茯苓、陈皮、通草、蛏肉洗净。
2. 锅内添适量清水，放入蛏肉、冬瓜、茯苓、通草、陈皮用大火煮沸，转小火煲2小时。
3. 加盐、味精调味即可。

特点

清暑热，利水湿，通乳。

冬瓜瘦肉汤

原料

冬瓜300克，猪瘦肉100克，干贝、老姜片、香菜段、盐各适量。

制作

1. 将冬瓜洗净去皮、瓤，切块。
2. 猪瘦肉洗净切丁，放入沸水锅中焯过；干贝浸泡备用。
3. 将冬瓜、瘦肉、干贝、姜片放入开水锅中，小火煲约1小时，加盐调味，撒上香菜段即可。

特点

清香味鲜，健脾胃，祛暑生津。

冬瓜枸杞汤

原料

冬瓜300克，枸杞10克，盐、鸡精、味精、糖各适量。

制作

1. 将冬瓜洗净去皮、瓤，挖成球；枸杞泡软。
2. 锅中放入清水、冬瓜烧开，加入枸杞，煮3分钟，加入盐、鸡精、味精、糖、调味即可。

特点

醇和微甜，活血养颜。

枸杞龙眼汤

原料

龙眼肉、银耳各50克，枸杞25克，莲子、糖、糖桂花各适量。

制作

1. 银耳泡软，枸杞用沸水泡软；莲子用沸水泡软，去除莲芯。
2. 锅中放入莲子、银耳、清水，大火烧沸，转小火焖至莲子、银耳酥烂。
3. 放入枸杞、龙眼肉、糖烧沸，加入少量糖桂花即可。

特点

香甜美味，安神助眠，延年益寿。

南瓜莲子汤

原料

小南瓜1个，莲子50克，巴戟天25克，老姜3片，冰糖、盐各适量。

制作

1. 将南瓜洗净，去皮、瓤，切成块；莲子洗净泡软。
2. 全部原料放入开水锅中，小火煮约2小时后，加入冰糖，大火煮10分钟，加盐调味即可。

特点

益气生津，健脾补肾，健脑益智。

莲子安神汤

原料

红豆、莲子各50克，干百合、陈皮、冰糖各适量。

制作

1. 将红豆、莲子、百合、陈皮洗净，用清水浸泡2小时，放入清水锅中大火煮开。
2. 改小火煮2小时，再用大火煮30分钟，待红豆起沙，加入冰糖，煮10分钟即可。

特点

补脾益肾，养心安神，补血，利尿，消肿。

松花蛋淡菜汤

原料

番茄、甘薯各250克，松花蛋150克，淡菜100克，葱、姜、盐各少许，油适量。

制作

1. 番茄、甘薯、松花蛋去皮洗净切块；淡菜用清水浸半小时，洗净。
2. 炒锅注油烧热，爆香姜葱，下淡菜爆透，添水浸过淡菜，煮片刻捞起，用清水冲洗。
3. 煲内添水烧滚，放姜、甘薯、淡菜、番茄慢火煲40分钟，放入松花蛋煲10分钟，撒盐调味即可。

特点

滋补消火，有益身体健康。

绿豆芽蚬肉汤

原料

绿豆芽350克，蚬子250克，葱、姜片、盐、油、料酒各适量。

制作

1. 葱洗净切碎；绿豆芽择洗净；蚬肉撒盐，搓擦洗净，沥干。
2. 炒锅烧热注油少许，下绿豆芽烘炒片刻，盛出。
3. 炒锅注油烧热，下姜片爆香，放入蚬肉爆炒，加料酒，添水烧滚，放入绿豆芽煮滚，改用中火煮10分钟，撒盐调味，下葱花即可。

特点

蚬肉能清热、利湿、解毒，性味甘咸、寒；绿豆芽能去湿，清热。

虾仁三鲜汤

原料

肉汤700毫升，上浆虾仁150克，上浆猪肉片、上浆鱼片各100克，料酒、盐、胡椒粉各少许。

制作

1. 炒锅中加入肉汤、盐旺火烧沸，放入肉片、鱼片略煮。
2. 再放入虾仁烧沸，加入料酒，撇去浮沫。
3. 撒上胡椒粉、盐调味即成。

特点

微辣爽口，补血益气。

三冬养生汤

原料

冬瓜300克，冬菇、冬笋各100克，姜片、盐、味精、色拉油各适量。

制作

1. 将冬瓜洗净去皮、瓤，切成片；冬笋洗净，去壳切片，下入开水锅中煮透，捞起待用；冬菇浸透切片。
2. 炒锅注油烧热，下姜片爆香，放入水、冬菇片、冬笋片、冬瓜片煮10分钟，加盐、味精调味即成。

特点

清鲜淡雅，滋养润燥。

香菇冬瓜汤

原料

冬瓜400克，香菇100克，高汤、花生油、葱末、盐、味精、鸡油各适量。

制作

1. 冬瓜去皮、瓤洗净，切成块；香菇用温水泡发好，洗净备用。
2. 汤锅注花生油烧热，下葱末炝锅炒出香味，添入高汤，加香菇烧开，放入冬瓜块，待冬瓜熟烂，撒入盐、味精，淋上鸡油，起锅盛入汤碗中即成。

特点

汤白鲜浓，开胃，增食欲。

香菇豆腐汤

原料

豆腐200克，鲜香菇150克，冬笋50克，油菜25克，盐、味精、胡椒粉、鸡油、清汤各适量。

制作

1. 香菇泡透，去蒂，洗净捞出，沥干；豆腐切小方块，入开水锅中略汆，捞出沥干；冬笋切成薄片；油菜择洗净。
2. 汤锅添入清汤烧沸，放入冬笋片、香菇、豆腐块，加盐、味精烧沸，放入油菜，撒胡椒粉，淋入熟鸡油即可。

特点

汤鲜味香，腐嫩；菇滑；笋脆。

番茄蛋花汤

原料

番茄200克，鸡蛋2个，素汤、盐、白糖各适量。

制作

1. 番茄洗净切片；蛋液搅匀。
2. 炒锅注油烧热，放番茄略炒一下，加入素汤煮片刻，加入蛋汁，一边倒一边搅，最后撒盐、糖调味即成。

特点

此汤具有清热消滞、抗坏血病的作用。

奶油番茄汤

原料

番茄250克，洋葱、牛奶、面粉、黄油、盐、鲜奶油、番茄酱各适量。

制作

1. 炒锅放黄油烧热，加面粉炒香，冲入烧开的牛奶，加鲜奶油和盐调匀烧开；番茄洗净烫去皮，切成碎末；洋葱切成小丁。
2. 炒锅放黄油烧热，加洋葱丁炒至微黄，放入番茄末、番茄酱炒至亮红色，倒入奶油汤内，上火煮开即可。

特点

常食番茄可帮助消化，美白肌肤。

米汤南瓜

原料

老南瓜500克，葱段、姜片、盐、味精、香油、湿淀粉、米汤、色拉油各适量。

制作

1. 南瓜削皮，去瓤，洗净，切成长方块。
2. 炒锅注油烧热，下葱段、姜片炒香。
3. 投入南瓜块略炒，加入米汤焖至南瓜软烂，加盐、味精略烧，勾芡收汁，淋香油，出锅即可。

特点

软烂细腻，咸鲜香甜。

魔芋南瓜汤

原料

南瓜250克，魔芋丝150克，盐、白糖、鸡精各适量。

制作

1. 南瓜洗净，去皮、籽，切块，上笼蒸至软烂，搅打成泥。
2. 锅置火上，倒入清水750毫升烧开，放入南瓜泥、魔芋丝煮2分钟，加入盐、白糖、鸡精调味即可。

特点

甜润适口。

苦瓜消暑汤

原料

苦瓜200克，熟肉丝50克，榨菜丝、盐、味精、高汤、色拉油各适量。

制作

1. 苦瓜洗净切片，放入沸水锅中烫一下，捞出放凉水中浸凉。
2. 榨菜丝用清水泡去咸味后放汤碗中。
3. 锅中放入色拉油、高汤、苦瓜片、熟肉丝烧沸，加入盐、味精调味，起锅倒入汤碗中即可。

特点

咸鲜适口。

三鲜苦瓜汤

原料

苦瓜300克，鲜香菇、冬笋各100克，盐、味精、鲜汤、色拉油各适量。

制作

1. 苦瓜洗净切成薄片，放入开水锅中汆一下，捞出沥干水分。
2. 鲜香菇去蒂，片成薄片；冬笋洗净去壳，切成薄片。
3. 汤锅注油烧至七成热，放入苦瓜片略炒，添入鲜汤烧开，放入冬笋片、香菇片煮软，加盐、味精调味，起锅倒入汤碗中即可。

特点

色美味鲜。

27

银耳冬瓜汤

原料

冬瓜250克，水发银耳25克，鲜汤500毫升，盐、味精、香油、花生油各适量。

制作

1. 冬瓜去皮、籽，切片；银耳洗净，撕成小片。
2. 炒锅注入油烧热，放入冬瓜片，煸炒至变色后，加鲜汤、盐。
3. 烧至冬瓜片快烂时，加银耳、味精略煮，淋入香油即成。

特点

清淡醇香。

火腿冬瓜汤

原料

冬瓜300克，熟火腿50克，清汤、盐、味精各适量。

制作

1. 将火腿切成薄片；冬瓜削皮去籽洗净，切成片。
2. 炒锅注入清汤烧沸，加入冬瓜片烧至呈玉白色时，撇去浮沫。
3. 加入盐、味精，出锅盛入汤碗，整齐地放上火腿片即成。

特点

冬瓜细软，火腿浓香，汤鲜味醇。

冬瓜肉丸汤

原料

冬瓜、猪肉馅各150克，鸡蛋清1个，料酒、香油、姜末、姜片、盐、鸡粉各适量。

制作

1. 冬瓜去皮、籽洗净，切片；肉馅加蛋清、姜末、料酒、盐，搅拌均匀成肉泥，挤成若干肉丸，下入加姜片的开水锅中煮熟。
2. 放入冬瓜片煮5分钟，加入盐、鸡粉调味，滴入香油即可。

特点

清鲜味美。

萝卜粉丝汤

原料

白萝卜150克，粉丝、盐、味精、胡椒粉、色拉油各适量。

制作

1. 将白萝卜洗净，切成丝。
2. 粉丝放入温水中泡软，切成段。
3. 锅中加适量水烧开，放入白萝卜丝、粉丝、色拉油烧开，加入盐、味精、胡椒粉调味即可。

特点

清香淡雅，鲜咸微辣，开胃顺气，增强抵抗力。

青萝卜汤

原料

甜梨150克，青萝卜100克，红枣25克，盐、白砂糖各适量。

制作

1. 青萝卜洗净，切成块，焯一下；甜梨、红枣分别洗净，甜梨切成块备用。
2. 汤锅添入适量清水烧开，放入青萝卜、甜梨、红枣烧开。
3. 小火煮2小时，撒入盐与白糖，起锅即成。

特点

汤色微黄，甜中带咸，解暑，利尿，去湿。

胡萝卜生鱼汤

原料

鲤鱼、胡萝卜各500克，猪瘦肉100克，红枣、陈皮、盐、植物油各适量。

制作

1. 胡萝卜洗净切片；红枣去核；陈皮浸软，去白，洗净；猪瘦肉洗净切块；鲤鱼去鳞、鳃、内脏洗净，抹干水，下油锅煎黄。
2. 锅内添适量水，放入鱼、猪瘦肉、胡萝卜、红枣、陈皮，大火煮沸后转小火煮2小时，加盐调味即可。

特点

补中益气，健脾化滞。

水萝卜片汤

水萝卜150克，干虾仁25克，盐、味精、姜汁、酱油各适量。

制作

1. 水萝卜洗净，切长条片；干虾仁用温水泡软，洗净。
2. 汤锅添入开水，将萝卜片焯透捞出。
3. 汤锅添高汤，放虾干、水萝卜片、盐、味精、酱油、姜汁煮开，撇去浮沫，盛入汤碗内即成。

特点

汤味鲜美，清热，去火。

青菜豆腐汤

原料

虾仁200克，豆腐、空心菜各150克，猪肥肉100克，干木耳、鸡蛋清各25克，黄豆粉、盐、香油、白酒各适量。

制作

1. 虾洗净沥干；豆腐搅碎；猪肥肉煮熟切碎；空心菜洗净切段，下入开水锅焯过；木耳浸软，洗净去蒂；虾仁、猪肥肉加少许盐、香油、蛋清和豆粉搅匀，捏成丸子。
2. 锅内加水、丸子、空心菜、木耳煮熟，加白酒、盐调味即可。

特点

清肠排毒，益气耐饥，生津除烦。

菠菜豆腐汤

原料

菠菜100克，豆腐1块，姜、盐、鲜汤、香油、色拉油各适量。

制作

1. 将豆腐洗净切成1.5厘米见方的小块；姜切丝；菠菜择洗干净，切成段，放入沸水锅中迅速焯烫捞出。
2. 炒锅注油烧热，下入姜丝爆香，放入豆腐、菠菜炒香，加入鲜汤、水、盐烧至入味，淋入香油，起锅盛入汤碗内即可。

特点

鲜香色艳。

冻豆腐金针汤

原料

冻豆腐1块，金针菇75克，香菜25克，榨菜丝15克，肉清汤、盐、胡椒粉各适量。

制作

1. 冻豆腐解冻沥干，切小块；金针菇洗净沥干切半；榨菜丝洗净；香菜洗净切小段。
2. 锅置火上，倒入肉清汤烧开，下冻豆腐块煮至入味，加入金针菇、榨菜、盐煮片刻，盛入汤碗中，撒上香菜段和胡椒粉即可。

特点

清鲜微辣。

海带排骨汤

原料

海带、排骨各200克，黄豆25克，蜜枣2个，姜片、盐、鸡粉、香油各适量。

制作

1. 排骨洗净斩成段，放入开水锅中略煮，捞出；海带洗净切段。
2. 锅内添适量清水，放入海带、排骨、黄豆、蜜枣、姜片用大火煲半小时，转小火煲2小时。
3. 加入盐、鸡粉、香油调味即可。

特点

营养丰富。

萝卜排骨汤

原料

白萝卜300克，排骨250克，洋葱3个，鸡蛋1个，姜片、香菜段、盐、料酒各适量。

制作

1. 排骨洗净切段，下沸水锅中汆烫；白萝卜洗净切块；洋葱洗净切块；鸡蛋打成蛋液备用。
2. 排骨放入锅中，加适量水、姜片、料酒煮开，转小火煮熟，再下萝卜块、洋葱块略煮，加入蛋液、盐，撒上香菜段即可。

特点

鲜美不腻。

山药排骨汤

原料

山药300克，排骨500克，芹菜50克，葱片、姜片、花椒、盐、味精、胡椒粉、料酒各适量。

制作

1. 排骨切段，下入沸水锅中汆烫，捞出沥干；山药去皮切块；芹菜择洗净，切段；锅中放入清水、排骨、葱片、姜片、花椒、料酒、芹菜段，用中火烧开，改小火炖煮。
2. 放入山药块炖至排骨酥烂时，拣去葱、姜、芹菜，放入盐、味精、胡椒粉调味即可。

特点

香浓味美。

黄豆芽排骨豆腐汤

原料

小排骨300克，嫩豆腐1盒，黄豆芽200克，青葱段、姜片、盐、胡椒粉、高汤各适量。

制作

1. 黄豆芽择洗净，豆腐切成小方块；小排骨洗净切小块，放入开水锅中烫片刻，捞出备用。
2. 汤锅入高汤煮开，放入小排骨、黄豆芽、姜片烧开，转小火煮30分钟，最后加入豆腐块、盐、胡椒粉调味，撒上青葱段即可。

特点

鲜辣适口。

雪菜黄鱼汤

原料

黄鱼1条，雪菜100克，葱段、盐、料酒、色拉油各适量。

制作

1. 黄鱼剖开洗净，分别在鱼身两侧剞上波浪花刀；雪菜切成末。
2. 炒锅注油烧热，投入黄鱼煎至两面金黄，烹入料酒加盖略焖。
3. 再加入清水旺火烧沸，加盖焖至汤呈乳白色时加入雪菜、盐和葱段，再用旺火烧沸，起锅装入大汤碗中即可。

特点

鲜香适口。

紫菜虾皮汤

[原料]

鸡蛋1个，紫菜、虾皮各25克，花生油、料酒、醋、酱油、香油各适量。

[制作]

1. 紫菜洗净、撕开；鸡蛋打散，搅匀；虾皮洗净，加料酒浸泡10分钟捞出。
2. 炒锅注油烧热，倒入酱油炝锅，立即添水1碗，放入紫菜、虾皮煮10分钟，再放入蛋液、醋略加搅动，蛋熟起锅，淋香油即成。

[特点]

清淡鲜美，开胃，营养丰富。

虾皮菠菜粉丝汤

[原料]

菠菜150克，粉丝25克，虾皮15克，盐、胡椒粉各适量。

[制作]

1. 将菠菜择洗净切段；粉丝用温水泡软。
2. 锅中注入适量水，把菠菜、粉丝、虾皮一同放入锅中煮沸，加盐、胡椒粉调味即可。

[特点]

鲜味浓郁。

虾皮萝卜汤

[原料]

白萝卜250克，水发木耳50克，虾皮10克，盐5克，白糖少许。

[制作]

1. 白萝卜去皮，洗净，切成薄片；木耳去蒂，撕成小朵。
2. 锅置火上，倒入适量水煮开，下白萝卜片、木耳，煮至白萝卜软烂，加盐、白糖调味，放入虾皮煮开即可。

[特点]

汤味清鲜。

海米白菜汤

原料

白菜心250克，虾米50克，干香菇25克，火腿、盐、味精、鸡油各适量。

制作

1. 白菜心洗净切条，稍烫，沥干；海米用温水浸泡，洗净泥沙；火腿切成1厘米长的片；冬菇洗净挤干水，每朵切成两瓣。
2. 汤锅添入高汤，放火腿、香菇、海米、白菜心、盐烧开，待白菜心熟烂时，撒入味精，淋入鸡油，起锅盛入汤碗内即成。

特点

鲜香解腻，美味适口，清热利尿。

海米萝卜汤

原料

白萝卜100克，海米、葱末、清汤、盐、料酒、花生油各少许。

制作

1. 将白萝卜洗净去皮，切成细丝；海米洗净。
2. 炒锅注入油烧热，下入葱末炝锅，随即加入料酒、萝卜丝、海米略炒。
3. 注入清汤烧开，加入盐调味，撇去浮沫即成。

特点

味道鲜美，营养丰富。

时蔬浓汤

原料

卷心菜、生菜各200克，红甜椒、鸡肉各150克，盐、味精、湿淀粉各适量。

制作

1. 将卷心菜、生菜、红甜椒洗净，切短丝；鸡肉切丝。
2. 炒锅内加适量清水烧开，倒入卷心菜、生菜、红椒丝，边划散边烧开，再将鸡肉丝放入锅中，稍煮，加盐、味精调味，用湿淀粉勾芡即可。

特点

营养丰富，易于消化吸收，特别适宜儿童食用。

蔬菜大酱汤

[原料]

土豆300克，黄豆芽、青椒、红椒各50克，大酱150克，辣椒酱、蜂蜜、香油各适量。

[制作]

1. 将土豆去皮洗净切成丁；黄豆芽洗净；青红椒洗净，去籽，切片。
2. 大酱加入水、辣椒酱、蜂蜜拌匀。
3. 炒锅烧热注入香油，下土豆丁、黄豆芽炒香，放入拌好的大酱烧煮，煮至汤汁浓时，放入青红椒片略煮即可。

[特点]

汤味香浓，鲜辣爽口。

山药莲子汤

[原料]

山药、空心莲子各150克，白糖、糖桂花各适量。

[制作]

1. 将莲子用沸水泡软；山药削皮，切成滚刀块。
2. 锅中放入莲子、山药块、清水，大火煮沸，转小火焖至莲子酥烂。
3. 加入白糖、糖桂花，起锅倒入碗中即成。

[特点]

香甜适口。

平菇蛋汤

[原料]

鲜平菇250克，青菜心50克，鸡蛋2个，料酒、盐、酱油、花生油各适量。

[制作]

1. 将鲜平菇洗净，撕成薄片，放入沸水锅中略烫一下捞出；鸡蛋磕入碗中，加料酒、少许盐搅匀；青菜心洗净切成段。
2. 炒锅注油烧热，下青菜心煸炒，放入平菇、适量水烧开。
3. 加盐、酱油，倒入鸡蛋液搅成蛋花，再烧开即成。

[特点]

鲜美可口。

莼菜鸡丝汤

原料

莼菜700克，鸡脯肉200克，鸡蛋清3个，清汤1000毫升，湿淀粉、盐、味精各适量。

制作

1. 将莼菜择洗干净；鸡脯肉切成6厘米长的细丝，放在碗内，加入蛋清、盐、湿淀粉拌匀上浆。
2. 将莼菜、鸡丝下沸水锅中，烫一下捞起，放在汤碗中。
3. 清汤中加入盐、味精，烧沸后撇去浮沫，倒入鸡丝碗内即成。

特点

莼菜鲜嫩，汤汁爽口。

清汤银耳

原料

水发银耳100克，料酒、盐、胡椒粉、鸡清汤、味精各适量。

制作

1. 将银耳去蒂和杂质洗净，下入开水锅中焯至嫩熟，捞入大汤碗内。
2. 锅中放入鸡清汤、盐、料酒和胡椒粉烧开，撇去浮沫，加入味精推匀，倒入装有银耳的汤碗内即成。

特点

汤汁清澈如水，银耳洁白似花，脆嫩柔软爽口。

丝瓜玉米羹

原料

丝瓜1根，胡萝卜1根，豆腐1块，香菇3朵，甜玉米粒50克，盐、淀粉、香油各适量。

制作

1. 将丝瓜去皮、去瓤洗净切小丁；甜玉米粒切碎；胡萝卜、香菇洗净切小丁；豆腐切小丁。
2. 玉米碎放入沸水锅中烧约10分钟，加入胡萝卜丁、香菇丁略烧；加入丝瓜丁、豆腐丁略烧，加盐、淀粉、香油调味即成。

特点

色艳味美。

韭菜炒鸡蛋

原料

韭菜250克，鸡蛋3个，花生油、盐各适量。

制作

1. 将韭菜洗净切段；鸡蛋打散。
2. 炒锅注油烧热，倒入鸡蛋液略煎，再加适量水和韭菜一起翻炒，加入盐调味即可。

特点

滋味鲜香，有温中养血、温暖腰膝的功效。

韭菜豆腐皮

原料

韭菜300克，豆腐皮200克，葱花、色拉油、盐、味精各适量。

制作

1. 把韭菜择洗净，切成段；豆腐皮切成丝。
2. 炒锅注油烧至五成热，下入葱花爆锅，加入豆腐皮丝炒1分钟，再放入韭菜、盐、味精迅速煸炒至韭菜变色断生，出锅装盘即成。

特点

色彩明快，鲜嫩清香。

油皮炒韭菜

原料

油皮250克，嫩韭菜150克，姜丝、盐、鸡精、花生油、湿淀粉、清汤、香油各适量。

制作

1. 将油皮烫软洗净，沥去水分，切成长丝；韭菜择洗净，切成段。
2. 炒锅注油烧热，下姜丝炝锅，放入油皮丝、鸡精、盐、少许清汤翻炒入味。
3. 加韭菜煸炒至熟，用湿淀粉勾芡，淋入香油，出锅即成。

特点

油润爽嫩，清鲜味美。

西芹花生米

原料

芹菜200克，去皮花生米100克，胡萝卜50克，盐、味精、香油各适量。

制作

1. 将芹菜择洗干净，切成斜块；花生米煮熟；胡萝卜洗净切丁。
2. 将以上三种原料放入沸水锅中焯过，捞出沥干水分。
3. 将芹菜、花生米、胡萝卜加盐、味精、香油拌匀，装盘即成。

特点

色彩鲜艳，清脆可口。

西芹炒腰果

原料

西芹300克，胡萝卜150克，腰果100克，盐、鸡精、白糖、淀粉、香油、色拉油各适量。

制作

1. 西芹择洗净切块，胡萝卜切小片，下入加油、盐的开水锅中焯烫，捞出沥干；腰果下入热油锅中炸香，捞出沥油。
2. 锅内留油烧热，下西芹、胡萝卜旺火快炒，加盐、鸡精、白糖炒匀，用淀粉勾芡，放入腰果，淋上香油，出锅即可。

特点

清爽脆嫩。

蒜薹炒鸡蛋

原料

嫩蒜薹250克，鸡蛋4个，姜末、盐、花椒水、花生油各适量。

制作

1. 将蒜薹洗净切成段；鸡蛋打入碗内加盐搅匀。
2. 炒锅注油烧至五成热，下蛋液炒散成蛋块。
3. 炒锅注油烧热，下姜末炝锅，放入蒜薹段煸炒至断生，加入盐、花椒水翻炒入味，倒入鸡蛋块，翻炒均匀，出锅即成。

特点

翠绿嫩黄，软嫩鲜香。

蒜薹炒土豆丝

原料

嫩蒜薹250克，土豆150克，猪肉100克，姜丝、盐、料酒、酱油、醋、味精、香油、花生油各适量。

制作

1. 将蒜薹洗净切成段；土豆去皮切丝冲洗两遍；猪肉切丝。
2. 炒锅注油烧至五成热，下肉丝炒散，再下姜丝炒香，加入土豆丝、料酒、醋煸炒数下。
3. 加入蒜薹、酱油、盐、味精炒熟，淋上香油炒匀，出锅即成。

特点

脆嫩味美。

干烧笋尖

原料

冬笋尖250克，水发冬菇50克，胡萝卜、青豆各25克，郫县豆瓣、葱末、姜末、料酒、清汤、盐、白糖、花生油各适量。

制作

1. 将冬笋切块；冬菇、胡萝卜切块；郫县豆瓣剁碎。
2. 冬笋、冬菇、胡萝卜丁、青豆下开水锅中煮透捞出。
3. 炒锅注油烧热，下葱末、姜末、豆瓣炒出油，加料酒、清汤、盐、白糖烧开，再投入全部原料，烧开后改中火收汁，装盘即成。

特点

冬笋脆嫩，豆香浓郁，色彩美观。

炒蘑菇莴笋

原料

鲜蘑菇250克，莴笋150克，胡萝卜50克，姜末、盐、味精、湿淀粉、料酒、色拉油、熟油各适量。

制作

1. 鲜蘑菇洗净切片；莴笋去皮洗净切片；胡萝卜洗净切片。
2. 炒锅注油烧热，投入姜末、蘑菇片、胡萝卜片、莴笋片稍炒。
3. 再加入盐、料酒、味精炒匀，用湿淀粉勾芡，淋上熟油，出锅即成。

特点

脆嫩爽滑。

番茄炒鸡蛋

原料

番茄200克，鸡蛋4个，葱、盐、色拉油各适量。

制作

1. 将番茄洗净切成块；葱切成片；鸡蛋打散，加盐搅匀。
2. 炒锅注少许油烧热，放入番茄快炒，加盐调味后盛出。
3. 炒锅注油烧热，倒入蛋液，大火炒至蛋半熟时加入葱片，然后放入炒好的番茄，略炒后起锅即可。

特点

酸甜味美。

番茄炒山药

原料

番茄300克，山药200克，葱花、姜末、盐、白糖、味精、色拉油各适量。

制作

1. 将番茄洗净切片；山药去皮切片。
2. 炒锅注油烧热，下葱花、姜末爆香，放入番茄片、山药片翻炒，加盐、白糖、味精调味，炒熟即可。

特点

酸甜适口。

鱼香茄子

原料

茄子500克，郫县豆瓣酱25克，葱花、姜末、蒜末、盐、白糖、味精、湿淀粉、酱油、醋、料酒、清汤、花生油各适量。

制作

1. 茄子洗净去皮，切成滚刀块，下入热油锅中炸透，捞出沥油。
2. 原锅留少许油，下郫县豆瓣酱炒出香味，加入葱花、姜末、蒜末炒香，再加入清汤、茄块、酱油、料酒、醋、盐、白糖，小火烧熟透，加少许味精调味，用湿淀粉勾芡，出锅即成。

特点

颜色红亮，咸甜酸辣。

酱扒茄子

原料

茄子500克，猪瘦肉150克，青红尖椒、葱、蒜、甜面酱、盐、糖、味精、酱油、色拉油各适量。

制作

1. 茄子洗净切条，加盐略腌沥干，上笼蒸熟待用；猪瘦肉切丝；青红尖椒、葱切丝；蒜切末。
2. 炒锅注油烧热，下肉丝炒熟，加入甜面酱、盐、味精、糖、酱油炒匀调味，放在茄条上，撒入蒜末、青红椒丝、葱丝即成。

特点

酱香浓郁，滑软微辣。

金沙茄条

原料

嫩茄子300克，熟咸鸭蛋黄2个，盐、淀粉、色拉油各适量。

制作

1. 茄子去皮洗净切条，加盐略腌，拌匀淀粉；咸鸭蛋黄压碎。
2. 炒锅注油烧热，放入茄子，慢火炸至色淡黄、微脆捞出沥油。
3. 锅中留少许油，放入蛋黄碎炒出香味，再倒入炸好的茄子炒匀，使蛋黄均匀地裹在茄条上即可。

特点

色彩金黄，爽口脆嫩。

酱爆黄瓜丁

原料

黄瓜350克，豆瓣酱25克，葱末、姜末、蒜末、盐、白糖、味精、湿淀粉、料酒、花生油各适量。

制作

1. 将黄瓜洗净，切成1厘米见方的丁。
2. 炒锅注油烧热，下姜末、蒜末炝锅，再入豆瓣酱炒出香味。
3. 放入黄瓜丁略炒，加入料酒、盐、白糖、味精及少许清水烧开入味，用湿淀粉勾芡，撒上葱末，出锅即成。

特点

脆嫩鲜香，酱味浓郁。

玉米笋炒黄瓜

原料

黄瓜250克，玉米笋150克，胡萝卜、冬笋各50克，冬菇2朵，盐、味精、酱油、香油、色拉油各适量。

制作

1. 黄瓜、冬笋、冬菇切条；玉米笋切段；胡萝卜切菱形片。
2. 炒锅注油烧至七成热，下冬笋、冬菇略炒，放入黄瓜、玉米笋、胡萝卜翻炒至断生，加入盐、味精、酱油翻炒入味，滴入香油，出锅装盘即成。

特点

味美爽口。

炒洋葱丝

原料

洋葱300克，盐、酱油、色拉油各适量。

制作

1. 将洋葱去老皮，切掉根部，洗净切成丝。
2. 炒锅注油烧热，放入洋葱丝，加入酱油、盐，炒匀即可。

特点

鲜香可口。

洋葱烩蛋

原料

洋葱250克，鸡蛋3个，盐、色拉油各适量。

制作

1. 将洋葱去老皮，切掉根部，洗净切成丝；鸡蛋磕入碗中，加少许盐，打匀，下入热油锅中炒熟。
2. 炒锅注油烧热，下洋葱丝炒片刻，加适量盐、开水烧沸，倒入炒好的鸡蛋，烧至洋葱熟烂，盛入盘中即成。

特点

色美香浓。

肉酱菠菜

原料

菠菜300克，猪五花肉100克，盐、味精、甜面酱、酱油、料酒、花生油各适量。

制作

1. 猪五花肉洗净剁成末，下入热油锅炒至干香色黄，加入甜面酱、酱油、料酒炒匀，再加盐、味精及少许清水烧沸，制成肉酱，晾冷后待用。
2. 菠菜择洗净，切段，入沸水焯烫，捞出晾凉，淋上肉酱即可。

特点

咸鲜微甜，风味独特。

素炒菠菜

原料

菠菜250克，蒜、盐、色拉油各适量。

制作

1. 菠菜择洗干净，切成寸段；大蒜去皮拍松。
2. 炒锅注油烧热，下入蒜爆香，倒入菠菜略炒，加盐调味，翻炒片刻即可。

特点

色青味爽，补肝养血，助消化。

尖椒土豆丝

原料

土豆500克，尖椒2个，葱花、蒜末、干辣椒丝、盐、味精、米醋、花椒油、花生油各适量。

制作

1. 土豆去皮洗净切丝，放入清水中浸泡片刻；尖椒洗净切丝。
2. 炒锅注油烧热，下葱花、蒜末、干辣椒丝爆香，放入尖椒丝略炒，加入土豆丝、盐炒匀，淋入米醋、花椒油略翻炒，撒味精调味，出锅即可。

特点

咸鲜微辣，增进食欲。

干煸土豆丝

原料

土豆300克，辣椒段50克，葱节、盐、味精、花生油各适量。

制作

1. 将土豆切成细丝，用清水洗去淀粉，沥干水分。
2. 炒锅注油烧热，放入土豆丝炸至金黄色，捞出控油。
3. 锅中留底油，下入葱节爆香，再下辣椒段炒成板栗色，放入炸好的土豆丝，加盐、味精翻炒均匀即可。

特点

红黄相间，边缘鲜脆，中心绵软，香辣开胃。

醋熘三丝

原料

土豆1个，青椒1个，胡萝卜1根，葱丝、姜丝、盐、鸡精、醋、色拉油各适量。

制作

1. 将土豆去皮切细丝，用清水洗去淀粉。
2. 青椒、胡萝卜洗净，分别切成丝。
3. 炒锅注油烧热，下葱姜丝爆锅，再下三丝翻炒，加鸡精、盐炒匀，淋醋，出锅即可。

特点

酸香适口。

醋熘土豆丝

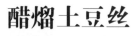

原料

土豆400克，香菜段、葱丝、盐、味精、香醋、花椒油、花生油各适量。

制作

1. 将土豆去皮切细丝，用清水洗去淀粉，沥干水分。
2. 锅内注油烧热，下葱丝、花椒油炒香，加入土豆丝翻炒，随即加盐、味精炒匀。
3. 出锅时烹入香醋，撒入香菜段即成。

特点

酸香脆嫩。

百合炒芦笋

[原料]

鲜百合100克，芦笋200克，鲜白果25克，辣椒、蒜末、盐、鸡精、胡椒粉、色拉油各适量。

[制作]

1. 将鲜百合掰成瓣洗净；芦笋洗净切段，下入开水锅中焯一下，捞出控水；辣椒去蒂、籽洗净切片。

2. 炒锅注油烧热，下入蒜末爆香，放入辣椒片、百合煸炒，再放入芦笋段、白果煸炒片刻，加入盐、鸡精、胡椒粉炒匀即可。

[特点]

清鲜淡雅，脆嫩微辣。

杂烩鲜百合

[原料]

鲜百合250克，西芹100克，腰果75克，胡萝卜50克，蒜茸、姜丝、盐、味精、湿淀粉、花生油各适量。

[制作]

1. 鲜百合洗净；西芹、胡萝卜洗净切丁；分别下入加油、盐的沸水锅中略烫，捞出沥干；腰果下油锅中炸至金黄色，取出沥油。

2. 炒锅留油烧热，下蒜茸、姜丝爆香，放入百合、西芹、胡萝卜翻炒片刻，加盐、味精，湿淀粉勾芡，放入腰果，翻炒均匀即可。

[特点]

鲜香清脆，味美可口。

油焖三鲜

[原料]

茄子、土豆各200克，青椒150克，葱花、姜片、蒜末、盐、糖、味精、酱油、花生油各适量。

[制作]

1. 将土豆、茄子去皮洗净切块；青椒去蒂、籽切块；土豆放入沸水锅中略煮，捞出沥干水分。

2. 炒锅注油烧热，下葱花、姜片、蒜末炒香，放入茄块、土豆块煸炒，加入盐、酱油、糖、水煨透，加入青椒、味精炒匀即成。

[特点]

软嫩脆爽，鲜香适口。

清爽小炒

原料

卷心菜300克，水发木耳100克，虾仁50克，花椒、姜丝、白糖、醋、生抽、盐、花生油各适量。

制作

1. 将卷心菜洗净撕成块；水发木耳撕成片。
2. 炒锅注油烧热，下花椒炸香，投入姜丝炒香，放入卷心菜、木耳略炒，加醋、生抽、盐调味，倒入虾仁，加少许白糖即成。

特点

清爽开胃，营养丰富。

清炒木耳菜

原料

木耳菜350克，海米25克，蒜末、盐、味精、香油、料酒、花生油各适量。

制作

1. 将木耳菜洗净沥水，海米泡发。
2. 炒锅注油烧热，下蒜末爆香，倒入料酒，放入木耳菜、盐、味精炒熟，滴入香油，出锅即可。

特点

清香爽口。

肉片炒卷心菜

原料

卷心菜300克，猪瘦肉50克，葱、姜、盐、白糖、酱油、植物油各适量。

制作

1. 葱、姜洗净切丝；猪瘦肉洗净切成片；卷心菜洗净，去蒂切成象眼块。
2. 炒锅注油烧热，放入肉片煸炒至断生，加入葱姜丝、酱油、白糖、盐炒匀，投入卷心菜，用急火快速炒熟即成。

特点

咸香、脆嫩，爽口。

炒热合菜

[原料]

绿豆芽400克，猪瘦肉250克，韭菜、菠菜、粉丝各100克，盐、味精、醋、酱油、色拉油各适量。

[制作]

1. 将豆芽去头去根洗净；粉丝用温水泡软切成段；猪肉切丝；韭菜、菠菜洗净切段。
2. 炒锅注油烧热，加入肉丝煸炒，加入酱油、豆芽、粉丝炒熟，加入菠菜、韭菜快炒，放入醋、盐、味精，翻炒几下出锅即可。

[特点]

滑爽可口。

虎皮酿椒

[原料]

青尖椒500克，猪肉馅200克，水发木耳、海米各25克，鸡蛋1个，葱末、姜末、酱油、盐、糖、味精、面粉、椒盐、花生油各适量。

[制作]

1. 水发木耳剁碎，海米泡开切末，放入肉馅中，再放入酱油、葱末、姜末、糖、味精，搅拌均匀；尖椒洗净去蒂，将肉馅酿在尖椒中。
2. 碗内加水、鸡蛋液、面粉、盐调成糊，放入尖椒挂糊。
3. 炒锅注油烧至六成热，放入尖椒炸熟捞出，上桌配椒盐即可。

[特点]

鲜嫩味香。

椒味荷兰豆

[原料]

荷兰豆300克，盐、黑胡椒粉、香油各适量。

[制作]

1. 将荷兰豆去两头豆尖，去边筋洗净，切成段，下入开水锅内。
2. 加入黑胡椒粉、盐煮熟，捞出控水装盘，淋入香油即可。

[特点]

清爽香辣。

姜丝炒鲜藕

原料

鲜藕500克，姜丝100克，葱丝50克，盐、味精、料酒、花生油各适量。

制作

1. 鲜藕去皮洗净，切成薄片，放入开水锅中焯烫，捞出沥干水分。
2. 炒锅注油烧热，下姜丝、葱丝炒出香味，放入藕片煸炒，再加料酒、盐、味精调味炒匀即成。

特点

清脆爽口。

大葱炒木耳

原料

水发木耳150克，猪肉末、葱各100克，青红尖椒、姜、盐、味精、湿淀粉、酱油、蚝油、花生油各适量。

制作

1. 木耳洗净撕成片，下入开水锅中焯烫；青红尖椒洗净去籽切粒；葱、姜切片。
2. 炒锅注油烧热，投入葱片、姜片、肉末炒香，加木耳、酱油、盐、蚝油烧片刻，再加味精调味，用湿淀粉勾芡，撒入红青尖椒粒即成。

特点

脆爽适口。

酱炒回锅肉白菜

原料

白菜300克，熟猪肉150克，郫县豆瓣酱、葱末、姜末、味精、白糖、湿淀粉、酱油、料酒、花生油各适量。

制作

1. 将熟猪肉切成大片；白菜洗净片成片；豆瓣酱剁碎。
2. 炒锅注油烧热，下葱末、姜末爆香，放入豆瓣酱炒香至出红油，加入白菜、肉片、料酒、酱油煸炒至变软。
3. 加入白糖及少许清水烧透，加味精调味，用湿淀粉勾芡，出锅即成。

特点

香辣咸鲜，味浓爽口。

莴笋炒肉片

[原料]

莴笋400克，猪瘦肉200克，葱花、盐、味精、酱油、色拉油、熟油各适量。

[制作]

1. 莴笋去皮洗净切片，放入开水锅中汆一下捞出；猪瘦肉切片。
2. 炒锅注油烧至六成热，下葱花爆香，下入肉片煸炒至断生。
3. 加入莴笋片、酱油、盐翻炒至熟透入味，加入味精，淋上熟油，出锅即可。

[特点]

清香鲜嫩。

蒜香回锅肉

[原料]

带皮猪五花肉500克，蒜薹150克，郫县豆瓣、甜面酱、盐、白糖、酱油、料酒、花生油各适量。

[制作]

1. 猪肉洗净入锅内煮至六成熟，捞出切片；蒜薹洗净切段；郫县豆瓣剁成碎粒。
2. 炒锅注油烧热，下肉片炒至变色，加入料酒、郫县豆瓣、甜面酱炒香，加入酱油、盐、白糖炒匀，下入蒜薹段炒熟即成。

[特点]

色泽红亮，香气浓郁，肥而不腻。

酱焖蒜香肉片

[原料]

蒜薹300克，猪五花肉250克，姜末、黄酱、盐、白糖、味精、酱油、料酒、湿淀粉、香油、花生油各适量。

[制作]

1. 将猪五花肉洗净，切成长片；蒜薹择洗净，切成3厘米长的段。
2. 炒锅注油烧至五成热，下肉片炒散，放入蒜薹、姜末、黄酱、料酒、酱油炒出香味，加入盐、白糖、味精及少许清水炒匀，用小火焖片刻，收浓汤汁，用湿淀粉勾芡，淋上香油，出锅即成。

[特点]

肉片醇香，蒜薹软嫩。

肉片烧菜花

原料

菜花350克，猪五花肉片150克，葱末、盐、味精、面酱、湿淀粉、香油、清汤、料酒、酱油、花生油各适量。

制作

1. 将菜花洗净，掰成小块，放入沸水锅中焯过，沥干水分。
2. 炒锅注油烧至七成热，下肉片炒散，加入葱末、面酱炒几下，放入菜花、料酒、酱油、盐翻炒；加入少许清汤略烧，加味精调味，用湿淀粉勾芡，淋上香油炒匀，出锅即成。

特点

鲜香味浓，软滑润口。

黄瓜熘肉片

原料

黄瓜300克，猪瘦肉100克，玉兰片50克，鸡蛋清半个，葱丝、青蒜段、姜末、盐、湿淀粉、料酒、高汤、色拉油各适量。

制作

1. 瘦肉切成薄片，加鸡蛋清、湿淀粉浆好；玉兰片、黄瓜切成片；用高汤、葱丝、青蒜段、姜末、盐、料酒、湿淀粉调成芡汁。
2. 炒锅注油烧至五成热，下入猪肉片滑熟，捞出沥油；锅内留底油烧热，加入肉片、玉兰片、黄瓜片翻炒，加芡汁烧开即成。

特点

清心养颜。

木樨肉

原料

猪瘦肉末150克，黄瓜100克，鸡蛋2个，水发木耳、葱、姜、盐、料酒、酱油、植物油、香油各适量。

制作

1. 鸡蛋打散，下入热油锅中炒熟；木耳撕成块；黄瓜洗净切成菱形片；葱、姜切成丝。
2. 炒锅注油烧热，下入肉丝、葱、姜丝略炒，放入料酒、酱油、盐炒匀，再加入木耳、黄瓜和鸡蛋同炒，淋入香油即可。

特点

肉丝鲜嫩，鸡蛋松软，健脑养血。

银耳炖肉

原料

水发银耳300克，猪瘦肉100克，红枣10枚，冰糖适量。

制作

1. 将猪瘦肉洗净切块，放入锅中，添水烧开。
2. 除去浮沫，加入冰糖、银耳、红枣，加盖，用小火焖至肉烂，即成。

特点

补血养颜，抗衰老。

花肉芸豆炖粉条

原料

芸豆500克，粉条150克，猪五花肉50克，鲜汤500毫升，葱花、姜末、盐、味精、酱油、色拉油各适量。

制作

1. 将芸豆择洗干净，掰成段；猪肉切成厚片。
2. 炒锅注油烧热，下葱花、姜末爆香，再下肉片煸炒，加酱油、芸豆段、鲜汤、盐，烧至芸豆将熟，放粉条炖透，加味精调味即可。

特点

鲜嫩味香。

油菜滑炒里脊片

原料

猪里脊肉200克，油菜50克，冬笋25克，鸡蛋清1个，湿豌豆淀粉40克，料酒15毫升，葱姜末、盐、味精、色拉油、高汤各适量。

制作

1. 里脊肉、冬笋切片；肉片加盐、淀粉、蛋清上浆；油菜择洗净切片；将料酒、盐、味精、高汤、淀粉、葱末、姜末兑成芡汁。
2. 锅中注油烧热，下入里脊片、笋片、油菜过油，原勺留少许底油，将原料倒回锅内翻炒，烹入芡汁和调料，淋明油即可。

特点

色白滑嫩，鲜咸适口。

冬笋香炒腊肉

原料

净冬笋200克，腊肉300克，青蒜100克，肉清汤50毫升，色拉油、鸡精、盐各适量。

制作

1. 将腊肉洗净，上笼蒸熟取出，切成4厘米长的片。
2. 冬笋切片；青蒜洗净切成3厘米长的段。
3. 炒锅注油烧至六成热，放入腊肉、冬笋片煸炒，加入肉清汤稍焖，待收干水分，放入青蒜、鸡精翻炒，出锅装盘即成。

特点

腊肉清香，冬笋鲜嫩。

腊肉茭白

原料

嫩茭白500克，腊肉片300克，盐、糖、花雕酒、色拉油各适量。

制作

1. 茭白切片，下入热油锅中略炒；腊肉片入水略烫捞出沥干。
2. 炒锅注油烧热，放入腊肉片，淋入花雕酒、适量水煮熟。
3. 另起锅注油烧至五成热，放入茭白片炒一下，加入炒好的腊肉、糖、盐翻炒至熟即可。

特点

白中缀红，清爽味美。

韭香银芽里脊丝

原料

韭菜、猪里脊肉各100克，绿豆芽300克，鸡蛋清1个，料酒10毫升，葱花、姜末、玉米淀粉、盐、味精、色拉油各适量。

制作

1. 韭菜洗净切成小段；绿豆芽掐去两头洗净；里脊肉切成细丝，用蛋清、干淀粉和5毫升料酒上浆备用。
2. 炒锅注油烧热，放入肉丝、葱花、姜末爆香即加入绿豆芽、盐、味精、料酒炒变色，投入韭菜段迅速炒匀，出锅装盘即可。

特点

清香味美。

茭白炒肉丝

原料

茭白500克，瘦猪肉150克，葱末、姜末、鸡蛋液、酱油、料酒、盐、味精、湿淀粉、色拉油各适量。

制作

1. 茭白切成细丝；猪肉切成细丝，加入鸡蛋液、湿淀粉浆匀。
2. 炒锅注油烧热，下入浆好的肉丝炒散，加葱末、姜末、酱油、料酒翻炒。
3. 接着下入茭白丝、盐、味精，炒匀即成。

特点

幽雅美观，清香爽口。

青椒肉丝

原料

青柿子椒100克，猪肉300克，葱、姜、盐、味精、湿淀粉、料酒、酱油、面酱、花生油各适量。

制作

1. 将猪肉、葱、姜、青椒切丝；肉丝加酱油、料酒、盐、淀粉上浆；取酱油、料酒、味精、葱丝、姜丝、湿淀粉调成味汁。
2. 炒锅注油烧热，下入肉丝滑散，加入面酱，待香味飘出，加青椒丝炒几下，倒入调好的汁，起泡时翻匀即成。

特点

青椒脆爽，猪肉细嫩。

肉丝炒蕨菜

原料

蕨菜350克，猪里脊肉150克，胡萝卜50克，鸡蛋清1个，小葱丝、姜丝、蒜、盐、味精、淀粉、料酒、香油、色拉油各适量。

制作

1. 蕨菜择洗净切长段；里脊肉切丝，加蛋清、淀粉上浆，下入热油锅中滑熟；胡萝卜洗净切片，用开水烫熟后过凉。
2. 炒锅注油烧热，下葱姜丝炒出香味，烹料酒，下蕨菜段、胡萝卜片煸炒，加里脊丝、蒜丝、盐、味精煸炒至熟淋入香油即可。

特点

软嫩鲜香。

肉丝绿豆芽

原料

绿豆芽500克，猪瘦肉250克，香菜、葱丝、姜丝、盐、味精、酱油、料酒、色拉油各适量。

制作

1. 将猪肉洗净切成丝；绿豆芽洗净去头尾；香菜去叶洗净切段。
2. 炒锅注油烧热，投入葱丝、姜丝、肉丝炒数下，再倒入绿豆芽、香菜段翻炒，加入盐、味精、料酒、酱油快速炒匀，装盘即可。

特点

香嫩爽口。

肉丝韭菜

原料

韭菜300克，猪瘦肉200克，盐、味精、湿淀粉、料酒、花生油各适量。

制作

1. 将猪瘦肉洗净，切成细丝，加料酒、味精、湿淀粉拌匀。
2. 韭菜择洗净，切成长段。
3. 炒锅注油烧热，下入肉丝炒散，放入韭菜煸炒，加入盐、料酒、味精调味，用湿淀粉勾芡，翻炒均匀，出锅即成。

特点

味淡鲜香，润肠通便。

榨菜肉丝

原料

榨菜200克，猪瘦肉100克，干辣椒、香菜段、蒜、味精、生抽、料酒、香油、花生油各适量。

制作

1. 榨菜洗净切丝，下入开水锅中焯烫，捞出沥干；猪肉切丝；干辣椒切丝；香菜切段；大蒜去皮斩茸。
2. 炒锅注油烧热，下入蒜茸、辣椒丝炒香，放入肉丝炒至变色，烹料酒、生抽、榨菜丝略炒，加入香菜段、味精、香油出锅即可。

特点

咸鲜脆嫩，辣味可口。

蒜薹肉丝

[原料]

蒜薹200克，猪肉150克，熟菜油75毫升，鲜汤50毫升，湿淀粉25克，郫县豆瓣15克，盐、味精、甜面酱、酱油各适量。

[制作]

1. 郫县豆瓣剁细；猪肉切成丝，加盐、湿淀粉腌渍；蒜薹切段。
2. 炒锅注油烧热，放入蒜薹、盐翻炒至断生，起锅盛入盘内。
3. 碗中放入味精、酱油、湿淀粉、鲜汤调成味汁。
4. 炒锅注油烧热，放入肉丝炒散，加入郫县豆瓣、甜面酱炒香，加入炒过的蒜薹炒匀，烹入味汁，不断翻炒至收汁吐油时即成。

[特点]

红亮中透绿，给人以清爽感，口感咸鲜、醇厚微辣。

蒸茄拌肉酱

[原料]

嫩茄子300克，猪瘦肉末100克，黄豆酱75克，葱花、姜末、蒜末、味精、料酒、花生油各适量。

[制作]

1. 茄子洗净去皮，切半，蒸熟，沥干入盘。
2. 炒锅注油烧热，下姜末、蒜末爆香，加猪瘦肉末炒散，放入黄豆酱、葱花、料酒炒出香味，再加入少许清水、味精炒至熟透，即制成肉酱；将炒好的肉酱放在茄子上，食时拌匀即可。

[特点]

鲜嫩可口，酱香味醇。

肉末烧冬瓜

[原料]

冬瓜500克，五花肉200克，鸡蛋糊、榨菜、辣椒、葱、姜、蒜、盐、湿淀粉、老抽、香油、花生油各适量。

[制作]

1. 将五花肉剁成末；榨菜、葱、姜、蒜、辣椒均切末；冬瓜洗净切块，挂上鸡蛋糊，下入热油锅中煎成金黄色，捞出待用。
2. 炒锅注油烧热，下肉末、葱、姜、蒜末炒香，放入冬瓜块、榨菜末、辣椒末、清水、盐、老抽煨熟，用湿淀粉勾芡，淋上香油即可。

[特点]

咸鲜微辣。

虾酱肉末芸豆

原料

芸豆 300克，猪五花肉150克，鲜虾酱75克，鸡蛋2个，香菜末、葱末、姜末、盐、鲜汤、酱油、料酒、色拉油各适量。

制作

1. 芸豆择洗净，入开水锅中焯烫，捞出切成末；猪五花肉切末；鸡蛋打入碗内，加入少许虾酱拌匀，下入热油锅中炒熟。
2. 炒锅注油烧热，下入葱姜末爆香，加入猪肉末、酱油、料酒炒熟，加入芸豆、虾酱、鸡蛋、鲜汤煨透，撒入盐、香菜末即成。

特点

酱香浓郁。

红烧狮子头

原料

猪肉500克，油菜300克，豆腐、荸荠各200克，姜末、盐、白糖、味精、酱油、料酒、高汤、植物油各适量。

制作

1. 豆腐捏碎；荸荠去皮切碎；猪肉绞碎加豆腐、荸荠、盐、味精搅匀，制成大丸子，下入热油锅中炸变色；油菜煮熟，捞起沥干。
2. 锅内添高汤烧开，放入肉丸、糖、味精、酱油、料酒、姜末，小火焖煮，将油菜围在盘边，大肉丸码至盘中，淋上汤汁即可。

特点

美味可口，营养丰富。

肉丸油菜

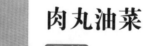

原料

油菜心300克，猪肉末250克，蛋清1个，葱末、姜末、蒜末、盐、料酒、味精、胡椒粉、清汤、湿淀粉、香油、花生油各适量。

制作

1. 菜心放入加油、盐的开水锅中焯烫，捞出沥干水分，摆放盘中。
2. 将肉末加料酒、葱末、姜末、盐、味精、蛋清、香油及少许清水搅成肉泥，制成若干丸子煮熟，捞出摆在油菜心上。
3. 炒锅注油烧热，下葱、姜、蒜末爆香，加入清汤、盐、味精、料酒、胡椒粉烧开，用湿淀粉勾芡，淋上香油，浇在丸子上即成。

特点

清爽滑嫩，软润鲜香。

脊骨炖芸豆

原料

芸豆500克，猪脊骨400克，葱花25克，姜片、花椒、八角、料酒、酱油、盐、味精、高汤、色拉油各适量。

制作

1. 芸豆择洗净掰成段；脊骨剁小块，泡去血水，焯烫过凉。
2. 炒锅注油烧热，下葱花、姜片、花椒、八角炝锅，加入脊骨，烹入料酒，放入高汤、盐、酱油，炖15分钟。
3. 再放入芸豆，继续炖15分钟，加味精调味，出锅即可。

特点

汤香醇，味咸鲜。

土豆烧排骨

原料

土豆250克，猪肋排200克，葱粒、姜片、盐、味精、胡椒粉、松肉粉、老抽、清汤、色拉油各适量。

制作

1. 猪肋排洗净剁段，加老抽、盐、松肉粉腌渍；土豆去皮切块。
2. 炒锅注油烧热，下葱粒、姜片炒香，放入排骨翻炒，加入老抽、盐、清汤烧开，改用小火焖至排骨七成熟，放入土豆块焖熟，加味精、胡椒粉调味，出锅即成。

特点

汤汁香浓，土豆熟烂，排骨肉松嫩。

红烧猪蹄

原料

猪蹄500克，葱段、姜片、桂皮、白糖、酱油、料酒各适量。

制作

1. 猪蹄洗净去毛，用旺火煮开，切小块。
2. 锅内添适量清水，放入猪蹄、葱段、姜片、料酒、桂皮、酱油，用大火烧开，改用小火炖3小时。
3. 待猪蹄炖烂，加入白糖，煮至汤汁浓缩即可出锅。

特点

软糯可口，香而不腻。

葱炖猪蹄

原料

猪蹄500克，葱、盐各适量。

制作

1. 猪蹄去毛，洗净，用刀划口；葱切段。
2. 将大葱和猪蹄一同放入锅中，加适量水和盐大火烧沸，转小火炖至熟烂即可。

特点

鲜香烂熟，汤稠味美。

花生煨猪手

原料

净猪手500克，花生、香菇各100克，五香粉、辣椒粉、盐、酱油各适量。

制作

1. 将花生放入温水中，泡约半小时；猪手切成块；香菇洗净。
2. 锅中添水煮开，放入猪手煮至表面的红色褪去，捞出。
3. 将猪手、花生、香菇放入高压锅中，加入五香粉、辣椒粉、盐、酱油和少许水搅匀，煮开10分钟即可。

特点

清脆爽口，软糯微辣，补虚健体。

凉拌肚丝

原料

猪肚200克，胡萝卜50克，香菜、水发香菇、姜、盐、味精、胡麻油各适量。

制作

1. 将猪肚洗净，煮熟切丝；胡萝卜、水发香菇切丝，香菜切段；姜剁末。
2. 将肚丝、胡萝卜丝、香菇丝和香菜段，用开水烫一下，控干水分，放入大碗内，加姜末、盐、味精、胡麻油拌匀，装盘即可。

特点

鲜香味美，口感脆爽。

青椒肚片

[原料]

青椒250克，熟猪肚200克，葱末、姜末、蒜末、料酒、酱油、醋、盐、味精、湿淀粉、花生油各适量。

[制作]

1. 熟猪肚、青椒分别切条；青椒入沸水焯过沥干。
2. 炒锅注油烧热，下葱、姜、蒜末炒香，放入肚片，烹入料酒、酱油炒透，加入青椒、盐、醋、味精翻炒至入味，用湿淀粉勾芡，出锅即成。

[特点]

脆嫩爽口，鲜香味美。

菠菜拌猪肝

[原料]

菠菜300克，猪肝200克，香菜、海米、酱油、香油各5克，醋3毫升。

[制作]

1. 菠菜择洗净切段，猪肝切成薄片，分别放入开水锅中焯熟，捞出过凉沥干；香菜择洗净切段。
2. 菠菜放盘内，猪肝放在菠菜上，再放上香菜、海米、酱油、香油、醋调匀即可。

[特点]

色泽鲜艳，鲜嫩爽口。

凉瓜猪肝

[原料]

鲜猪肝400克，鲜凉瓜250克，葱花、姜片、蒜片、湿淀粉、胡椒粉、盐、味精、糖、料酒、花生油各适量。

[制作]

1. 猪肝洗净切片，加入盐、料酒、湿淀粉上浆；凉瓜洗净切片入沸水汆后捞出；将盐、料酒、味精、糖、胡椒粉、适量清水调成味汁。
2. 炒锅注油烧六成热，下入猪肝炒散，加入葱花、姜片、蒜片稍炒，放入凉瓜，添入味汁烧开，淋上热油炒匀出锅即成。

[特点]

肝嫩，瓜鲜，防衰老。

莲藕烧肉皮

原料

莲藕250克，猪肉皮200克，枸杞50克，蒜片、姜片、盐、味精、湿淀粉、料酒、酱油各适量。

制作

1. 猪肉皮洗净切块，放入开水锅中略焯后捞出；藕洗净去皮切片。
2. 炒锅注油烧热，投入蒜片、姜片爆锅，加入肉皮块，煸炒至收缩时，加入清水、藕片、枸杞及各种调料，用微火慢烧至肉皮熟烂、汤汁浓厚，加味精调味，出锅即成。

特点

咸鲜味美。

大白菜炒肥肠

原料

熟肥肠250克，大白菜500克，干辣椒丝、蒜苗、蒜末、花生油、盐、味精、湿淀粉各适量。

制作

1. 肥肠切片，放入沸水锅中焯过；大白菜切段。
2. 炒锅注油烧热，加入干辣椒丝、白菜段、蒜末炒香。
3. 放入肥肠、蒜苗段煸炒，烹入料酒，调入盐、味精，用湿淀粉勾芡即成。

特点

肥而不腻，香辣适口。

火腿炒韭薹

原料

嫩韭薹300克，火腿肠150克，姜丝、花生油、盐、味精、湿淀粉各适量。

制作

1. 将韭薹洗净，切成段；火腿肠切成粗丝。
2. 炒锅注油烧热，下姜丝炒香，加入韭薹用旺火略炒。
3. 加入火腿肠丝、盐、味精翻炒均匀，用湿淀粉勾芡，出锅即成。

特点

色彩美观，鲜香软嫩。

蕨菜烧牛肉

原料

蕨菜500克，熟牛肉150克，泡辣椒、葱段、姜丝、盐、白糖、味精、湿淀粉、酱油、花生油各适量。

制作

1. 蕨菜择洗净，放入沸水锅中焯烫，捞出过凉沥干，切段；牛肉切块；泡辣椒剪成半厘米的节，去净籽，清洗干净。
2. 炒锅注油烧热，下姜丝炒香，放入蕨菜段、盐炒熟盛出；锅留油烧热，下泡辣椒节、葱段炒香，放入牛肉块略炒，加盐、白糖、酱油炒熟，加味精调味，用湿淀粉勾芡，倒在蕨菜上即可。

特点

香辣可口。

洋葱蚝油牛肉

原料

洋葱250克，牛肉200克，蒜片、盐、白糖、味精、湿淀粉、酱油、料酒、蚝油、花生油各适量。

制作

1. 牛肉洗净切成片，加酱油、料酒、湿淀粉上浆；洋葱切片。
2. 炒锅注油烧至五成热，下入牛肉炒至变色，放入洋葱片、蒜片、蚝油略炒，加入少许清水、盐、白糖、味精翻炒，待洋葱断生，用湿淀粉勾芡，出锅即成。

特点

菜质滑嫩，鲜香味美。

清炖牛肉

原料

牛肉500克，白萝卜、花椒、葱段、姜末、料酒、盐、味精各适量。

制作

1. 白萝卜洗净去皮切块；牛肉切块，下入锅中。
2. 放入葱段、姜末、花椒、料酒，用文火炖至9成烂时，放入萝卜炖烂，加盐、味精调味即成。

特点

汤清鲜适口，肉软烂味香。

卤牛肉

原料

牛肉500克，卤水、料酒各200毫升，香油适量。

制作

1. 牛肉放入沸水中煮10分钟，捞出用冷水洗净。
2. 将洗净的牛肉放入清水中煮烂捞出。
3. 锅中添入卤水烧开，放入牛肉沸煮30分钟，加入料酒略焖，熄火，泡浸3小时，取出，刷上香油，切片即可。

特点

香而不腻。

红烧牛肉

原料

牛肉200克，胡萝卜150克，香菇3朵，红油豆瓣酱15克，老抽10毫升，白酒10毫升，葱丝、小葱末、姜片、蒜泥、盐、八角、鸡粉、色拉油各适量。

制作

1. 牛肉、胡萝卜切块；香菇泡水后切两半。
2. 炒锅注油烧热，下入葱丝、姜片、八角爆香，加入牛肉、红油豆瓣酱、老抽、白酒、盐炒匀，添入适量清水烧沸，放入香菇、胡萝卜块和蒜泥炖至汤汁变浓，放入鸡粉、小葱末即可。

特点

色泽深红，牛肉酥软，有补脾胃、益气血、强筋骨之功效。

干拌牛肉

原料

牛肉750克，熟油辣椒50克，碎花生米、葱段、盐、白糖、味精、花椒粉、酱油各少许。

制作

1. 牛肉洗净切块，放入加酱油的开水锅里煮熟，捞出切片。
2. 将牛肉片盛入碗内，撒盐拌匀，使之入味。
3. 加入熟油辣椒，淋入酱油，撒入糖、味精、花椒粉搅拌，最后下葱段，放入碎花生米，拌匀盛盘即可。

特点

麻辣鲜香，宜佐酒饭。

麦仁小牛肉

原料

蒸熟小麦仁200克，牛肉100克，鸡蛋、青红椒、李锦记桂林辣酱、葱段、姜片、盐、白糖、淀粉、酱油、味精、花生油各适量。

制作

1. 牛肉、青红椒分别切粒，将牛肉加入酱油、糖、鸡蛋液、淀粉上浆，放入油锅中划油；麦仁用水焯过。
2. 炒锅注油烧热，下葱姜、桂林辣酱煸香，添汤少许，撒入盐、味精，放入青红椒粒、牛肉及麦粒，翻炒片刻出锅即可。

特点

麦仁的清香溶入牛肉的滑嫩，口味奇妙。

雪耳葱头炒牛肉

原料

牛肉200克，葱头50克，干银耳25克，姜茸、盐、白糖、味精、生抽、花生油各适量。

制作

1. 牛肉切薄片，加油、生抽略腌；银耳泡发，撕碎；葱头切块。
2. 炒锅注油烧热，爆炒葱头、银耳，撒入少许盐，添水炒匀铲起；再用油爆香姜茸，爆牛肉稍熟，放葱头、银耳，加芡汁炒匀即可。

特点

色彩清新，营养丰富。

滑蛋牛肉

原料

鸡蛋3个，牛肉150克，大葱25克，盐、白糖、淀粉、姜汁、酱油、花生油、白酒各适量。

制作

1. 牛肉切薄片，放入酱油、姜汁、白糖拌匀，泡嫩后捞起；葱切粒；鸡蛋打散，撒盐拌匀，将泡好的牛肉放入蛋液中。
2. 炒锅注油烧热，放入牛肉、蛋液，用中火拌炒至蛋凝固，牛肉熟，下入葱粒拌匀即可。

特点

滑嫩可口，营养丰富。

五味牛肉

原料

牛肉250克，油菜75克，香菜、辣椒、葱、姜、蒜各25克，盐、白砂糖、淀粉、苏打粉、酱油、醋、花生油各适量。

制作

1. 牛肉切薄片，加小苏打、淀粉、清水拌匀，腌10分钟，沾上薄薄一层淀粉，以开水汆烫一下，立即取出置于盘中。
2. 油菜切小块，洗净，烫熟盛出，排边；将调料兑成味汁淋于牛肉片上即可。

特点

肉香浓郁，香辣可口。

甜椒牛肉

原料

牛肉250克，甜椒200克，嫩姜、盐、味精、淀粉、酱油、甜面酱、植物油各适量。

制作

1. 牛肉去筋洗净，切丝，加盐、淀粉调匀入味；甜椒、嫩姜切丝，甜椒下入热油锅中炒至断生；酱油、味精、淀粉调成芡汁备用。
2. 炒锅注油烧热，放入牛肉丝炒散，加入甜面酱炒至断生，加入甜椒丝、姜丝炒出香味，淋入芡汁炒匀即可。

特点

颜色美观，牛肉细嫩。

葱爆牛肉

原料

牛肉300克，大葱50克，植物油、香油、甜面酱、酱油、白糖、黄酒、味精、醋、花椒粉、姜各适量。

制作

1. 牛肉剔除筋膜，切柳叶形片，用甜面酱、黄酒和少许熟油拌匀；大葱切象眼片；姜切丝。
2. 炒锅注油烧热，下入肉片炒至变色，加葱、姜炒香，放入醋、黄酒、酱油、白糖、味精、花椒粉翻炒均匀，淋入香油出锅即可。

特点

葱香浓郁，鲜嫩可口。

番茄土豆炖牛肉

[原料]

牛肉300克，番茄、土豆各200克，洋葱100克，盐、姜片、植物油、清汤各适量。

[制作]

1. 牛肉洗净切块，下入锅中烧沸，撇去浮沫，捞出洗净；土豆削皮切块；洋葱切片；番茄去皮撕小块。
2. 锅内注油烧热，下姜片爆香，放入牛肉、土豆翻炒，加入番茄和清汤烧沸炖至软烂，加入洋葱片和盐，大火烧沸即可。

[特点]

红汤酸甜，肉质嫩滑。

醋溜牛肉羹面

[原料]

面条250克，牛后腿肉200克，香菜、葱花、姜末、番茄酱、盐、糖、湿淀粉、黑醋、鸡蛋清、色拉油、酱油、植物油、高汤各适量。

[制作]

1. 牛后腿肉切片，加淀粉、水、鸡蛋清、色拉油、酱油入味；面条煮熟。
2. 炒锅注油烧热，放番茄酱炒香，加高汤、盐、糖拌炒，放肉片调味煮匀，用湿淀粉勾芡，加黑醋，浇面条上，撒香菜、葱花、姜末即可。

[特点]

浓香味美，甜酸可口。

麻酱牛肉凉面

[原料]

油炒面250克，牛后腿肉200克，黄瓜、胡萝卜各50克，鸡蛋2个，高汤、海苔、西芹、酱油、白醋、香油、芝麻酱、白糖、花椒、大葱、姜各适量。

[制作]

1. 牛后腿肉放入加葱、姜、花椒的水中煮开，捞出晾凉撕成丝，加高汤、酱油、白醋、香油、芝麻酱、白糖拌匀；鸡蛋打散，煎成蛋皮切成丝；黄瓜、胡萝卜、西芹、海苔均切成丝状。
2. 油炒面装盘撒入蛋皮、黄瓜、胡萝卜、西芹、牛肉、海苔拌匀即可。

[特点]

凉爽可口，酱香味浓。

牛肉锅贴

原料

面粉400克，牛肉600克，酱油、味精、盐、胡椒粉、香油、葱、姜、色拉油各适量。

制作

1. 牛肉、姜、葱均剁末，加酱油、盐、味精、胡椒粉、香油、水搅成馅；面粉加盐、水揉成面团，擀成面皮，包入馅捏成锅贴。
2. 平底锅抹油烧热，摆入锅贴煎半分钟，加水至锅贴的1/3高，加盖煎至水干饺熟，底呈金黄色即可。

特点

上部柔嫩，底部酥脆，牛肉馅味鲜美，别具风味。

牛肉什锦粥

原料

大米100克，牛肉150克，冷冻什锦蔬菜50克，玉米粒罐头1/4罐，葱末、盐、香油、淀粉、酱油各适量。

制作

1. 牛肉逆纹切丝，加入酱油和淀粉拌匀。
2. 大米洗净，煮成粥后加入玉米粒，冷冻什锦蔬菜略煮，加入牛肉丝烫熟，最后加入盐、香油、酱油、葱末调味即可。

特点

滋味美妙，营养丰富。

牛肉黄豆芽小米粥

原料

小米50克，牛肉末、黄豆芽、洋葱末各25克，盐适量。

制作

1. 将小米、黄豆芽洗净。
2. 将牛肉末、黄豆芽下油锅稍煸炒至8分熟。
3. 将小米放入锅内加水煮熟，放入牛肉末、黄豆芽、洋葱末略煮，撒盐调味即可。

特点

适合儿童食用，口感好，营养丰富。

健美牛肉粥

原料

大米200克，牛里脊肉150克，淀粉、芹菜末、牛骨高汤、盐、黑胡椒粉各适量。

制作

1. 牛骨高汤加热煮沸，放入洗净的大米煮开，改用中小火熬煮30分钟，加盐调味；牛里脊肉洗净切细丝，加水、淀粉拌匀。
2. 将滚烫的粥倒入碗内与牛肉丝拌匀，撒入黑胡椒粉、芹菜末即可食用。

特点

补充钙质与胶质，增加身高，健美体态。

牛肉炒粉

原料

米粉300克，牛肉100克，姜、红辣椒、高汤、猪油、酱油、水菱粉、盐、蒜、味精各适量。

制作

1. 米粉煮八成熟，漂净沥干；牛肉切细丝，用水菱粉、盐拌匀；红辣椒去蒂、籽，洗净切丝；蒜洗净切丝；姜洗净切丝。
2. 锅内注油烧热，放牛肉丝炒散，加辣椒、蒜、姜丝炒香，加酱油、高汤、味精煸炒，放入米粉炒干水分即可。

特点

菜色金黄，鲜香麻辣。

蚝油牛肉炒米粉

原料

米粉250克，牛里脊肉200克，竹笋100克，四季豆、胡萝卜各50克，香菇、葱段、姜片、白糖、高汤、胡椒粉、酱油、鸡粉、蚝油、淀粉、鸡蛋清、色拉油各适量。

制作

1. 米粉泡软剪短；牛肉切丝，加淀粉、水、蛋清、色拉油、酱油腌渍，过油；四季豆洗净切段；胡萝卜、竹笋、香菇洗净切丝，氽烫至熟。
2. 锅内注油烧热，放入葱段、姜丝、香菇丝、胡萝卜丝、四季豆段、笋丝翻炒，加入高汤、白糖、胡椒粉、酱油、鸡粉、蚝油煮滚，加入米粉，收干汤汁即可。

特点

鲜香味美，柔韧可口。

川味辣子牛肉面

原料

面条250克，牛腱子肉300克，菠菜、酸白菜、浓汤、大葱、辣椒油、辣椒粉、干辣椒、花椒各适量。

制作

1. 牛腱子肉洗净切块；菠菜洗净汆烫；葱切花；酸白菜切末。
2. 将花椒、干辣椒、辣椒粉、辣椒油加入适量浓汤成为麻辣汤头，再加入牛腱子肉熬煮约40分钟。
3. 锅内注水烧滚，煮熟面条装碗，加入麻辣汤头料，并加入汆烫过的菠菜、葱花、酸白菜等即可。

特点

麻辣可口，畅快淋漓。

飘香嫩牛柳

原料

牛里脊肉300克，盐、糖、松肉粉、番茄汁、橙汁、柠檬汁、西柚汁、酸梅、料酒各适量。

制作

1. 牛里脊肉洗净切成条，加盐、料酒、松肉粉腌渍；酸梅切细末。
2. 炒锅注油烧热，下入牛肉炸至棕黄色捞出装盘。
3. 锅中添入清水、糖、酸梅、番茄汁、橙汁、柠檬汁、西柚汁熬化成味汁，浓稠时，淋在牛柳上即可。

特点

色泽鲜润，口感柔和。

麻辣牛肉条

原料

牛肉500克，盐、红糖、味精、辣椒粉、花椒粉、酱油、色拉油各适量。

制作

1. 将牛肉洗净切成条，炒锅注油烧热，放入牛肉炸熟。
2. 锅中放入红糖炒成浆，滴入酱油，撒入盐、味精、辣椒粉、花椒粉，放入牛肉条，拌匀即成。

特点

麻辣爽口，香嫩回甜。

红油牛百叶

原料

水发牛百叶400克，香菜段50克，红油25毫升，干辣椒丝25克，糖、盐、味精、生抽、味达美、芥末油各适量。

制作

1. 水发牛百叶切成片，放入热水锅中汆烫，捞出放入盘中备用。
2. 碗中放入生抽、味达美、盐、糖、味精、芥末油、干辣椒丝调成味汁。
3. 将调好的味汁浇在牛百叶上，淋上红油，撒上香菜段即可。

特点

色泽红亮，香辣可口，回味无穷。

生拌牛百叶

原料

新鲜牛百叶300克，擀碎的松子仁、熟芝麻、葱末、蒜末、盐、糖、味精、辣椒粉、胡椒粉、酱油、陈醋、香油各适量。

制作

1. 将牛百叶刮去黑皮，洗净，切成细丝，控净水。
2. 将牛百叶丝放盆内，滴入陈醋拌匀腌10分钟。
3. 放入松子仁末、芝麻末，撒盐、糖、味精、辣椒粉、胡椒粉、葱末、蒜末，淋入酱油、香油拌匀，腌20分钟即可。

特点

酸辣鲜香。

芹菜牛肉丝

原料

牛里脊500克，芹菜300克，鸡蛋液、红辣椒、葱、姜、盐、淀粉、嫩肉粉、香油、高汤各适量。

制作

1. 牛里脊切丝，加淀粉、嫩肉粉、水、鸡蛋液拌匀略腌，过油。
2. 芹菜择洗干净，取茎部切成长段；葱、姜、红辣椒切丝。
3. 锅内留油少许，下葱姜丝爆锅，放入辣椒丝、芹菜段，添高汤煸炒至熟，放入牛里脊丝、调料，大火快速煸炒片刻，装盘即可。

特点

酥香可口，略带麻辣。

拌牛肉丝

原料

熟牛肉250克，芹菜50克，盐、糖、辣酱、酱油、醋、香油各适量。

制作

1. 将熟牛肉切成细丝，置于盘中。
2. 芹菜茎放入沸水中焯熟，切成小段。
3. 将芹菜段放在牛肉丝上，放入盐、糖、辣酱、酱油、醋、香油拌匀即成。

特点

麻辣爽口，开胃。

酸菜牛腩

原料

牛腩300克，泡酸菜、苕粉、泡椒、香菜、花椒、葱片、姜片、盐、味精、料酒、花生油各适量。

制作

1. 泡酸菜、香菜切末；苕粉泡开；泡椒切段；牛腩切小块焯水。
2. 牛腩放入锅中，下入部分葱段、姜片，料酒煮至熟烂。
3. 炒锅注油烧热，下入葱段、姜片、花椒、苕粉、酸菜、泡椒炒香，放入牛腩，添汤烧开，撒入盐、味精、香菜末出锅即可。

特点

牛腩香而不腻，酸辣味美。

土豆烧牛腩

原料

牛腩500克，土豆200克，葱花、姜末、辣豆瓣、盐、糖、味精、高汤、湿淀粉、料酒、花生油各适量。

制作

1. 将牛腩剁成小块；土豆洗净，去皮，切成小块。
2. 炒锅注油烧热，放入牛腩块小火煸炒，放入辣豆瓣、料酒、姜末、葱花炒香，添高汤旺火烧沸，撇去浮沫，改用小火煨20分钟。
3. 放入土豆块煮熟，加糖、盐、味精调味，用湿淀粉勾芡即成。

特点

肥糯清脆，微辣回甜。

贵妃牛腩

[原料]

牛腩300克，红萝卜150克，鲜荔枝、姜片、葱段、豆瓣辣酱、番茄酱、甜面酱、八角、香菜、盐、白糖、酱油、湿淀粉、植物油各适量。

[制作]

1. 鲜荔枝去壳、核稍烫，捞出沥干；红萝卜去皮洗净切块；牛腩洗净，煮熟切块，原汤留用。
2. 炒锅注油烧热，爆香姜片、葱段，加入豆瓣酱、番茄酱、甜面酱，放入牛腩略炒，加盐、糖、酱油、牛腩汤、红萝卜、八角烧开，慢火煮30分钟，加入荔枝炒匀，用湿淀粉勾芡，撒上香菜即成。

[特点]

味道浓厚，营养丰富。

番茄牛腩面

[原料]

手擀面条200克，牛腩100克，番茄100克，姜片、葱片、葱花各10克，白糖、酱油、胡椒粉、盐、鸡粉、白醋、料酒、色拉油各适量。

[制作]

1. 牛腩放入沸水锅中汆烫，捞出洗净，加葱片、姜片、清水、料酒、白醋蒸熟切块；番茄去皮切块。
2. 锅中加油烧热，下入牛肉块，加入白糖、酱油、胡椒粉、盐、鸡粉炒匀，倒入汆烫牛腩的原汁烧入味，加入番茄块略煮，制成卤汁；锅中加水烧开，下入面条煮熟，捞入碗内，浇上卤汁，撒入葱花即可。

[特点]

面条香滑劲道，牛腩酸甜软糯。

清炖牛腩面

[原料]

面条200克，牛腩250克，白萝卜、胡萝卜各100克，香菜末、清汤、姜丝各适量。

[制作]

1. 胡萝卜、白萝卜均洗净，切滚刀块；牛腩切块，用滚水汆烫；香菜洗净切末；姜洗净切丝。
2. 将牛腩、萝卜块、清汤一起放入锅中，炖煮约40分钟。
3. 锅内注水烧沸，放入面条煮熟，捞出，倒入炖好的材料，加适量香菜和姜丝即可。

[特点]

色泽美观，口味鲜美，营养丰富。

番茄土豆牛尾汤

原料

牛尾300克，胡萝卜、土豆、番茄各100克，洋葱25克，姜片、盐、白糖、酱油各适量。

制作

1. 牛尾洗净斩块；土豆、胡萝卜、番茄、洋葱洗净切块。
2. 锅内添适量清水烧滚，放入牛尾煲2小时，加入胡萝卜、姜片煲半小时，放入土豆煲熟，放入番茄、洋葱煲滚，加盐、白糖、酱油调味即可。

特点

滋味浓厚，营养丰富。

萝卜牛腱汤

原料

牛腱子肉250克，黄瓜、胡萝卜各200克，章鱼50克，枣25克，冰糖、盐各适量。

制作

1. 胡萝卜、黄瓜去皮洗净切块；红枣去核洗净；章鱼用水浸透，洗净；牛腱子肉放入开水锅中煮片刻，取出用凉水冲净。
2. 锅内添适量清水烧沸，放入黄瓜、胡萝卜、红枣、章鱼、牛腱子肉，用小火煲3小时，汤将煲好时加冰糖，煲好后加盐调味即可。

特点

软嫩鲜美，滋味浓厚。

红油牛筋

原料

水发牛筋500克，菜心100克，葱末、盐、味精、辣椒油、香油、生抽各少许。

制作

1. 将牛筋洗净切条，菜心洗净切丝。
2. 锅中添水烧开，放入牛筋、菜心焯水后，捞出过凉。
3. 将牛筋、菜心放入盆中，放入葱末、盐、味精、辣椒油、香油、生抽拌匀即可。

特点

牛筋软滑，味道微辣。

羊肉烧豆角

原料

嫩豆角350克，羊肉250克，葱末、姜末、蒜末、八角、盐、味精、料酒、香油、鲜汤、花生油各适量。

制作

1. 将羊肉洗净切片；豆角择洗净，切长段，焯过水，沥干水分。
2. 炒锅注油烧热，下葱末、姜末、蒜末、八角炒香，放入羊肉略炒，投入豆角煸炒，加料酒、盐及少许鲜汤，烧开后略煮，待豆角软烂，收浓汤汁，加味精调味，淋香油炒匀，出锅盛盘即成。

特点

豆角软嫩，滋味鲜香。

葱爆羊肉

原料

羊肉250克，大葱150克，料酒、酱油、盐、味精、湿淀粉、色拉油各适量。

制作

1. 将羊肉洗净切成片；葱洗净切成长马耳形的段。
2. 羊肉片加入料酒、酱油、盐、味精、湿淀粉浆好。
3. 锅内注油烧热，下入羊肉片翻炒，随即放葱段，烹入料酒、酱油、精盐、味精，炒匀出锅即可。

特点

羊肉滑嫩，鲜香不膻。

羊肉烧丝瓜

原料

嫩丝瓜500克，羊肉100克，鲜红尖椒1个，豆瓣酱25克，葱末、姜末、蒜末、料酒、酱油、味精、白糖、盐、湿淀粉、花生油各适量。

制作

1. 丝瓜洗净切条；羊肉洗净切片，红尖椒洗净切块，豆瓣酱剁碎。
2. 炒锅注油烧热，下肉片炒散，再下豆瓣酱、葱、姜、蒜末炒香，放入丝瓜条煸炒，加入料酒、酱油、白糖、盐、清水煨熟，下红尖椒块、味精炒匀，收浓汤汁，用湿淀粉勾薄芡，出锅即成。

特点

菜质滑嫩，咸鲜香辣。

羊肉粥

原料

新鲜羊肉250克，大米适量。

制作

1. 羊肉洗净，切成块。
2. 锅内注水，放入大米、羊肉煮成粥即可。

特点

益气血，补虚损，暖脾胃。

山药炖羊肉

原料

山药、羊肉各500克，葱片、八角、花椒、盐、味精、胡椒粉、料酒各适量。

制作

1. 羊肉洗净切块，入沸水锅中氽烫；山药去皮洗净切块。
2. 锅中放入羊肉块及适量水，旺火烧开，撇去浮沫，加入葱片、八角、花椒、料酒，改用小火炖至八成熟。
3. 放入山药块炖熟，加入盐、味精、胡椒粉调味即可。

特点

香浓滑糯。

冬瓜羊肉汤

原料

羊肉500克，冬瓜150克，胡萝卜100克，薏米、葱段、豌豆、盐各适量。

制作

1. 将羊肉泡净血沫，切成块；薏米洗净，加水中浸泡；胡萝卜、冬瓜洗净，去皮切块；豌豆淘洗干净；葱切小段。
2. 锅中添清水，放入羊肉、薏米、胡萝卜、冬瓜、豌豆，大火煮开，转小火慢煮至熟，加入葱段、盐调味即可。

特点

补血养目。

鲫鱼炖羊肉

原料

羊肉、鲫鱼各300克，葱段、姜片、青蒜泥、料酒、盐、味精、辣椒油、胡椒粉、植物油各适量。

制作

1. 鲫鱼去鳞、鳃、内脏，洗净剞上花刀；羊肉洗净煮熟切块。
2. 炒锅注油烧热，下入葱段、姜片爆锅，放入鲫鱼略煎，加入熟羊肉块、煮羊肉原汤、料酒和清水烧沸，撇去浮沫盖盖略炖。
3. 待汤汁乳白时，加入盐、味精、辣椒油、胡椒粉，撒上青蒜泥即可。

特点

味道鲜美，滋味浓厚。

桂花羊肉

原料

羊肉200克，鸡蛋3个，葱段、盐、胡椒粉、淀粉、香油、色拉油、料酒各适量。

制作

1. 羊肉洗净切成粗丝，加蛋清、盐、胡椒粉、料酒、湿淀粉上浆；鸡蛋打入碗内，撒盐，添少许水搅匀备用。
2. 炒锅注油烧热，下入羊肉快速炒散倒出；锅留油少许，下葱段炒香，加入鸡蛋液炒散至熟，放入羊肉丝炒匀，滴入香油即可。

特点

形似桂花，蛋嫩肉滑。

香辣羊肉丝

原料

熟羊腿500克，小饼100克，香葱末、盐、辣椒粉、五香粉、孜然粉、鸡蛋黄、淀粉、花生油、味精各适量。

制作

1. 熟羊腿肉撕成丝，加盐、淀粉、鸡蛋黄上浆；小饼放蒸笼加热，取出用手叠成三角摆放在盘边。
2. 炒锅注油烧热，下入羊腿肉丝炸香，捞出控油。
3. 锅留底油烧热，下入香葱末、辣椒粉、五香粉、孜然粉炒香，放入羊肉、盐、味精调味翻匀，倒入围有小饼的盘中即可。

特点

羊肉酥软，香味浓郁。

羊蹄萝卜汤

原料

萝卜250克，羊蹄筋200克，山药干、枸杞、桂圆肉、姜、盐、植物油各适量。

制作

1. 羊蹄洗净剁块，放入锅中煮1小时捞出；萝卜去皮切块；姜洗净切片；山药、枸杞、桂圆肉洗净。
2. 炒锅注油烧热，加入姜片炒香，放入萝卜、盐翻炒，放入羊蹄、山药、枸杞、桂圆肉、水，慢火煲3小时，加盐调味即可。

特点

益气补肾。

韭味羊肝

原料

羊肝200克，韭菜150克，盐、味精、花生油各适量。

制作

1. 韭菜洗净，切成段。
2. 羊肝洗净切片，放沸水中焯一下，捞出沥水。
3. 炒锅注油烧热，放入羊肝炒熟，加入韭菜，撒盐、味精，翻炒片刻即成。

特点

此菜富含铁、钾等营养成分。

焗芥末羊排

原料

羊排180克，布朗汁100毫升，面包糠、焗芥末、洋葱、大蒜、迷迭香草、干白葡萄酒、盐、色拉油、西芹末、黑胡椒碎各适量。

制作

1. 洋葱、大蒜切末，下入热油锅中炒香，加入迷迭香草、干白葡萄酒、布朗汁煮开，再加入盐，制成迷迭香酱汁。
2. 平底锅注油烧热，下入用盐、黑胡椒碎腌好的羊排略煎。
3. 将羊排抹入焗芥末，蘸匀面包糠、盐、西芹末，入烤箱烤熟，浇入迷迭香酱汁即可。

特点

香气浓郁，羊排口感柔嫩。

栗香鸡煲

原料

净鸡300克，栗子150克，水发冬笋、水发冬菇各25克，葱段、姜片、盐、糖、料酒、酱油、香油、高汤、色拉油各适量。

制作

1. 鸡切块，入沸水锅中焯烫，捞出洗净；栗子煮熟去皮；冬菇、冬笋切成丝。
2. 锅中注油烧热，放入鸡块、栗子炒变色，加葱段、姜片、料酒、酱油、糖翻炒，添高汤烧沸，撇去浮沫，转小火焖40分钟，加冬菇丝、冬笋丝略焖，撒盐调味，淋入香油即可。

特点

补胃健脾，强筋骨，增强体力。

野椒啤酒仔鸡

原料

净白鸡750克，野山椒、蒜薹段、啤酒、香辣酱、泡椒、蒜、盐、泡青菜、鲜汤、糖、淀粉、鸡粉、胡椒粉、酱油各适量。

制作

1. 鸡剁块加盐、料酒略腌；野山椒切粗粒；泡椒切节。
2. 炒锅注油烧热，放入鸡块炸酥；再下入大蒜炸至金黄色。
3. 炒锅注油烧热，放入野山椒、泡椒、泡青菜炒香，下鸡块、香辣酱煸炒，添入啤酒、鲜汤、酱油、鸡粉、胡椒粉、糖调味，待鸡熟透下蒜薹段推匀，用湿淀粉勾芡即可。

特点

鸡肉软嫩，酒香浓郁，鲜辣微酸，爽口开胃。

小鸡炖蘑菇

原料

仔鸡1只，蘑菇100克，葱片、姜片、八角、干红辣椒、盐、糖、酱油、料酒、色拉油各适量。

制作

1. 仔鸡洗净剁块；将蘑菇用温水泡30分钟，洗净切成片。
2. 炒锅注油烧热，下入鸡块翻炒至变色，加入葱片、姜片、八角、干红辣椒、盐、糖、酱油、料酒炒匀，添入适量水炖10分钟，放入蘑菇，中火炖40分钟即成。

特点

温中益气，活血祛寒，强健筋骨。

冬瓜炖仔鸡

原料

净小公鸡1只，冬瓜300克，香菇50克，葱花、姜片、胡椒粉、盐、味精各适量。

制作

1. 将小公鸡剁成块，用沸水烫一下，捞出；冬瓜去皮、瓤，洗净切片；香菇泡发切十字花。
2. 砂锅内，加入鸡块、冬瓜片、香菇、葱花、姜片、清水，旺火烧开，撇去浮沫，炖至熟烂，撒入胡椒粉、盐、味精调味即可。

特点

壮骨强身，味道鲜美。

新派豆腐烧鸡

原料

熟鸡腿600克，嫩豆腐、油酥花生、蒜苗、花生酱、辣酱、盐、糖、鸡粉、酱油、料酒、红油、花椒油、香油各适量。

制作

1. 鸡腿剁成块，加入酱油、料酒、花生酱腌渍，下入热油锅过油；豆腐切块，过油；蒜苗切马耳形；油酥花生褪皮切碎。
2. 炒锅注油烧热，下辣酱炒香，放入鸡腿、豆腐、料酒、糖、盐、鸡粉、红油，汤收汁，加蒜苗、花椒油、香油、花生即成。

特点

鸡肉鲜醇，豆腐软嫩，麻辣适口，香味浓郁。

姜汁热窝鸡

原料

鸡腿300克，鲜姜、盐、味精、淀粉、醋、辣椒油、香油、酱油、料酒、鲜汤、花生油各适量。

制作

1. 鸡腿洗净，放入开水锅中煮熟，捞出过凉，斩块备用；姜去净表皮，剁细末。
2. 炒锅注油烧热，下入姜末煸香，滴入料酒、酱油、少许汤，放入鸡块、盐烧透，用湿淀粉勾芡，加醋、辣椒油、香油、味精拌匀即可。

特点

姜味香浓，鸡肉嫩滑。注意醋要后放，放早易挥发，影响口味。

姜烧鸡块

原料

净鸡肉300克，高良姜、干姜、草果、陈皮、高汤、胡椒粉、味精、葱白、盐、植物油各适量。

制作

1. 将鸡肉切块，干姜、高良姜、草果和陈皮洗净；葱白切段。
2. 锅内注油烧至六成热，放入鸡肉炒至变白收缩，加入高汤、干姜、高良姜、草果、陈皮烧至九成熟。
3. 加葱、胡椒粉、味精、盐调味，再烧片刻即可。

特点

补中散寒，行气止痛。

三材炖鸡

原料

鸡肉500克，熟地黄50克，高丽参、天门冬、枣、姜片、盐、味精各适量。

制作

1. 鸡洗净，去颈、爪、肥膏及尾部皮；高丽参切片洗净；熟地黄洗净切小块；天门冬、姜片红枣去核洗净；上述辅料均放入鸡肚内。
2. 鸡放入炖盅内，加适量开水，加盖，文火隔水炖3小时后，加入盐、味精调味即可。

特点

补气益阴，滋补营养。

田七炖鸡

原料

鸡肉500克，三七、红枣、枸杞、桂圆肉、姜、盐、料酒、酱油各适量。

制作

1. 将鸡冲洗干净。
2. 田七浸软，切成薄片；枸杞和红枣洗净；姜洗净切片。
3. 将田七及枸杞、红枣、桂圆肉、姜片、料酒、盐、酱油拌匀，装入鸡腹内，放入汤盆中，加盖，上笼蒸炖3小时即可。

特点

补血益气，产后进补。

炖全鸡

原料

母鸡肉500克，白糖、冰糖、香醋、盐、白胡椒、八角、桂皮、花生油各适量。

制作

1. 母鸡洗净沥干，下入热油锅中炸至定型，捞出控油；八角、桂皮、白胡椒粒盛入纱布袋，扎紧。
2. 将少许盐和冰糖、香料袋包填入鸡腹，放入炖锅，加清水、盐、白糖、香醋，小火炖至酥烂，取出香料包，上桌即可。

特点

鸡形完整，肉嫩骨脱。

嫩笋三黄鸡

原料

三黄鸡500克，竹笋200克，香菇25克，枸杞、红枣、葱、蒜、姜、香叶、桂皮、盐各适量。

制作

1. 竹笋去壳洗净切片；香菇洗净切块；三黄鸡洗净，放入沸水锅中汆烫一下，洗净；葱姜洗净分别切段、片；蒜去皮洗净。
2. 炒锅添水烧开，放入三黄鸡、笋块、香菇块、红枣、葱段、蒜瓣、姜片、香叶、桂皮烧开，加入枸杞、盐，小火炖熟即可。

特点

营养丰富，味道清鲜。

馄饨鸡

原料

母鸡肉500克，面粉250克，荠菜200克，猪肉100克，鸡蛋2个，葱段、姜块、料酒、盐、味精、花生油各适量。

制作

1. 荠菜焯水切末；猪肉切末；母鸡处理干净，焯水；面粉制成馄饨皮；将荠菜、肉末、蛋液、盐、油、味精拌成馅，包成馄饨。
2. 锅内注油烧热，煸香葱姜，放入料酒、母鸡、清水烧开，去沫，加盐转小火煮熟，将馄饨放入锅内，煮至馄饨浮起即可。

特点

口味鲜醇，别具特色。

香酥参归鸡

[原料]

童子鸡500克，党参、白术、当归、熟地黄、姜片、葱段、盐、花椒、黄酒、植物油各适量。

[制作]

1. 将党参、白术、当归、熟地黄烘干，制成粉末；鸡去内脏、足爪洗净；将盐、黄酒、中药末调匀，抹匀鸡身内外，放入蒸碗，加姜片、葱段、花椒，入笼蒸熟透，取出，拣去姜、葱、花椒。
2. 锅内注油烧至七成热，下入鸡炸成金黄色至皮酥捞出即可。

[特点]

补血活血，补脾益气。

枣杏煲鸡汤

[原料]

鸡肉500克，栗子肉200克，红枣150克，核桃仁100克，杏仁、姜、盐各适量。

[制作]

1. 杏仁、栗子肉略煮去衣洗净；核桃仁略煮捞起洗净；红枣洗净去核；鸡肉洗净，放入滚水中煮熟，取出。
2. 煲内添水烧滚，放入鸡、红枣、杏仁、姜煲滚，慢火煲2小时，加入核桃仁、栗子肉煲滚，再煲1小时，撒盐调味即可。

[特点]

益肾，强筋骨。

啤酒烧鸡

[原料]

鸡肉500克，啤酒300克，酱油25克，葱段、姜片、盐各适量。

[制作]

1. 鸡肉洗净，剁方块，用热水烫去血水。
2. 锅内添入啤酒，放入烫过的鸡块，加入酱油、姜片、葱段，以小火炖至鸡熟汁浓，加盐调味即可。

[特点]

做法独特，味道美妙。

家常鸡块

原料

净笋鸡1只，胡萝卜200克，豆瓣酱100克，汤2000毫升，葱片、姜片、盐、料酒、花生油各适量。

制作

1. 鸡剁成块，胡萝卜削成南荠形，分别过油。
2. 炒锅注油烧热，放入豆瓣酱炸酥，注汤煮一会儿，去豆瓣酱渣，放入鸡块、葱、姜、盐、料酒煮透，撇去浮沫，用文火煨至8成烂时放入胡萝卜；鸡和胡萝卜均烂时，收浓汁即成。

特点

鲜香味浓。

土豆咖喱鸡块

原料

土豆150克，带骨仔鸡块350克，洋葱末25克，咖喱粉、盐、清汤、橄榄油各适量。

制作

1. 将鸡块洗净焯水；土豆去皮切滚刀块。
2. 锅中注橄榄油烧热，下入洋葱末炒香，加咖喱粉略炒。
3. 放入鸡块、土豆块炒匀，加入清汤、盐，煮至鸡块熟烂、汤汁浓稠即可。

特点

辛辣鲜香。

香菇熘鸡片

原料

水发香菇片250克，鸡脯肉片150克，蛋清1个，姜粒、葱粒、盐、胡椒粉、湿淀粉、料酒、花生油、熟油各适量。

制作

1. 将料酒、盐、胡椒粉、湿淀粉、少许清水调成味汁。
2. 鸡肉片加盐、料酒、蛋清、湿淀粉拌匀上浆。
3. 炒锅注油烧热，放入鸡片炒至变色，下入姜粒、葱粒煸香，加入香菇片炒至断生，添入味汁炒匀，淋上熟油，出锅即成。

特点

鲜香味美，增强身体免疫力。

香炸核桃鸡片

原料

净鸡肉300克，核桃仁200克，西芹50克，姜、白酒、盐、花生油各适量。

制作

1. 姜洗净去皮切末；鸡肉切成薄片，加酒、姜末、盐腌渍1小时；西芹带叶切成段，焯透沥水；核桃仁拍成细块。
2. 锅内注油烧热，下入鸡片、核桃仁炸至金黄色，捞出沥油，装入盘中，盘边配西芹点缀即可。

特点

酥香味美，健脑益智。

嫩姜炒鸡脯

原料

鸡胸脯肉200克，嫩姜75克，鸡蛋清25克，黄酒、盐、味精、淀粉、香油、色拉油各适量。

制作

1. 鸡胸脯肉洗净切片，加蛋清、淀粉、香油上浆，过油；嫩姜洗净切薄片，下入沸水中焯烫，捞出沥干。
2. 炒锅注油烧热，放入姜片翻炒，添入鸡汤、盐、味精、黄酒烧沸，用湿淀粉勾芡，倒入鸡片，淋入香油，翻炒几下即可。

特点

黄白相映，鲜嫩爽口。

红糟鸡胸

原料

鸡脯肉250克，青椒50克，竹笋25克，香菇、红糟、鸡蛋清、料酒、清汤、白糖、盐、植物油、湿淀粉各适量。

制作

1. 香菇泡软，同青椒、竹笋均切成片；鸡脯肉切薄片，加少许蛋清、盐、淀粉拌匀。
2. 炒锅注油烧热，放入鸡脯肉炒熟盛出；锅内注油烧热，下入香菇、青椒、笋片略炒，加少许清汤煮5分钟，盛出。
3. 炒锅注油烧热，放入红糟，边炒边加糖、酒、清汤及湿淀粉、鸡片、香菇、笋，炒匀即可。

特点

味美咸鲜。

双菇拌鸡肉

原料

鸡脯肉200克，黄瓜100克，香菇、豌豆尖、生菜各50克，盐、白糖、醋、香油各适量。

制作

1. 鸡脯肉洗净，豌豆尖洗净，香菇泡软去蒂，切丝，均煮熟捞出；鸡脯肉撕成丝；生菜、香菇、小黄瓜洗净焯烫，捞出切片。
2. 将前述原料装入碗中，加盐、白糖、醋搅拌均匀，淋上香油即可。

特点

鲜嫩味美，清爽可口。

香椿炒鸡丝

原料

嫩香椿250克，鸡脯肉100克，蛋清1/2个，葱丝、姜丝、盐、湿淀粉、香油、料酒、花生油各适量。

制作

1. 将香椿洗净，切长段；鸡脯肉洗净切细丝，加料酒、盐、蛋清、湿淀粉上浆。
2. 炒锅注油烧至五成热，放入鸡丝炒变色，下葱姜丝炒香，加料酒、香椿炒至断生，加盐及少许清水炒匀，用湿淀粉勾芡，淋上香油即成。

特点

鲜嫩味美，健脾开胃。

鸡丝豆芽

原料

绿豆芽250克，鸡脯肉150克，蛋清1/2个，葱丝、姜丝、盐、湿淀粉、醋、料酒、花生油各适量。

制作

1. 绿豆芽去掉两头洗净；鸡脯肉洗净切丝，加盐、料酒、蛋清、湿淀粉上浆，过油捞出。
2. 炒锅注油烧热，下葱丝、姜丝爆香，放入绿豆芽，用旺火翻炒，加盐、料酒、醋、鸡丝炒匀，出锅即成。

特点

咸鲜清香，清肠胃，利湿热。

鸡丝炒蜇皮

原料

鸡脯肉300克，发好的蜇皮100克，鸡蛋清1个，鲜汤、香菜、葱、姜、盐、胡椒粉、淀粉、料酒、香油、花生油各适量。

制作

1. 鸡脯肉、蜇皮、葱、姜洗净切丝，香菜洗净去叶留梗，切段。
2. 将鸡丝撒盐、味精略腌，加蛋清、淀粉上浆过油。
3. 炒锅注油烧热，下入葱、姜丝炒香，加入料酒、少许汤、鸡丝、香菜段、盐、味精、胡椒粉、蜇皮共同炒匀，淋香油出锅即可。

特点

口感爽滑脆嫩。

鸡丝仔菇

原料

鸡脯肉300克，仔菇200克，鸡蛋清1个，豌豆苗、葱、姜、盐、淀粉、胡椒粉、香油、花生油各适量。

制作

1. 鸡脯肉洗净切丝，加蛋清、盐、淀粉、胡椒粉上浆，过油；仔菇焯水；葱、姜切片。
2. 炒锅注油烧热，下葱姜爆香，放入仔菇略炒，添入高汤、鸡脯肉，撒入盐、豌豆苗烧开，加味精调味，滴入香油即可。

特点

菜品鲜美，高汤爽滑可口。

香糟鸡条

原料

熟鸡脯肉350克，葱段、姜块、盐、味精、料酒、白酒、醪糟汁、鸡清汤各适量。

制作

1. 将鸡清汤烧沸，加盐、味精、白酒、醪糟汁、料酒、姜块、葱段调匀制成香糟汁。
2. 熟鸡脯肉加入香糟汁腌渍约4小时，至鸡肉入味，捞出切成条，装盘，浇上原汁即成。

特点

鸡肉细嫩，汤味清鲜，活血脉。

香菇凤爪汤

原料

嫩鸡爪10只，水发香菇片50克，花生仁25克，鸡清汤700毫升，葱段、姜片、火腿片、料酒、盐、味精各适量。

制作

1. 将花生仁用水略泡，去皮。
2. 将鸡爪剔去小骨，放入沸水锅中焯水洗净。
3. 砂锅中放入鸡爪、鸡清汤煮沸，加入香菇片、火腿片、花生仁、盐、葱段、姜片、料酒煮至鸡爪熟烂，拣去葱姜，撒入味精调味即可。

特点

汤质鲜香，鸡爪酥烂，活血养颜，强筋壮骨。

冬菇煲鸡爪

原料

冬瓜300克，排骨150克，鸡爪100克，芡实米、冬菇各25克，姜、盐各少许。

制作

1. 冬瓜洗净切块；冬菇用清水浸软，去蒂，沥干；芡实洗净。
2. 排骨、鸡爪入滚水煮5分钟，取出洗净。
3. 煲内添水煲滚，放冬瓜、芡实、姜、鸡爪、排骨用慢火煲3小时，放入冬菇再煲半小时，撒盐调味即可。

特点

健脾胃，有营养。

凤爪白菜

原料

白菜心400克，鸡爪12只，猪瘦肉100克，淡高汤1200毫升，姜2片，葱2段，盐、白糖、味精、色拉油各适量。

制作

1. 鸡爪去趾尖、敲断胫骨，猪瘦肉切粒，焯烫后入炖盅，加高汤、盐、白糖、姜片、葱段炖1小时。
2. 白菜心洗净焯烫放入炖盅，加入高汤、色拉油、盐、味精。
3. 取出鸡爪，拆去胫骨，将两种汤倒在一起，用纱布过滤，然后把鸡爪、肉末放在白菜心上，淋入原汤，入笼蒸20分钟即成。

特点

汤汁鲜甜，凤爪滑嫩。

碎米鸡丁

原料

净笋鸡肉200克，炸花生米100克，鸡蛋1个，泡辣椒、糖各25克，葱末、姜末、盐、淀粉、鸡蛋清、酱油、料酒、香油、醋、汤各适量。

制作

1. 鸡肉切丁，加料酒、盐、鸡蛋清、淀粉、香油上浆；泡辣椒、花生米切碎；淀粉、糖、味精、料酒、酱油、醋、姜调成味汁。
2. 炒锅注油烧热，下入鸡丁、泡辣椒煸炒，倒入味汁、花生米翻炒即成。

特点

咸并微甜，带有酸辣味，脆嫩适口。

油淋鸡腿

原料

鸡腿2个，葱、姜各25克，生菜叶、盐、糖、味精、胡椒粉、酱油、醋、料酒、花生油各适量。

制作

1. 将鸡腿深划一刀，加盐、酱油、料酒、胡椒粉、葱、姜片腌渍；葱、姜多数切片，少数切末；生菜叶洗净备用。
2. 炒锅注油烧热，放入鸡腿炸透捞出剁成块，盛入装有生菜叶的盘中，浇入用葱末、姜末、糖、醋、味精、酱油调的味汁即可。

特点

色黄鲜香，肉嫩味美。

口蘑烧鸡翅

原料

鸡翅300克，口蘑、胡萝卜各100克，葱、姜、盐、味精、鲜汤、料酒、花生油各适量。

制作

1. 鸡翅切块；口蘑、葱、姜切片；胡萝卜去皮，切成小料花。
2. 锅中添水烧开，放入口蘑、胡萝卜料花氽透，捞出。
3. 炒锅注油烧热，下入葱姜炒香，加入料酒、鸡翅翻炒，添入汤、口蘑、盐烧烂，放入胡萝卜花，撒味精出锅即可。

特点

鸡翅鲜嫩，软烂，汤浓汁稠。

葱姜鸭

原料

熟鸭腿肉300克，姜、葱白、盐、味精、料酒、花生油各适量。

制作

1. 姜、葱白切成小丁，捣成泥装碗内。
2. 锅内注油烧至五成热，倒入葱姜碗内烫香，晾凉，加入盐、料酒、味精调匀，制成味汁。
3. 将鸭腿肉斩成块，放入盘内，淋上味汁即成。

特点

鸭肉营养丰富，尤其适合夏秋季节食用，可消除暑热带来的不适。

栗子冬瓜煲老鸭

原料

净老鸭1/2只，栗仁200克，冬瓜1/2个，陈皮、姜、盐各适量。

制作

1. 将老鸭放入沸水锅中烫片刻，捞出切成块。
2. 栗仁、陈皮洗净；冬瓜去皮、瓤，洗净切大块。
3. 将全部原料放入锅内，添水大火烧开，改用慢火炖约4小时，撒盐调味即可。

特点

健脾开胃，强健身体。

籴鸭羹汤

原料

净鸭胸脯肉、荸荠各200克，火腿、松仁各50克，水发木耳25克，鸡汤、盐、味精、花生油各适量。

制作

1. 将鸭脯肉切成丁，连同松仁一起放在汤碗内。
2. 汤锅添入鸡汤，放入荸荠，木耳略煮，再放入火腿，撒盐、味精烧开，撇去浮沫，注入花生油，起锅盛入装有鸭脯肉的汤碗内即成。

特点

汤汁味美，鲜香酥嫩，开胃，助消化。

荷芹鸭丝

原料

荷兰豆、烤鸭各200克，芹菜50克，鲜姜芽15克，姜汁、料酒、酱油、盐、白糖、淀粉、色拉油各适量。

制作

1. 荷兰豆择洗净切段；芹菜洗净切段；烤鸭肉切成粗条；鲜姜芽洗净刨成花状；酱油、盐、白糖、淀粉、姜汁、水调成芡汁。
2. 炒锅注油烧热，放入姜花、荷兰豆爆炒，烹入料酒，加入芹菜段、鸭丝、芡汁，翻炒均匀即成。

特点

咸鲜脆嫩。

姜爆鸭丝

原料

净烤鸭肉300克，芹菜150克，尖椒、姜、糖、盐、味精、辣豆瓣酱、醋、酱油、色拉油各适量。

制作

1. 将烤鸭肉切成粗丝，芹菜、尖椒、姜，分别洗净切丝。
2. 锅内添水烧开，分别放入鸭丝、芹菜丝，焯透捞出。
3. 炒锅注油烧热，下入辣豆瓣酱、姜、芹菜丝、尖椒丝炒透，淋入酱油、醋、盐、糖、味精调好味，再加上鸭丝翻炒片刻出锅即可。

特点

色泽美观，肉香菜嫩。

芹菜炒鸭丝

原料

芹菜200克，烤鸭1/4只，烤鸭汁、辣椒、胡椒粉、料酒、盐、酱油、色拉油各适量。

制作

1. 将芹菜洗净切小段；辣椒洗净去籽切丝；烤鸭去骨切丝。
2. 炒锅注油烧热，下入芹菜和辣椒翻炒，放入鸭丝略炒。
3. 加入烤鸭汁、料酒、酱油、盐、胡椒粉，炒匀盛出即可。

特点

健胃益肝，降血止眩。

西芹拌鸭丝

原料

熟鸭肉350克，西芹150克，盐、味精、香油、花椒油各适量。

制作

1. 西芹择洗净，切成段，放入沸水锅汆至断生，捞出滴入少许香油。
2. 将鸭肉切成粗丝，与西芹拌匀，装入盘内。
3. 将味精、盐、香油、花椒油调匀，淋在鸭肉上即成。

特点

清香味美，消积水，降血止眩，健胃益肝。

麻辣鸭肠

原料

净鸭肠500克，葱段、姜片、蒜片各25克，干辣椒、花椒、盐、湿淀粉、胡椒粉、料酒、酱油、醋、鲜汤、花生油各适量。

制作

1. 鸭肠焯透，捞出晾凉切段；干辣椒切节；将酱油、湿淀粉、料酒、少许醋、胡椒粉和汤调成味汁。
2. 炒锅注油烧热，放入花椒、辣椒炸成黑紫色，放入鸭肠、葱、姜、蒜翻炒，倒入味汁烧开，再翻炒几下即成。

特点

味道麻辣，脆嫩鲜香。

西芹鸭肠

原料

净鲜鸭肠500克，西芹100克，葱花、姜汁、蒜泥、盐、糖、味精、红油、酱油、香油各适量。

制作

1. 锅内添水，将鸭肠放入沸水锅中烫2～3分钟，捞出切段备用。
2. 西芹择洗净，切段，放入沸水中焯熟，捞出备用。
3. 西芹、鸭肠放入盆中，另将红油、葱花、姜汁、蒜泥、酱油、盐、糖、味精、香油调成味汁，淋在鸭肠上面拌匀即成。

特点

鸭肠麻辣鲜香，有消肿、利水等功效。

醋椒鸭架汤

原料

鸭架200克，黄瓜75克，鲜鸭汤适量，香菜25克，盐、味精、胡椒粉、醋、香油、鸭油、料酒各适量。

制作

1. 将黄瓜洗净切成片；鸭架去掉鸭头部分；香菜洗净切末。
2. 汤锅注入鸭油烧热，下入胡椒粉煸炒片刻，加入料酒、黄瓜片，添鲜鸭汤、鸭架，撒入盐，汤开后撇去浮沫。
3. 加入味精、醋、香油，起锅盛入大汤碗内，撒上香菜末即可。

特点

香鲜酸辣，回味悠长；消暑、解燥。

炖鸭架汤

原料

白菜250克，鸭架150克，黄花菜25克，盐、味精、白醋各适量。

制作

1. 烤鸭架斩成块，放入炖锅，加醋、适量滚水烧开；黄花菜泡发，洗净。
2. 白菜切段，每段再直切成数条备用。
3. 白菜条放入炖锅，加黄花菜用大火煮滚，再撒入盐与味精拌匀，装入大碗内即可。

特点

香而不腻，菜色诱人。

核桃仁炒鸭丁

原料

净鸭脯肉300克，核桃仁100克，鸡蛋清1个，干红辣椒节、葱花、姜粒、糖、盐、淀粉、生抽、料酒、香醋、香油、鲜汤、花生油各适量。

制作

1. 鸭脯肉切丁，加盐、料酒、蛋清、淀粉上浆；核桃仁过油。
2. 盐、生抽、料酒、香醋、糖、湿淀粉、汤调成味汁。
3. 炒锅注油烧热，放入鸭丁炒散至鸭丁发白亮油，加入干红辣椒节、葱、姜翻炒至熟，放入核桃仁推匀，淋香油即成。

特点

桃仁酥香，鸭脯细嫩，咸鲜辣酸。

萝卜鸭胗汤

原料

鸭胗2个，白萝卜1根，老姜、香菜段、盐各适量。

制作

1. 将新鲜鸭胗剖开洗净，切均匀块。
2. 将大白萝卜洗净切块。
3. 将鸭胗、萝卜放入锅内，大火煮开，加入老姜，用小火煮约2小时，撒香菜段、盐调味即可。

特点

开胃消食，润燥化气，清热解毒。

韭菜炒鸭血

原料

成品鸭血300克，韭菜200克，盐、味精、香油、花生油、料酒各适量。

制作

1. 鸭血切长方片，韭菜洗净切段。
2. 锅中添水烧开，下入鸭血焯透捞出。
3. 炒锅注油烧热，放入韭菜略炒，加入料酒，放入鸭血、盐、味精，翻炒均匀，淋香油即可。

特点

鸭血嫩滑无比，补血解毒。

香辣鸭掌

原料

新鲜鸭掌8个，葱结、姜片、蒜末、红辣椒、盐、味精、红油、料酒、香油各适量。

制作

1. 鸭掌去粗皮洗净焯烫，放入肉汤内煮熟捞出，用小刀将鸭掌划破，剔去粗骨，加葱、姜、红辣椒、料酒、盐，上屉蒸10分钟，取出晾凉，码入盘中。
2. 将红油、香油、蒜末、味精调成味汁，浇在鸭掌上即成。

特点

香辣脆爽，下酒良菜。

香菇蒸乳鸽

[原料]

鸽子肉500克，水发香菇50克，姜丝、葱段、盐、胡椒粉、料酒、香油各适量。

[制作]

1. 将鸽子肉洗净斩块，放入开水锅中汆一下，捞出。
2. 将鸽子肉块加香菇、姜丝、葱段、盐、料酒拌匀，装入盘中，上笼旺火蒸熟。
3. 将盘取出，撒上胡椒粉，淋上香油即可。

[特点]

暖胃健脾，润肤养颜。

花旗瘦肉炖老鸽

[原料]

老鸽2只，猪瘦肉100克，花旗参50克，枸杞25克，老姜、料酒、盐各适量。

[制作]

1. 宰杀老鸽，去内脏洗净；花旗参、枸杞子洗净；老姜洗净切片。
2. 猪瘦肉切块洗净，与老鸽一起放入沸水锅中汆烫，沥干水分，老鸽剁成块；将全部原料放入锅中，加入料酒、姜片，大火烧开，转慢火炖3小时，撒盐调味即可。

[特点]

润肺养胃，生津助液，清虚热，防烦躁。

莲藕乳鸽汤

[原料]

净乳鸽1只，莲藕50克，红枣6粒，老姜、陈皮、盐各适量。

[制作]

1. 将乳鸽用沸水烫过，切成块；红枣洗净去核。
2. 莲藕洗净切成片；陈皮洗净。
3. 锅中注水烧开，放入全部原料，慢火煲3小时左右，加盐调味即可。

[特点]

养血健脾，开胃行气。

党参枸杞炖乳鸽

原料

净乳鸽1只，党参25克，枸杞15克，红枣5枚，盐适量。

制作

1. 将乳鸽洗净，放入沸水锅汆烫片刻。
2. 红枣洗净去核。
3. 全部原料放入锅中，添入适量水，慢火炖约3小时，加盐调味即可。

特点

补中益气，健脾益肺。

枸杞炖乳鸽

原料

净乳鸽1只，枸杞25克，姜片、盐、料酒各适量。

制作

1. 将乳鸽洗净，放入沸水锅汆一下，捞出切块。
2. 将乳鸽放入炖锅，加入清水、枸杞，旺火烧开。
3. 撇去浮沫，加料酒、姜片、盐，用小火炖至熟烂即可。

特点

补益气血，强身健体。

柠檬乳鸽汤

原料

乳鸽300克，猪排骨200克，柠檬40克，姜、盐各适量。

制作

1. 柠檬洗净，切去核；乳鸽切去脚，洗净；排骨洗净切块。
2. 乳鸽、排骨同放入滚水中煮5分钟取出。
3. 煲内添水煲滚，放入乳鸽、排骨、姜煲滚，慢火煲3小时，下柠檬再煲10分钟，撒盐调味即可。

特点

补虚益精，祛暑生津，开胃。

香酥鸽子

原料

鸽肉300克，生菜、葱、姜、肉桂粉、八角、花椒、茴香籽、料酒、盐、椒盐、植物油各适量。

制作

1. 鸽子处理干净，用盐、料酒揉搓，放入大碗内，加葱、姜和上述各种香料，上笼蒸烂；生菜叶洗净，用沸水烫一下。
2. 将鸽子除去葱、姜、香料，沥去汁，放入热油锅内炸至表皮酥脆，围上生菜叶，伴椒盐碟上桌即可。

特点

香酥味美，肉嫩浓香。

杏仁熘鸽丁

原料

雏鸽400克，豌豆苗200克，杏仁100克，蘑菇50克，鸡蛋清25克，葱、盐、味精、胡椒粉、淀粉、高汤、料酒、香油、猪油各适量。

制作

1. 鸽子处理干净剁成块，加鸡蛋清、盐、湿淀粉、香油、料酒上浆；杏仁泡发去皮，加盐略腌，过油；蘑菇切丁；豌豆苗洗净；葱切成段；高汤、味精、胡椒粉、湿淀粉、香油和葱段兑成调料汁。
2. 炒锅注猪油烧热，滑熟鸽丁，放入杏仁、蘑菇丁、豌豆苗，加入调料汁炒匀即可。

特点

滑嫩清香，美味可口。

刀豆鹌鹑丁

原料

净刀豆200克，净鹌鹑肉150克，鸡蛋清50克，黄酒、盐、淀粉、味精、白糖、猪油各适量。

制作

1. 将刀豆切丁，放入沸水锅焯3分钟，过凉；鹌鹑肉切丁，加少许黄酒、盐、蛋清、淀粉拌匀。
2. 锅内注猪油烧六成热，下入肉丁翻炒，放入刀豆炒匀，加入适量白糖、味精调味，淋上猪油即可。

特点

清香味美，肉丁细嫩。

金银蛋浸菠菜

原料

菠菜300克，松花蛋、咸鸭蛋各1个，蒜瓣、盐、高汤、花椒油、花生油各适量。

制作

1. 菠菜洗净，切成段焯熟，捞出；松花蛋，咸鸭蛋去壳切丁。
2. 炒锅注油烧热，放入菠菜、盐略炒，盛入盘内。
3. 炒锅注油烧热，下入蒜瓣煸至上色，放入松花蛋、咸鸭蛋丁略炒，加高汤烧开，淋上花椒油，浇在菠菜上即可。

特点

翠绿鲜嫩，口味奇特。

姜汁菠菜

原料

嫩菠菜500克，生姜25克，盐、味精、酱油、醋、香油各适量。

制作

1. 将菠菜择洗干净，切成小段，放入沸水锅中焯烫，捞出沥水，淋香油拌匀，放盘中。
2. 将生姜去皮，切成细粒，加盐、酱油、醋、味精调成姜汁。
3. 将菠菜、姜汁分盘同时上桌，蘸姜汁食用。

特点

微酸开胃，风味独特，滋阴润燥，补肝养血。

蒜泥菠菜

原料

菠菜300克，蒜、醋、香油、糖、盐、味精各适量。

制作

1. 菠菜择洗净，放入沸水锅中烫熟，捞出，过凉，切段，沥干，放入盘中，撒盐拌匀。
2. 蒜去皮捣碎，放碗中，加盐、糖、味精、醋、香油调成蒜泥汁，将蒜泥汁浇在菠菜上即可。

特点

酸辣开胃，补铁养血，助消化。

麻酱菠菜

原料

菠菜500克，芝麻酱25克，盐、白糖、味精、酱油、香油各适量。

制作

1. 菠菜去根、叶，洗净，放入沸水锅中焯一下，晾凉，挤去水分，切段。
2. 麻酱中加少许水调开，加盐、酱油、白糖、味精，调匀成麻酱汁。
3. 将调好的麻酱汁浇在菠菜段上，淋入香油，拌匀即可。

特点

鲜嫩清香，滋味爽口。

多宝菠菜

原料

菠菜250克，火腿、土豆各25克，松仁、花生米、白芝麻、盐、湿淀粉、白糖、鸡精、清汤、色拉油各适量。

制作

1. 菠菜洗净切段焯烫；土豆切丁，洗掉淀粉；火腿切丁；松仁炸香；花生米炸熟；芝麻炒香。
2. 炒锅注油烧热，下土豆丁略炒，添清汤、松仁、花生米、火腿丁烧开，加入调味料，用湿淀粉勾芡，撒上芝麻，浇在菠菜上即可。

特点

菠菜营养丰富，味道香鲜。

家常炖白菜

原料

白菜500克，猪排骨400克，香菜段、葱花、花椒、盐、味精、花生油各适量。

制作

1. 将白菜洗净切块；排骨剁成小段，下入开水锅中焯至八成熟。
2. 炒锅注油烧热，下花椒、葱花炒出香味，加入白菜炒至变软，倒入排骨及汤汁，加盐，用小火炖至熟烂，加味精调味，撒上香菜段，出锅即成。

特点

肉香烂，菜熟软，汤鲜味醇。

肉丝白菜

白菜300克，净猪肋条肉、香菜各100克，葱、甜面酱、香油、植物油各适量。

制 作

1. 猪肉切成细丝；大白菜取嫩菜心洗净，顺切细丝；香菜洗净切段；葱洗净切丝。
2. 炒锅注油烧热，下入肉丝煸炒，加入葱丝、面酱炒匀，放入白菜翻炒至七成熟，撒入香菜段炒匀，淋入香油即成。

特 点

肉丝浓香，白菜脆嫩。

素炒圆白菜

原 料

圆白菜300克，豆腐皮、葱花、酱油、花椒、植物油各适量。

制 作

1. 圆白菜洗净、沥干，切象眼块；豆腐皮切片。
2. 炒锅注油烧热，放入花椒炸出香味，捞去。
3. 放入葱花，稍煸，随即放入圆白菜和豆腐皮翻炒，加酱油、盐炒匀即可。

特 点

清香脆嫩，鲜咸爽口。

圆白菜炒青椒

圆白菜300克，青椒100克，胡萝卜50克，葱、姜、蒜、盐、味精、白糖、湿淀粉、料酒、酱油、香油、色拉油各适量。

制 作

1. 圆白菜、青椒、胡萝卜洗净沥干切片；葱、姜、蒜均切成末。
2. 锅内注油烧热，下葱、姜、蒜末炝锅，放入圆白菜、料酒，用旺火翻炒，再放入胡萝卜片、青椒片、盐、白糖炒匀。
3. 撒入味精，用湿淀粉勾芡，淋香油即可。

特 点

色彩美观，鲜咸清香。

糖醋卷心菜

[原料]

卷心菜250克，花椒5粒，姜丝、干红辣椒丝、白糖、醋、生抽、盐、味精、花生油各适量。

[制作]

1. 卷心菜洗净撕成块焯烫，捞出沥干；花椒冲洗干净。
2. 白糖、醋、生抽、盐放入碗内调成糖醋汁。
3. 锅加少许油烧热，下花椒粒炸香，投入姜丝、辣椒丝炒香，倒入糖醋汁烧开，浇在卷心菜上，撒入味精拌匀即成。

[特点]

酸甜脆嫩，香辣爽口。

素炒小白菜

[原料]

小白菜250克，姜、盐、酱油、花生油各适量。

[制作]

1. 将小白菜理齐、洗净，切成段；炒锅注油烧热，下姜先炒几下。
2. 放入小白菜旺火快炒至半熟。
3. 滴入酱油，撒盐，再炒几下装盘即可。

[特点]

颜色油绿，味道鲜美。

金沙小白菜

[原料]

嫩小白菜250克，胡萝卜、白萝卜、玉米粒、鲜冬菇各25克，熟芝麻、盐、白糖、鸡精、湿淀粉、清汤、色拉油各适量。

[制作]

1. 小白菜洗净焯烫；胡萝卜、白萝卜洗净去皮切细粒；鲜冬菇洗净切粒。
2. 炒锅注油烧热，放入胡萝卜、白萝卜粒略炒，加清汤、玉米粒、鲜冬菇、芝麻、盐、鸡精、白糖烧开，用湿淀粉勾芡，浇在小白菜上即成。

[特点]

鲜嫩多汁。

椒油芹丝

原料

西芹300克，盐、鸡精、香油、花椒粒各适量。

制作

1. 西芹择洗净，切成细丝，放入开水锅中焯一下，捞出沥干水分。
2. 西芹丝中加少许盐、鸡精拌匀。
3. 炒锅注香油烧热，加花椒粒炸香，浇在芹菜上即可。

特点

脆嫩爽口。

西芹炒百合

原料

西芹250克，鲜百合150克，姜片、盐、料酒、味精、湿淀粉、香油、花生油各适量。

制作

1. 西芹择洗净切片；百合掰成片洗净；西芹、百合分别入沸水焯烫，沥干。
2. 炒锅注油烧热，下姜片爆香，放入西芹、百合煸炒数下，加盐、料酒、味精、少许清水略炒，用湿淀粉勾芡，淋上香油即成。

特点

色彩美观，清淡脆爽。

拌水芹香

原料

荷兰豆、西芹各100克，百合、莲藕各50克，味精、盐、白糖、料酒、淀粉、植物油、香油各适量。

制作

1. 西芹洗净切块；藕洗净切成片；荷兰豆和百合均洗净。
2. 西芹、荷兰豆、藕片、百合，加入盐、味精焯水，捞出沥干。
3. 炒锅注油烧热，放入西芹、荷兰豆、百合、藕片，加料酒、味精、盐、白糖，用湿淀粉勾芡，淋香油即可。

特点

清脆爽口，营养开胃。

油焖春笋

原料
春笋500克，花椒、白糖、味精、酱油、香油、色拉油各适量。

制作
1. 将笋肉洗净剖开，切小条。
2. 炒锅注油烧至五成热，下花椒炸香后捞去。
3. 放入笋条煸炒至淡黄色，加入酱油、白糖及适量水，加盖用小火焖，翻动几次，待汤汁浓稠，加味精，淋香油即成。

特点
鲜嫩香甜，爽口开胃。

糖醋莴笋

原料
嫩莴笋300克，葱末、姜末、白醋、盐、白糖、味精各适量。

制作
1. 莴笋去根、皮，洗净切块，入沸水焯烫，捞出后加盐拌匀。
2. 将葱末、姜末、白醋、盐、白糖、味精调成糖醋汁，将莴笋挤去水分，放入碗内，加入糖醋汁，腌至入味即可。

特点
清爽脆嫩，酸甜适口。

醋熘茭白

原料
茭白300克，酱油、醋、色拉油、花椒、湿淀粉、白糖、盐各适量。

制作
1. 茭白洗净切成小块。
2. 炒锅注油烧热，放入花椒炸出香味捞去。
3. 再放入茭白煸炒熟，最后放入白糖、醋、酱油、盐，用湿淀粉勾芡即可。

特点
酸甜脆爽。

清炒茼蒿

原料
茼蒿（嫩头）300克，白糖、盐、味精、香油、色拉油各适量。

制作
1. 将茼蒿择洗净，切段，沥干水分。
2. 炒锅注油烧热，倒入茼蒿煸炒至变软。
3. 加盐、白糖和少许水，烧至锅中汤开，加入味精调味，淋入香油即可。

特点
色彩碧绿，鲜嫩微甜。

蒜茸茼蒿

原料
茼蒿500克，蒜末50克，生抽、醋、盐、孜然粉、五香粉、味精、芥末油、香油各适量。

制作
1. 将茼蒿择洗干净，切段，放入沸水锅中焯过，捞出过凉，沥干水分装盘。
2. 加入蒜末、生抽、醋、盐、孜然粉、五香粉、味精、芥末油、香油等调料拌匀即可。

特点
清香鲜嫩，爽口开胃。

鱼香苦瓜丝

原料
苦瓜300克，泡辣椒25克，郫县豆瓣酱、葱丝、姜丝、蒜泥、盐、白糖、味精、酱油、醋、香油、花生油各适量。

制作
1. 苦瓜洗净切丝，焯烫过凉沥干，放盘内；泡辣椒切成细丝。
2. 炒锅注油烧热，下葱姜丝、泡椒丝炒香，再下豆瓣酱炒出红油，加入酱油、白糖、盐、醋、味精、蒜泥炒匀，浇在苦瓜上，淋上香油即成。

特点
酸甜香辣。

干煸苦瓜

原料

苦瓜300克，海米、猪肉各100克，蒜瓣、花椒、辣椒碎、盐、味精、白糖、红油、色拉油各适量。

制作

1. 苦瓜洗净切条焯过，过油；猪肉切末，海米、蒜瓣分别切末。
2. 炒锅注油烧热，下蒜末、花椒、辣椒碎、海米爆香至油呈红色，放入猪肉末略炒，投入苦瓜条，边翻炒边加盐、味精、白糖，最后淋入红油，出锅即成。

特点

干香味辣，醒酒下饭。

苦瓜酿肉柱

原料

苦瓜500克，猪肉250克，海米、鲜香菇各25克，蒜50克，葱末、姜末、盐、鸡精、淀粉、蛋清、清汤、酱油、料酒、辣椒油、花生油各适量。

制作

1. 苦瓜洗净切段，去籽焯烫沥干；猪肉剁成泥，香菇、海米洗净切粒，加姜末、葱末、鸡蛋清、湿淀粉、料酒、盐、鸡精拌匀，酿入苦瓜内，两端用干湿淀粉口；蒜下入热油锅中炸熟捞出入碗。
2. 炒锅添辣椒油、酱油、清汤、苦瓜筒烧开稍焖，倒入蒜碗内，上笼蒸10分钟取出入盘；汁烧开，勾芡，浇入苦瓜肉柱上即成。

特点

香辣微苦，馅鲜味美。

香菜萝卜丝

原料

红皮萝卜300克，香菜50克，葱花、盐、味精、酱油、醋、辣椒油、香油、花椒油各适量。

制作

1. 红皮萝卜洗净去皮切丝，加入适量盐腌渍片刻，挤去水分。
2. 香菜择洗干净，切成段；将萝卜丝、香菜段放入碗内，加入葱花、盐、味精、酱油、醋、辣椒油、香油、花椒油拌匀，装入盘内即可。

特点

酸辣爽口，风味独特。

油焖胡萝卜

原料

胡萝卜500克，豆瓣酱、色拉油各适量。

制作

1. 胡萝卜洗净，剖开切斜片；豆瓣酱用水调开待用。
2. 炒锅注油烧热，放入胡萝卜焖炒，然后将胡萝卜片在锅中摊匀，用小火慢煎，如此反复，直至胡萝卜水分散失变软。
3. 将调好的豆瓣酱倒入锅内，快速旺火翻炒几下即可。

特点

营养丰富，美味可口。

蜜汁南瓜

原料

南瓜350克，蜂蜜适量。

制作

1. 南瓜去皮洗净，切小块，上笼蒸熟。
2. 晾凉装盘，淋上蜂蜜即成。

特点

香糯甘甜。

番茄双泥

原料

土豆300克，茄子200克，熟鸡蛋2个，番茄酱50克，香油、盐、鸡精各少许。

制作

1. 茄子、土豆去皮洗净，蒸熟捣成泥，加入盐、鸡精拌匀；将熟鸡蛋黄捣成泥，熟鸡蛋清切成末，各加少许盐拌匀。
2. 将拌好的茄泥、土豆泥对称放在盘内，蛋清、蛋黄分别放在茄泥和土豆泥两侧，番茄酱堆放在中间，浇上香油即成。

特点

清香适口。

手撕茄子

原料

茄子500克，麻酱、酱油、香油、芥茉粉、盐、糖各适量。

制作

1. 将茄子去蒂洗净，用竹签在茄子上刺孔，放在蒸笼内，蒸约2～3分钟至软。
2. 将芥末粉、麻酱、酱油、香油、盐、糖及少许凉开水调成酱汁。
3. 取出蒸熟的茄子，撕成长条，盛在碟中，淋入调好的酱汁即可。

特点

细嫩微辣，鲜香回甜。

芥末酸菜丝

原料

酸菜300克，芥末粉、香油、盐、白糖、味精、干红辣椒各适量。

制作

1. 酸菜洗净切成丝，干红辣椒切丝，芥末粉用开水拌成糊。
2. 将芥末糊、盐、白糖、味精与酸菜丝一起拌匀。
3. 炒锅注入香油烧至五成热，下入辣椒丝爆香，倒在酸菜丝上，食用时拌匀即可。

特点

酸辣香甜，脆嫩爽口。

素炒韭菜

原料

韭菜250克，豆腐干100克，酱油、盐、味精、色拉油各适量。

制作

1. 韭菜择洗净切段；白豆腐干洗净切丝，入沸水焯烫捞出。
2. 炒锅注油烧至八成热，将韭菜段和盐一起放入快速煸炒，见韭菜段油绿发亮时，放入白豆腐干丝、酱油、味精，翻炒均匀即可。

特点

脆嫩清香。

蒜泥豆角

原料

豆角350克，蒜泥、香油、花椒油、麻酱、盐、味精各适量。

制作

1. 将豆角择洗净，放入沸水锅内烫熟，再用凉开水过凉，捞出沥净水分，切成段。
2. 豆角放入盘内，加入蒜泥、香油、花椒油、麻酱、盐、味精，拌匀即成。

特点

颜色碧绿，脆嫩爽口。

甜酸山药条

原料

山药300克，白糖、浓缩橙汁各适量。

制作

1. 白糖加水熬化晾凉，加入橙汁调成甜酸果汁备用。
2. 山药去皮洗净切条，焯烫沥干。
3. 将山药条放入甜酸果汁中浸泡6小时左右，食用时装盘，淋入少许原汁即可。

特点

颜色橙黄，嫩滑爽口。

炒苋菜

原料

苋菜400克，盐、味精、蒜、油各适量。

制作

1. 苋菜洗净切段；蒜捣成泥。
2. 炒锅注油烧热，放入苋菜煸炒几下，加入盐、蒜泥再炒3分钟。
3. 待苋菜软嫩、略有汤汁时，放入味精拌匀即可。

特点

清香味美。

苹果粥

原料

大米250克，苹果1个，葡萄干25克，蜂蜜适量。

制作

1. 将大米淘洗净；苹果洗净去核，切片。
2. 锅中添水，放入大米和苹果片煮开，改用中小火熬煮40分钟。
3. 蜂蜜、葡萄干放入碗中，倒入粥，拌匀即可食用。

特点

排毒通便，美容养颜。

玫瑰苹果露

原料

苹果1个，玫瑰花3朵，苹果醋、凉开水各适量。

制作

1. 将苹果去皮、去核，切小块，放入榨汁机，加入凉开水榨汁。
2. 玫瑰花放入玻璃杯内，用开水冲泡，加盖焖2分钟，凉透备用。
3. 凉透的玫瑰花茶加入苹果汁、苹果醋调匀即成。

特点

苹果醋可以中和碱性物质，玫瑰花则有解郁理气的功效。

草鱼苹果瘦肉汤

原料

苹果2个，猪瘦肉150克，草鱼100克，红枣、生姜、盐、胡椒粉、料酒、清汤、色拉油各适量。

制作

1. 苹果去核、皮，切成瓣；草鱼去内脏洗净切块；猪瘦肉洗净切片；红枣泡洗干净；生姜去皮切片。
2. 炒锅注油烧热，下入姜片、鱼块略煎，加入料酒、瘦肉片、红枣、清汤炖煮至汤白，加入苹果瓣、盐、胡椒粉，略炖即可。

特点

汤清鲜，补心养气，补肾益肝。

瘦肉苹果润肤汤

原料

猪瘦肉500克，苹果2个，蜜枣10粒，水发银耳、胡萝卜、姜片、盐各适量。

制作

1. 将猪瘦肉洗净，切丝，放入沸水锅汆一下，捞出洗净血沫。
2. 苹果洗净，去核切片；胡萝卜洗净切片。
3. 锅中放入瘦肉、苹果、蜜枣、胡萝卜、姜片、清水，大火煮开，转中小火炖约30分钟，加入银耳煮20分钟，撒盐调味即可。

特点

鲜香酸甜，降脂降压，美容嫩肤。

清蒸苹果鸡

原料

鸡脯肉150克，苹果2个，蛋清1个，盐、鸡精、葱姜末各适量。

制作

1. 苹果洗净去皮，一个去核切成两瓣，另一个去核切块榨汁。
2. 鸡脯肉剁成泥，加蛋清、盐、鸡精、葱末、姜末、水制成馅。
3. 把馅分别填入苹果中，摆放入盘，上蒸笼蒸15分钟，取出浇上苹果汁即可。

特点

鸡肉细嫩，苹果熟烂。

营养苹果泥

原料

苹果50克，水适量。

制作

1. 苹果洗净去皮，然后用刮子或匙慢慢刮起成泥状，即可食用。
2. 或将苹果洗净去皮，切成黄豆大小的碎丁，添入凉开水适量，上屉蒸20~30分钟，待稍凉后即可食用。

特点

营养丰富，制作简便。

苹果豆腐羹

[原料]

豆腐100克，苹果75克，香菇25克，湿淀粉、杏仁、盐、香油各适量。

[制作]

1. 豆腐切小块，略泡；冬菇搅成茸，和豆腐煮滚，下香油、盐调味，用湿淀粉勾芡成豆腐羹。
2. 杏仁去衣，苹果切粒，同搅成茸。
3. 待豆腐羹冷却，加杏仁、苹果茸拌匀即成。

[特点]

嫩滑可口，含丰富蛋白质、铁质。

菠萝炒鸡球

[原料]

鸡脯肉300克，鲜菠萝100克，葱、姜、盐、鸡精、湿淀粉、料酒、色拉油各适量。

[制作]

1. 鸡肉拍平切块，加盐、鸡精、湿淀粉腌制，煮成球状捞出；菠萝去皮洗净切丁；葱、姜洗净，葱切成段，姜切成片。
2. 炒锅注油烧热，下姜片、葱段爆香，放入鸡球、料酒、菠萝炒匀，用湿淀粉勾芡，淋入明油出锅即可。

[特点]

清热解暑，生津止渴。

魔力笋萝沙拉

[原料]

芦笋200克，菠萝150克，小番茄8个，猕猴桃1个，沙拉酱、盐各适量。

[制作]

1. 芦笋洗净切段，放入加盐的沸水中略烫，捞出过凉沥干。
2. 猕猴桃去皮切片；菠萝去皮切小片；小番茄洗净一切两半。
3. 把全部原料拌匀，盛于盘中，淋上沙拉酱即可。

[特点]

芦笋所含的蛋白质、多种维生素和微量元素可帮助消化，增进食欲，提高机体免疫力。

奇异菠萝肉

原料

猪瘦肉250克，圣女果4粒，罐头菠萝2块，奇异果、鸡蛋各1个，番茄汁、糖、醋、姜末、生抽、胡椒粉、淀粉、色拉油各适量。

制作

1. 圣女果、奇异果分别切片；菠萝切小块；猪肉切片，加生抽、胡椒粉、鸡蛋汁、淀粉上浆，过油，捞出沥油。
2. 炒锅注油烧热，下姜末爆香，加入番茄汁煸炒，放入糖、醋、清水煮匀，用湿淀粉勾芡，再放入肉片和鲜果，快速炒匀即可。

特点

营养丰富，口味独特。

菠萝鸭片

原料

烤鸭肉300克，菠萝肉、青椒各50克，芝麻酱、盐、味精、糖、醋、香油各适量。

制作

1. 将烤鸭肉、菠萝切成厚片；青椒去籽及蒂，洗净，切成同样大小的片，放入沸水锅内烫一下，捞出。
2. 将糖、醋、芝麻酱、盐、味精、香油、少许凉开水调匀成味汁。
3. 将烤鸭片、菠萝片、青椒片放入盘内，浇上味汁，拌匀即成。

特点

健胃消食，补脾清胃。

活力菠萝鸭片

原料

咸水鸭肉400克，嫩姜、菠萝片各100克，糖、鸡精、湿淀粉、胡椒粉、醋、香油、食用油、鲜汤各适量。

制作

1. 咸水鸭肉切成片；嫩姜洗净切成圆片；糖、醋、鸡精、胡椒粉、鲜汤，放在碗内，调匀成味汁。
2. 炒锅注油烧热，下姜片爆香，放入鸭片翻炒，放入菠萝片略炒，倒入味汁炒匀，用湿淀粉勾薄芡，淋香油即成。

特点

鸭肉具有滋阴养血、益胃生津、利水消肿、清热止咳等功效。

菠萝鸡肾

原料

鸡肾、菠萝各150克，青椒25克，红辣椒、蒜泥、白酒、盐、湿淀粉、白糖、芝麻酱、醋、香油、植物油各适量。

制作

1. 鸡肾用盐擦洗净，切去白筋，切菱形花纹，焯烫，捞出沥干；菠萝去皮洗净沥干切块；青、红椒洗净，去籽切块。
2. 炒锅注油烧热，爆香蒜泥，放入鸡肾、青红椒、菠萝翻炒，加入白酒、盐、湿淀粉、白糖、醋、香油、适量清水炒熟即可。

特点

酸甜味美，营养丰富。

菠萝炒木耳

原料

菠萝250克，黑木耳25克，枸杞15克，盐、味精、湿淀粉、色拉油各适量。

制作

1. 菠萝去皮用盐水浸泡切片；黑木耳泡发洗净撕成小片；枸杞洗净略泡。
2. 炒锅注油烧热，下黑木耳片煸炒，再下菠萝片、枸杞、适量清水略烧，加盐、味精调味，用湿淀粉勾芡，炒匀即可。

特点

三色相间，酸甜爽口。

樱桃橘子银耳

原料

银耳250克，橘子罐头半罐，红樱桃50克，冰糖适量。

制作

1. 银耳泡发洗净，撕成小朵，放入锅内加冰糖和适量清水煮熟，装碗。
2. 将橘子、红樱桃点缀在银耳上，放入冰箱内凉透即可食用。

特点

清凉爽口，开胃助消化，滋阴补血。

111

樱桃香菇

原料

水发香菇200克，樱桃、豌豆苗各100克，姜片、盐、糖、味精、湿淀粉、料酒、香油、色拉油各适量。

制作

1. 将水发香菇洗净切片；豌豆苗择洗净。
2. 炒锅注油烧热，放入香菇、姜片、盐、糖、料酒翻炒。
3. 加入适量清水、豌豆苗，用慢火烧开，撒入味精调味，用湿淀粉勾芡，下入樱桃翻炒片刻，淋上香油出锅即成。

特点

颜色美观，口味微甜，调中益气，滋润皮肤。

樱桃鱼丁

原料

净鱼肉150克，葱、姜、蒜、白糖、酱油、醋、鸡蛋清、淀粉、料酒、辣椒油、植物油各适量。

制作

1. 将鱼肉切丁，加鸡蛋清、淀粉上浆，过油；葱、姜切末。
2. 炒锅注油烧热，放入调料烧沸，用湿淀粉勾芡，再下入鱼丁，加辣椒油即可。

特点

咸香味美，微辣爽口。

香拌瓜皮丝

原料

西瓜皮300克，红甜椒1个，盐、糖、味精、醋、香油各适量。

制作

1. 西瓜皮去皮、瓤洗净切丝，加入少许盐拌匀，腌渍入味。
2. 红甜椒去蒂、籽，洗净，切成粗条，放沸水锅内汆至断生，捞出沥干水分，将西瓜皮丝、红椒丝加盐、糖、味精、醋、香油拌匀，装盘即成。

特点

脆爽可口，咸鲜味美，清暑解热。

山药西瓜炒百合

[原料]

鲜百合、山药、西瓜各150克，葱末、姜末、盐、味精、湿淀粉、色拉油各适量。

[制作]

1. 鲜百合洗净，山药去皮洗净切丁，西瓜取瓤切丁，均焯烫。
2. 炒锅注油烧热，下葱末、姜末爆香，放山药丁、百合略炒，加盐、味精调味，放入西瓜丁急火快炒，用湿淀粉勾芡，淋熟油即成。

[特点]

红白相间，清脆爽口，咸鲜回甜。

橙味冬瓜条

[原料]

冬瓜500克，盐、白糖、果酸、果珍各适量。

[制作]

1. 冬瓜削皮去籽洗净切条，焯烫过凉。
2. 白糖加水熬化，再加入盐、果酸、果珍调匀成甜酸味汁。
3. 将冬瓜条放入甜酸味汁中浸渍入盘，淋上少许原汁即成。

[特点]

颜色橙黄，甜酸爽口。

橘香青笋

[原料]

青笋300克，橘子3个，糖、盐、味精、白醋、橙汁、香油各适量。

[制作]

1. 将青笋去皮切细丝；橘子取皮，洗净切细丝。
2. 将青笋丝、橘子皮丝泡在水中，吸水变脆，捞出沥干水分。
3. 加糖、盐、味精、白醋、橙汁、香油拌匀即可。

[特点]

酸甜爽口，顺气开胃，助消化。

橘味鸡丝

原料

鸡肉500克，青椒50克，橙皮25克，盐、白糖、味精、鲜橙汁、料酒、香油、花生油各适量。

制作

1. 青椒、橙皮洗净切丝；鸡肉煮熟捞出切丝，过油。
2. 炒锅注油烧热，加入料酒、盐、白糖、鸡丝、橙皮丝、青椒丝翻炒，撒味精，滴入鲜橙汁翻匀收汁，淋上香油晾凉即可。

特点

色泽淡黄，橘香味浓。

橘香拌蔬菜

原料

橘子50克，圆白菜、绿豆芽各25克，裙带菜、香油、酱油各适量。

制作

1. 将圆白菜切成细丝；绿豆芽去根须；裙带菜切碎，上述原料都用热水烫过，沥干水分。
2. 将橘子、圆白菜、绿豆芽、裙带菜加香油和酱油搅匀即可。

特点

色彩鲜艳，清新爽口。

柳橙冬瓜汤

原料

冬瓜100克，柳橙2个，糖、浓缩橙汁各适量。

制作

1. 将冬瓜洗净去皮、瓤，切片；柳橙洗净，从中间切开，去外皮，切块。
2. 锅中放入适量清水、浓缩橙汁、冬瓜烧开。
3. 加入柳橙块、糖煮2分钟，离火即可。

特点

酸甜爽口，健脾利水，消脂纤体，养颜抗衰老。

牛奶香蕉糊

原料

牛奶200克，香蕉100克，玉米面（白）25克，糖适量。

制作

1. 将香蕉洗净去皮，用勺子碾碎。
2. 将牛奶倒入锅内，加入玉米面和糖，边煮边搅匀，煮好后倒入研碎的香蕉中调匀即可。

特点

粗粮细做，富含多种维生素。

果味藕条

原料

嫩藕500克，果珍100克，白糖、柠檬酸、橘子香精各适量。

制作

1. 将嫩藕洗净，削去藕节，刮去皮，切成条，先放入凉水中泡至洁白，再下入沸水锅中焯至断生捞出，沥干水分。
2. 将藕条放入盆内，加入果珍粉、白糖、柠檬酸。
3. 滴入橘子香精拌匀，盖上盖，静置4小时即成。

特点

果香味浓，酸甜可口。

西芹雪梨沙拉

原料

雪梨1个，西芹100克，盐、糖、香油、沙拉酱各适量。

制作

1. 将雪梨去皮、去核切成条状，放入淡盐水中略泡。
2. 西芹洗净除去纤维，放入开水中焯至断生，捞出，沥干水分，切成小段。
3. 将雪梨加糖、香油拌匀，西芹加盐、香油拌匀，排放盘中，加入沙拉酱拌匀即成。

特点

雪梨含有大量的钙、镁、果糖、纤维素等，能止咳生津。

百合草莓白藕汤

原料

莲藕250克，百合200克，草莓100克，盐适量。

制作

1. 鲜百合洗净，撕成小片；草莓洗净，切成小块；白莲藕洗净去节，切成块。
2. 把草莓与白藕放入清水，煲约2小时，加入鲜百合片，煮约10分钟，撒盐调味即可。

特点

菜色鲜亮，味道略甜，有润肺化痰之功效。

核桃蔬果沙拉

原料

罐头菠萝200克，碎核桃仁、西芹各50克，葡萄4粒，莴苣叶3片，狝猴桃1个，梨半个，沙拉酱、酸奶、柠檬汁、蜂蜜各适量。

制作

1. 菠萝、狝猴桃、梨去皮切丁；葡萄切两半去籽；西芹切段；把水果丁、芹菜段、核桃仁加酸奶、沙拉酱、柠檬汁、蜂蜜拌匀。
2. 把酸奶、沙拉酱浇在混合好的果蔬中拌匀，放冰箱冷藏2小时，取出放在莴苣叶上即可。

特点

可补充钙质，对小儿软骨症有辅助治疗作用。

水果奶蛋羹

原料

鸡蛋黄1个，苹果、橘子各25克，牛奶25毫升，糖、玉米粉各适量。

制作

1. 玉米粉与糖放入锅中搅匀，加入蛋黄再次搅匀；苹果洗净捣成苹果泥。
2. 将温牛奶慢慢倒入锅中，边倒边搅拌，用小火熬煮至黏稠状。
3. 将橘子瓣捣烂同苹果泥放在奶羹上即可。

特点

味道鲜爽，营养，注意不要过甜。

蜜汁三鲜

原料

香蕉2根，雪梨、苹果各1个，蜂蜜、白糖、桂花酱、西瓜、黄瓜各少许。

制作

1. 将雪梨、苹果洗净去皮、核切片；香蕉去皮切片；西瓜切块；黄瓜切薄片。
2. 白糖加水熬制成黏汁，加蜂蜜、桂花酱、雪梨片、苹果片、香蕉片、西瓜块，用勺搅匀盛入盘中，周围摆一圈黄瓜片即成。

特点

香甜可口，营养丰富，极适宜成长期儿童食用。

酸奶脆丝沙拉

原料

卷心菜丝250克，葱头丝、胡萝卜丝、苹果丝各50克，沙拉酱25克，姜末、糖、芥末酱、酸奶、白醋各少许。

制作

1. 将卷心菜丝、葱头丝、胡萝卜丝、苹果丝放入盘中混合。
2. 取酸奶、沙拉酱、糖、白醋、姜末、芥末酱拌成酸奶沙拉酱。
3. 把酸奶沙拉酱浇在混合原料上拌匀，放在冰箱冷藏2小时后即可。

特点

促进儿童机体发育。

奶油生菜沙司

原料

生菜250克，鸡蛋2个，黄瓜100克，奶油25克，盐、胡椒粉各适量。

制作

1. 鸡蛋煮熟去壳，蛋白切丁，蛋黄压成泥后加入奶油、盐、胡椒粉搅拌成沙司；生菜洗净沥干切小块，加蛋白丁拌匀；黄瓜洗净切圆片。
2. 将黄瓜片摆放盘边，生菜蛋白放在盘中，浇上蛋黄沙司即成。

特点

生菜含较多的膳食纤维，有益肠道健康。

香椿拌豆腐

原料

豆腐350克，嫩香椿75克，盐、味精、香油各适量。

制作

1. 将豆腐切成大块，放入开水锅中汆透，再切成1.5厘米见方的小方块，放入盘内码好，撒上盐、味精，淋上香油。
2. 把香椿洗净，用开水略烫捞出，挤出水分，切成碎末，撒在豆腐块上，食时拌匀即成。

特点

香椿味浓，豆腐质嫩，清爽适口。

木耳豆腐

原料

豆腐500克，木耳50克，葱末、姜末、火腿、盐、味精、湿淀粉、鲜汤、色拉油各适量。

制作

1. 将豆腐切丁；火腿切丁；木耳用温水浸泡，泡发后洗净切丁。
2. 炒锅注油烧热，下葱末、姜末爆香，再下木耳丁煸炒片刻，加入鲜汤、盐烧开。
3. 加味精调味，用湿淀粉勾芡，撒上火腿丁，翻炒几下，出锅即成。

特点

鲜嫩爽口。

雪菜烧豆腐

原料

豆腐350克，雪菜150克，猪肉100克，葱末、姜末、盐、味精、料酒、香油、清汤、花生油各适量。

制作

1. 将雪菜洗净切小段；豆腐切长形厚片；猪肉洗净切片。
2. 炒锅注油烧至五成热，下猪肉片炒散，加入葱姜末炒香。
3. 放入雪菜煸炒数下，加入豆腐片、清汤、盐、料酒烧开，改用小火烧透，加味精调味，淋上香油，起锅即可。

特点

滑嫩味鲜。

黄鱼烧豆腐

原料

豆腐500克，大黄鱼300克，水发木耳25克，葱段、姜片、盐、味精、花生油、鲜汤、料酒各适量。

制作

1. 鱼去鳞、鳃、内脏洗净；豆腐洗净切片；木耳洗净。
2. 炒锅注油烧热，下入葱段、姜片爆锅，放入鱼两面略煎，加入鲜汤、料酒、盐烧开，撇去浮沫，加入豆腐、木耳，用慢火烧熟，鱼盛在盘中即可。

特点

鱼肉细嫩，味美适口。

榨菜拌豆腐

原料

豆腐350克，榨菜50克，松花蛋1个，酱油、盐、味精、香油各适量。

制作

1. 豆腐装入盘内，先横向相隔2厘米切条，再竖向相隔2厘米切丁。
2. 榨菜及皮蛋切成碎末，装在碗中，加盐、味精、酱油、香油拌匀，淋在豆腐上即成。

特点

质地细嫩，鲜香味美。

雪里蕻炖豆腐

原料

豆腐200克，腌雪里蕻100克，猪油、味精、盐、葱、姜各适量。

制作

1. 腌雪里蕻洗净切末；豆腐切块，焯烫过凉，控干；葱、姜洗净切末。
2. 炒锅注猪油烧热，下入葱姜末炝锅，放雪里蕻炒出香味，加入豆腐、适量清水、盐用大火烧开，转小火焖煮。
3. 待豆腐入味、汤汁浓稠时，加入味精调味即成。

特点

清口开胃，减轻孕吐。

百花豆腐

原料

豆腐、河虾各300克，葱、盐、胡椒粉、香油、植物油各适量。

制作

1. 虾去壳，洗净，剁成泥，加调味料拌匀。
2. 豆腐洗净压碎，加虾泥拌匀，放入盘中，隔水蒸8分钟。
3. 炒锅注油烧热，下入葱粒，淋入香油，浇在蒸好的豆腐上即可。

特点

豆腐软嫩，虾泥鲜美。

西施豆腐

原料

豆腐300克，虾仁100克，冬笋、香菇、火腿、青豆各25克，葱段、黄酒、盐、味精、胡椒粉、鸡汤、猪油、淀粉各适量。

制作

1. 豆腐切丁，火腿、冬笋、香菇均切丁，均入沸水焯烫后沥干。
2. 锅内注猪油烧热，下入葱段煸炒，加入黄酒、鸡汤、适量清水煮滚，捞出葱段，倒入豆腐丁、火腿丁、冬笋丁、香菇丁、青豆煮熟，加湿淀粉勾芡，浇上明油，加盐、味精、胡椒粉调味即可。

特点

营养丰富，滑嫩味美。

番茄豆腐

原料

豆腐500克，番茄酱100克，鸡蛋1个，面粉、味精、盐、白糖、葱、姜、料酒、植物油、湿淀粉各适量。

制作

1. 豆腐切丁焯烫，加面粉、鸡蛋液上浆，过油；葱、姜切末。
2. 锅内放底油烧热，下入葱、姜末、番茄酱炒出香味，加入糖、盐、料酒、味精、水，放入豆腐，用微火焖，用湿淀粉勾芡，淋少许明油即可。

特点

味甜酸，色红润，质嫩利口。

酸菜蒸豆腐

[原料]

豆腐250克，酸白菜75克，姜、葱、豆豉、香油、白酱油各适量。

[制作]

1. 酸菜、豆腐均洗净切片，入沸水焯烫捞出沥干，分别入盘；豆豉切细；姜切丝；葱切花。
2. 豆豉、姜丝、葱花拌匀放在酸菜上，入笼蒸7分钟取出，淋上香油、白酱油即成。

[特点]

清淡不腻，别有风味。

猪蹄葱白炖豆腐

[原料]

猪蹄500克，豆腐100克，葱白、酱油、料酒各适量。

[制作]

1. 将猪蹄洗净切成大块；豆腐洗净切成块。
2. 砂锅添适量水，放入猪蹄、葱白、豆腐大火烧沸，小火煮至猪蹄烂熟。
3. 加入料酒和酱油调味即可。

[特点]

汤色洁白，营养丰富。

鲫鱼豆腐汤

[原料]

鲫鱼500克，豆腐300克，姜片、盐各适量。

[制作]

1. 鲫鱼去肠杂洗净，留鳞，放入锅中煎至两面微黄；豆腐洗净切成块。
2. 锅内添适量水，放入鲫鱼、豆腐、姜片大火烧沸，转小火煲2小时，加盐调味即可。

[特点]

汤色奶白，营养滋补。

鲤鱼炖豆腐

原料

鲤鱼400克，豆腐100克，葱末、姜末、蒜、盐、味精、湿淀粉、酱油、豆瓣辣酱、高汤、白酒、植物油各适量。

制作

1. 豆腐切条，鲤鱼洗净划刀，分别过油。
2. 锅内留油，下入葱、姜、蒜、豆瓣辣酱翻炒，放入鲤鱼、豆腐、酱油、酒、盐、味精、高汤煮熟，用湿淀粉勾芡即可。

特点

鱼肉细嫩，汤味香浓。

辛香豆腐猪蹄

原料

猪蹄300克，豆腐200克，葱段、姜片、盐、肉汤、味精、胡椒粉、料酒、猪油各适量。

制作

1. 豆腐洗净切块；猪蹄去毛，洗净，放沸水锅中汆去血水，捞出洗净。
2. 锅内注猪油烧热，加入料酒、肉汤、盐、味精、胡椒粉、葱段、姜片、猪蹄，大火烧开，转小火炖1小时，放入豆腐，炖至猪蹄熟烂即成。

特点

治疗贫血、产后乳少。

肉末豆腐

原料

豆腐300克，肉末100克，葱花、姜片、香菜末、盐、味精、植物油、料酒、鲜汤、湿淀粉各适量。

制作

1. 将豆腐上笼蒸5分钟，取出晾凉，切成长条片。
2. 炒锅注油烧热，下入葱花、姜片爆香，放入肉末煸炒，加鲜汤、料酒和豆腐条，炖至汤汁奶白，加盐、味精调味，用湿淀粉勾芡，撒入香菜末即可。

特点

味香润口，汤汁清香，营养补钙。

虾粒豆腐泥

原料

豆腐200克，对虾100克，韭菜50克，鸡蛋3个，高汤、葱、姜、植物油、香油、盐、味精、胡椒粉各适量。

制作

1. 虾去头、皮洗净，切粒；韭菜择洗干净切末，葱、姜洗净切末。
2. 豆腐剁泥，加鸡蛋液、高汤、盐、味精、胡椒粉调匀，过油。
3. 炒锅注油烧热，爆香葱姜，加入虾粒煸炒，加调料，放入豆腐、韭菜末炒匀，淋香油即可。

特点

豆腐清香，虾仁鲜嫩。

豆腐脑素三鲜

原料

豆腐脑400克，番茄200克，香菇50克，水发木耳25克，香菜、盐、胡椒粉、香油、淀粉、植物油各适量。

制作

1. 香菇泡软切片；番茄去皮切片；木耳撕成小片；香菜洗净切末。
2. 锅内注油烧热，爆香香菇，放入木耳略炒，加适量水、番茄小火焖烧，加盐、胡椒粉、香油、湿淀粉搅匀烧开，放入豆腐脑烧开，撒香菜末即可。

特点

鲜嫩清香，营养丰富。

清蒸豆腐羹

原料

豆腐500克，鸡蛋250克，香菜、香油、盐、姜汁、味精各适量。

制作

1. 香菜切末；豆腐抓碎；鸡蛋打散；香菜洗净切末。
2. 将鸡蛋液、豆腐、盐、味精、姜汁，搅拌均匀，淋上香油，上锅蒸10分钟。
3. 取出撒上香菜末即可。

特点

口味清淡，咸鲜适口。

雪花豆腐羹

原料

豆腐300克，河虾、香菇、蘑菇、松仁、味精、盐、料酒、熟火腿、高汤、湿淀粉各适量。

制作

1. 豆腐切片，焯烫后切碎；香菇、蘑菇、松仁、熟火腿均切成小粒；虾洗净去皮、壳、肠泥，加盐、料酒、味精拌匀。
2. 锅内添高汤，放入豆腐、香菇、蘑菇、松仁、熟火腿煮开，加盐，用湿淀粉勾芡，放入虾仁煮熟即可。

特点

软嫩鲜香，营养丰富。

黄鱼豆腐羹

原料

黄鱼400克，豆腐200克，鸡蛋清、火腿各25克，盐、胡椒粉、淀粉、香油、料酒、高汤、植物油各适量。

制作

1. 豆腐切丁入沸水焯过捞出沥干；火腿切末；黄鱼蒸熟，鱼肉切成小丁，加蛋清、盐、料酒、干淀粉上浆。
2. 锅内注油烧热，下入鱼丁炒至白色，放入豆腐丁、高汤、盐、胡椒粉、料酒烧开，用湿淀粉勾芡，淋入香油，撒上火腿末即可。

特点

口感爽滑，味道鲜美。

茼蒿芝麻豆干

原料

茼蒿、豆腐干各200克，芝麻酱、蒜、酱油、香油、醋、盐、味精各适量。

制作

1. 茼蒿择洗净用沸水焯熟，捞出过凉，切成段，放入盆内。
2. 大蒜去皮捣成茸；豆腐干用沸水烫后切成丝。
3. 茼蒿菜盆中加入豆腐干丝、芝麻酱、味精、盐、酱油、醋、香油、蒜茸拌匀即可。

特点

绿白相间，多味可口。

茭白拌豆干

[原料]

茭白200克，豆腐干150克，香油15毫升，盐、味精、姜丝、醋各适量。

[制作]

1. 茭白、豆腐干均洗净切片，入沸水中焯熟，捞出沥干晾凉。
2. 豆腐干片和茭白片一起放入盆中，加入姜丝、醋、味精、盐和香油，拌匀即可。

[特点]

鲜嫩清香。

豆干炒韭菜

[原料]

韭菜300克，白豆腐干150克，盐、味精、酱油、色拉油各适量。

[制作]

1. 将韭菜择洗净，切成段。
2. 豆腐干洗净，切成细丝，用开水烫一下，去掉豆腥味。
3. 炒锅注油烧至八成热，放入韭菜段、盐快速煸炒至油绿发亮，加入豆腐干丝、酱油，翻炒均匀，撒味精调味即可。

[特点]

脆嫩清香，增进食欲，补肾壮阳。

花生米拌香干

[原料]

香干250克，炸花生米100克，酱油、味精、香油各适量。

[制作]

1. 豆腐干切成1厘米见方的丁，放入开水锅里烫一下，取出沥干水分；油炸花生米去红衣，拍碎。
2. 将豆腐干丁、花生米碎、味精、酱油、香油拌匀即可。

[特点]

清香脆爽，味道适口。

125

芹菜炒香干

原料
芹菜、五香豆腐干各200克，猪肉丝50克，葱末、姜末、盐、料酒、味精、花生油各适量。

制作
1. 芹菜择洗净切段；豆腐干切成丝；芹菜段、豆腐丝分别入沸水焯烫沥干水分。
2. 炒锅注油烧热，下肉丝炒至变色，再下葱姜末、料酒炒香。
3. 放入芹菜翻炒数下，加入豆腐干丝、盐、味精翻炒均匀即成。

特点
芹菜脆嫩，香干滑软。

韭菜豆腐皮

原料
韭菜300克，豆腐皮200克，葱花、色拉油、盐、味精各适量。

制作
1. 把韭菜择洗净切成段；豆腐皮切成丝。
2. 炒锅注油烧至五成热，下入葱花爆锅，加入豆腐皮丝炒1分钟，再放入韭菜、盐、味精迅速煸炒至韭菜变色断生即成。

特点
色彩明快，鲜嫩清香。

尖椒豆腐皮

原料
尖椒100克，豆腐皮350克，葱花、干椒丝、蚝油、酱油、花椒油、盐、味精各适量。

制作
1. 将豆腐皮切条，放入沸水锅中焯一下，捞出沥干水分。
2. 尖椒洗净切条。
3. 炒锅注油烧热，下葱花、干椒丝略炒，放入豆腐皮，加蚝油、酱油、盐、味精等调料炒匀，淋入花椒油即成。

特点
白绿相间，咸鲜微辣。

肉丝拌腐皮

原料

猪肉150克，腐皮、黄瓜各100克，虾米、盐、酱油、醋、香油、味精、植物油、蒜泥各适量。

制作

1. 猪肉、豆腐皮洗净切丝，入沸水焯烫捞出控干；黄瓜洗净切丝；虾米泡软。
2. 锅内注油烧热，放入肉丝炒变色，加酱油翻炒，盛出。
3. 将腐皮丝和黄瓜丝、肉丝一起放入盘中，撒上虾米。
4. 将蒜泥、盐、香油、醋、味精调汁，浇在盘中即可。

特点

色美味佳，诱人食欲。

青椒烧腐竹

原料

青椒250克，腐竹150克，猪肉75克，葱花、盐、味精、湿淀粉、料酒、酱油、清汤、香油、花生油各适量。

制作

1. 腐竹泡透切段；青椒去籽洗净，切成片，入沸水焯过；猪肉洗净切薄片。
2. 炒锅注油烧至五成热，下葱花、猪肉片炒散，放入腐竹略炒，加料酒、酱油、盐及少许清汤，用小火烧透入味。
3. 放入青椒、味精炒匀，用湿淀粉勾芡，淋上香油即成。

特点

咸鲜香浓，爽口脆嫩。

青椒炒腐竹

原料

水发腐竹、青椒各250克，水发香菇100克，鲜汤、葱花、姜片、盐、味精、酱油、料酒、香油各适量。

制作

1. 将腐竹洗净切小段；香菇洗净切片；青椒洗净切丁。
2. 炒锅注油烧热，投入葱花、姜片爆锅，放入腐竹、香菇、青椒翻炒片刻，加入盐、酱油、料酒及少许鲜汤，炒至原料变软、变色，加味精调味，淋上少许香油，出锅即可。

特点

味美适口。

三丝炝腐竹

原料

水发腐竹200克，水发香菇、胡萝卜、芹菜梗各50克，姜丝、盐、味精、胡椒粉、香油各适量。

制作

1. 腐竹切丝；芹菜梗、香菇洗净切成细丝；胡萝卜去皮洗净切成细丝；分别入沸水焯透、过凉，加入盐、味精、胡椒粉拌匀装盘。
2. 炒锅注香油烧热，下入姜丝煸出香味，倒入拌好的腐竹丝、香菇丝、胡萝卜丝和芹菜丝内，拌匀即成。

特点

红白绿黑四色相映，清淡适口。

酱汁腐竹

原料

腐竹300克，豆瓣酱250克，葱末、姜末、蒜末、盐、糖、味精、料酒、花生油各适量。

制作

1. 将腐竹用热水泡软洗净，沥干水分，切2厘米长的段。
2. 炒锅注油烧热，下葱末、姜末、蒜末爆香，下豆瓣酱炒香。
3. 放入腐竹段煸炒，加入料酒、盐、糖、少许清水烧开，用小火煨透，待汤汁浓稠、紧裹腐竹表面，加味精调味，出锅即成。

特点

软嫩油润，酱味浓郁。

干煸黄豆芽

原料

黄豆芽250克，蒜薹、干辣椒、花椒、盐、味精、植物油各适量。

制作

1. 黄豆芽择去根须，淘洗干净，沥干；蒜薹洗净，切成段。
2. 锅内注油烧热，放入黄豆芽炒熟盛出。
3. 炒锅注油烧七成热，下入干辣椒、花椒炸香，放入煸炒过的豆芽，加入盐、味精、蒜薹段炒至入味，起锅装盘即成。

特点

麻辣爽口，豆芽韧滑。

黄豆猪蹄汤

原料

猪蹄250克，黄豆200克，黄酒、葱、姜、盐、味精各适量。

制作

1. 猪蹄洗净；黄豆加水浸泡1小时；姜洗净切片，葱洗净切段。
2. 锅内添清水，放入猪蹄、姜片煮沸，撇去浮沫，加酒、葱、黄豆用小火焖煮至五成熟，撒盐，再煮1小时，撒入味精调味即可。

特点

补脾益胃，养血通乳。

腐乳南瓜

原料

南瓜500克，腐乳2块，腐乳汁、蒜泥、盐、味精、香油、花生油各适量。

制作

1. 南瓜洗净去瓤切块；腐乳压成泥状，加入腐乳汁拌匀。
2. 炒锅注油烧热，下蒜泥炒香，倒入腐乳汁炒数下。
3. 加入南瓜条炒匀，加入盐、味精和适量开水，用小火焖至汤汁干，淋入香油，出锅即成。

特点

南瓜糯嫩，腐乳味香。

凉拌芸豆豆腐泡

原料

芸豆300克，豆腐泡150克，芝麻50克，葱末、蒜末、生抽、香油各适量。

制作

1. 芸豆择洗干净，入沸水焯熟，捞出沥干切段，装盘；芝麻炒熟压碎。
2. 豆腐泡切粗丝，放煮芸豆水中焯软，捞出沥干水分，待凉后放在芸豆上，加蒜末、葱末、生抽、香油、芝麻拌匀即可。

特点

爽口开胃。

香菇油菜

原料

油菜心300克，香菇250克，盐、料酒、蚝油、湿淀粉、葱片、姜片各适量。

制作

1. 将香菇洗净切片，放入开水锅中汆一下捞出；油菜心洗净。
2. 炒锅注油烧热，投入葱姜片爆锅，再投入香菇煸炒。
3. 加入蚝油、盐、料酒、适量清水、油菜心稍加翻炒，用湿淀粉勾芡，淋上熟油，将油菜心摆在盘内，香菇放在盘中即成。

特点

咸鲜适口。

香菇西兰花

原料

西兰花400克，香菇25克，盐、味精、胡椒粉、花生油各适量。

制作

1. 将西兰花洗净，切块，放入沸水锅快速烫过，沥干水分；香菇用温开水泡发、洗净、挤干水分。
2. 炒锅注油烧热，下西兰花略炒，放入香菇翻炒，加盐、胡椒粉、少许清水炒匀，待炒透入味，加味精调味，出锅即成。

特点

脆嫩可口。

香菇烩丝瓜

原料

丝瓜500克，水发香菇50克，姜末、盐、味精、湿淀粉、料酒、香油、色拉油各适量。

制作

1. 丝瓜洗净去皮、瓤切片；香菇去蒂切片，原汁沉淀待用。
2. 炒锅注油烧热，下姜末爆香，烹入料酒，放入泡香菇的原汁、香菇片、丝瓜，烧透后加盐、味精调味，用湿淀粉勾芡，淋上香油即成。

特点

味美爽口。

香菇熘鸡片

原料

水发香菇250克，净鸡脯肉150克，蛋清1个，泡辣椒、葱粒、姜粒、盐、味精、料酒、胡椒粉、湿淀粉、花生油各适量。

制作

1. 香菇切片；泡辣椒切节；料酒、盐、味精、胡椒粉、湿淀粉及清水调成味汁；鸡肉切成片加盐、料酒、蛋清、湿淀粉上浆。
2. 炒锅注油烧热，下鸡片炒散，放入葱姜、泡椒炒香，放入香菇炒至断生，倒入味汁翻炒均匀，淋上熟油，出锅即成。

特点

肉质鲜嫩，香味醇厚。

松仁香菇

原料

香菇300克，松仁100克，葱、姜、白糖、味精、湿淀粉、生抽、高汤、蚝油、花生油各适量。

制作

1. 将香菇用温水泡开，过油；葱、姜切片；松仁过油。
2. 锅留油，下入葱、姜炒香，加高汤、蚝油、白糖、生抽、香菇，小火慢烧10分钟，加味精调味，用湿淀粉勾芡，撒上松仁，装盘即成。

特点

香菇甜中带咸，松仁果香诱人。

核桃仁烩香菇

原料

水发香菇250克，核桃仁150克，葱花、姜丝、盐、味精、湿淀粉、料酒、鲜汤、色拉油各适量。

制作

1. 将水发香菇洗净切片；核桃仁用水浸泡，捞出待用。
2. 炒锅注油烧热，下葱花、姜丝爆锅，放入香菇、核桃仁煸炒。
3. 加入盐、料酒、适量鲜汤煸炒至熟，撒味精调味，用湿淀粉勾芡，淋上熟油，出锅即成。

特点

香菇嫩滑，补虚养颜，润肤悦色。

松仁香菇

水发香菇300克，松仁50克，葱片、姜片、糖、味精、湿淀粉、生抽、花生油、蚝油、鲜汤各适量。

制作

1. 炒锅注油烧至7成热，下入控干水的香菇，用油过一下捞出；松仁炸好捞出备用。
2. 锅留油烧热，下入葱、姜炒香，添汤、蚝油、糖、生抽、香菇，小火烧10分钟，撒味精调味，用湿淀粉勾芡，撒上松仁即可。

特点

香菇甜中带咸，松籽果香诱人，注意炸松仁时油温一定要低，火要慢。

香菇烧淡菜

原料

淡菜300克，香菇100克，竹笋50克，盐、酱油、味精、淀粉、高汤各适量。

制作

1. 淡菜洗净，放碗内，加入高汤上笼蒸透；香菇用水泡发，去蒂洗净切片；竹笋去硬壳洗净切片；淀粉加水调成湿淀粉。
2. 锅内注入高汤，加酱油、盐、味精、淡菜、香菇片、笋片用大火烧开，转中火烧约5分钟，用湿淀粉勾芡收汁即可。

特点

鲜滑爽嫩，醇香宜人。

香菇鹌鹑蛋

原料

鹌鹑蛋300克，香菇75克，菠菜、胡萝卜各50克，淀粉25克，盐、白糖、酱油、香油、花生油各适量。

制作

1. 鹌鹑蛋放入碗里，添入可盖住蛋的水量，蒸约15分钟，捞出、去壳，淋酱油；菠菜放在撒有盐的热水里，煮一会儿，沥干水分。
2. 胡萝卜切成花形薄片煮好；炒锅注油烧热，炒香菇、胡萝卜、菠菜，加水、盐、糖煮开，放入鹌鹑蛋，勾芡，淋香油即可。

特点

菜品趣味生动，鹌鹑蛋营养丰富。

莴笋烩香菇

[原料]

莴笋250克，香菇100克，胡萝卜1根，葱粒、盐、鸡精、胡椒粉、湿淀粉、酱油、色拉油各适量。

[制作]

1. 莴笋、胡萝卜均去皮切片，入沸水焯烫沥干；香菇泡发洗净切片。
2. 炒锅注油烧热，下葱粒爆香，放入莴笋片、香菇片和胡萝卜片煸炒几下，撒盐、鸡精、胡椒粉，滴入酱油炒匀，用湿淀粉勾芡即成。

[特点]

莴笋中维生素A、维生素C及钙、钾等元素含量丰富，能促进儿童骨骼、毛发、皮肤的发育。

炒蘑菇莴笋

[原料]

鲜蘑菇250克，莴笋150克，胡萝卜50克，姜末、盐、味精、湿淀粉、料酒、色拉油各适量。

[制作]

1. 鲜蘑菇洗净切片；莴笋去皮洗净切片；胡萝卜洗净切片。
2. 炒锅注油烧热，投入姜末烹锅，加入蘑菇片、胡萝卜片、莴笋片稍加翻炒。
3. 再加入盐、料酒、味精炒匀，用湿淀粉勾芡，淋上熟油即成。

[特点]

脆嫩爽滑。

胡萝卜煮蘑菇

[原料]

胡萝卜150克，蘑菇100克，盐、味精、清汤、色拉油各适量。

[制作]

1. 胡萝卜刮皮洗净，切成小块；蘑菇洗净切块。
2. 炒锅注油烧热，放入胡萝卜、蘑菇翻炒，加入清汤，用中火略煮。
3. 待胡萝卜块煮烂时，加入盐、味精调味即可。

[特点]

清淡爽口。

肉末烧蘑菇

原料

鲜蘑菇250克，猪肉末200克，蛋清1个，葱末、姜末、料酒、盐、味精、湿淀粉、色拉油各适量。

制作

1. 将鲜蘑菇洗净，去蒂，撕成小块，放入沸水锅中焯过，沥干水分。
2. 肉末加入葱末、姜末、料酒、盐、味精、蛋清、湿淀粉及少许清水，制成肉泥。
3. 炒锅注油烧热，下肉泥煸炒，加入鲜蘑菇块炒匀，出锅即可。

特点

软嫩爽滑。

番茄炒蘑菇

原料

鲜蘑菇500克，番茄3个，盐、糖、味精、料酒、香油各适量。

制作

1. 将鲜蘑菇洗净，下沸水锅中焯一下，捞出挤去水分；番茄洗净切块。
2. 炒锅注香油烧热，下番茄块炒熟。
3. 放入鲜蘑菇，加入盐、料酒、糖，旺火烧开，改小火焖片刻，加入味精调味即成。

特点

酸甜开胃，益气养肝。

蘑菇炖豆腐

原料

嫩豆腐500克，鲜蘑菇100克，葱末、姜末、盐、鸡精、香油、清汤、料酒、花生油各适量。

制作

1. 将蘑菇洗净切片；豆腐切块。
2. 炒锅注油烧热，下葱末、姜末炒香，放入豆腐块推炒，加入清汤、蘑菇片、盐、料酒烧开，用小火烧至汤汁收浓，撒鸡精调味，淋上香油，出锅即成。

特点

滑嫩爽口，补肝肾，健脾胃。

肉末烧双菇

原料

黄平菇、白平菇各250克，猪肉末200克，蛋清1个，葱末、姜末、植物油、料酒、盐、味精、湿淀粉各适量。

制作

1. 将黄平菇、白平菇分别洗净去蒂，撕成小块，放入沸水锅中汆烫捞出，沥干水分。
2. 肉末加入料酒、葱末、姜末、盐、味精、蛋清、湿淀粉及少许清水，制成肉泥。
3. 锅中注油烧热，放入肉泥、黄平菇、白平菇块炒匀，出锅即可。

特点

软嫩爽滑，降血压，预防血管硬化。

鸡蛋白熘蘑菇

原料

口蘑50克，鸡蛋6个，鸡汤、盐、味精、香油、湿淀粉各适量。

制作

1. 口蘑放入温水中泡透，捞出洗净，沥水，放入碗内，加适量鸡汤，上锅蒸熟；鸡蛋煮熟，取蛋清切成小条。
2. 炒锅注入鸡汤，放入蒸好的口蘑烧开，加盐、蛋清、味精，用湿淀粉勾芡，淋入香油即可。

特点

清淡味香，营养丰富。

蘑菇鲍鱼汤

原料

蘑菇150克，鲍鱼100克，盐、葱末、姜末、淀粉各适量。

制作

1. 将蘑菇洗净切片；鲍鱼洗净切条，加少许盐及淀粉拌匀。
2. 锅内加盐、葱、姜、适量清水煮沸，放入蘑菇片煮5分钟，加入鲍鱼条烧开5分钟即可。

特点

滋味鲜美，平肝补虚。

135

三鲜蘑菇

原料

蘑菇200克，番茄100克，豌豆、嫩玉米各50克，肉汤、葱、姜、盐、胡椒粉、湿淀粉、味精、植物油各适量。

制作

1. 鲜蘑菇去蒂洗净切丁；番茄洗净切丁；嫩玉米、豌豆煮熟。
2. 锅内注油烧至五六成热，先下蘑菇翻炒，再放豌豆、玉米合炒，添肉汤烧开，放入番茄、姜、葱、盐、胡椒粉、味精烧开入味，用湿淀粉勾芡，起锅即可。

特点

鲜香可口，颜色美观。

糟烩鲜蘑豆腐

原料

豆腐500克，蘑菇100克，盐、白糖、味精、淀粉、料酒、鲜汤、湿淀粉、鸡油各适量。

制作

1. 嫩豆腐切小块，入沸水焯透；鲜蘑菇洗净，用刀片成圆片，下沸水锅中焯透。
2. 炒锅注油烧热，添入鲜汤、豆腐块、鲜蘑片、盐、白糖、味精煮沸，撇去浮沫炖入味，加入料酒烧沸，用湿淀粉勾芡，淋上鸡油即成。

特点

豆腐香嫩，滑嫩味美，健脾开胃。

平菇蛋汤

原料

鲜平菇250克，青菜心50克，鸡蛋2个，料酒、盐、酱油、花生油各适量。

制作

1. 将鲜平菇洗净，撕成薄片，放入沸水锅中略烫一下捞出；鸡蛋磕入碗中，加料酒、少许盐搅匀；青菜心洗净切成段。
2. 炒锅注油烧热，下青菜心煸炒，放入平菇、适量水烧开。
3. 加盐、酱油，倒入鸡蛋液搅成蛋花，再烧开即成。

特点

鲜美可口。

牛奶煮平菇

原料

牛奶500毫升，平菇150克，糖适量。

制作

1. 将平菇洗净放入沸水中略烫，然后切成丝，与牛奶入锅同煮。
2. 起锅前撒适量白糖调味即可。

特点

汤乳白，平菇滑嫩，口感香醇。

鲜菇炒笋片

原料

鲜草菇400克，笋片100克，葱丝、姜丝、料酒、酱油、白糖、湿淀粉、香油、蒜片、盐、味精、鲜汤、色拉油各适量。

制作

1. 草菇洗净切开，入沸水焯烫沥干。
2. 炒锅注油烧热，下葱丝、姜丝炒香，烹入料酒、酱油、水烧沸，下草菇煨熟捞出；另锅注油烧热，下蒜片炒香，加入草菇、鲜汤、糖、盐、味精，烧开稍焖，用湿淀粉勾芡，淋入香油，出锅即成。

特点

鲜嫩爽口。

鲜菇烧豆腐

原料

老豆腐300克，蘑菇75克，盐、味精、淀粉、蚝油各适量。

制作

1. 老豆腐切小块，用沸水浸泡；蘑菇洗净，切成丝；淀粉添水调成湿淀粉。
2. 炒锅注油烧热，放入豆腐块、蘑菇丝，添水，滚开后撒盐、味精，滴入蚝油调味，最后用湿淀粉勾芡即成。

特点

豆腐滑软、清香，蘑菇鲜嫩，汁厚味香。

芥油金针菇

原料

金针菇300克，火腿200克，香菜、盐、味精、芥末油、香油各适量。

制作

1. 将金针菇洗净去掉老根；香菜去叶洗净切段；火腿切丝。
2. 锅中注水烧开，分别下入金针菇、香菜段、火腿丝焯过。
3. 将焯过水的金针菇、香菜段、火腿丝加盐、味精、芥末油、香油拌匀，装盘即可。

特点

香辣开胃，色彩鲜艳。

金针菇火腿丝

原料

方火腿250克，金针菇200克，葱花、盐、鸡精、香油、清汤各适量。

制作

1. 将方火腿切细丝；金针菇择洗净，放入开水锅中焯出，过凉，捞出挤干水分。
2. 炒锅注香油烧热，下葱花爆香，添入清汤、火腿丝、金针菇烧开，撒盐、鸡精、香油调味即可。

特点

滑嫩清爽，养肝和胃。

菠菜金针菇汁

原料

菠菜100克，金针菇75克，葱白50克，蜂蜜适量。

制作

1. 将菠菜、葱白择洗干净，切段备用；金针菇掰开，清洗干净。
2. 将菠菜、葱白和金针菇放入榨汁机中，添入凉开水搅打成汁，倒入杯中，加入蜂蜜调匀即可。

特点

略甜，营养丰富，清新可口。

金针鸡丝汤

原料

鲜金针菇250克，熟鸡丝50克，盐、味精、高汤、色拉油各适量。

制作

1. 将鲜金针菇洗净，切成长段，放入沸水锅中烫片刻，捞出放凉水中浸凉。
2. 锅中放入色拉油、高汤、鲜金针菇、熟鸡丝烧沸，加入盐、味精调味，起锅倒入汤碗中即可。

特点

清鲜润滑。

清拌金针菇

原料

金针菇250克，盐、白糖、味精、香油各适量。

制作

1. 将金针菇放入沸水锅内焯熟，捞出沥干水分。
2. 金针菇放入盘内，加盐、白糖、味精、香油拌匀即可。

特点

清脆爽口。

冻豆腐金针汤

原料

冻豆腐1块，金针菇75克，香菜25克，榨菜丝15克，肉清汤、盐、胡椒粉各适量。

制作

1. 冻豆腐解冻沥干，切小块；金针菇去蒂，洗净沥干，切两半；榨菜丝洗净；香菜洗净切小段。
2. 锅置火上，倒入肉清汤烧开，下冻豆腐块煮至入味，加入金针菇、榨菜、盐煮片刻，盛入汤碗中，撒上香菜段和胡椒粉即可。

特点

清鲜微辣。

冬菇韭菜

原料

韭菜300克，冬菇100克，花椒油、盐、味精、豌豆淀粉各适量。

制作

1. 韭菜择洗干净，切成段；冬菇择洗干净，切成粗丝，投入沸水锅中焯一下捞出；淀粉加适量水调匀成湿淀粉。
2. 炒锅注入花椒油烧热，加入冬菇丝、韭菜段、盐炒至熟，用湿淀粉勾芡，撒入味精，炒匀装盘即成。

特点

鲜香可口。

豆苗冬菇

原料

小冬菇12朵，豆苗200克，姜片、盐、糖、胡椒粉、湿淀粉、酱油、高汤、香油、色拉油各适量。

制作

1. 将小冬菇洗净，泡发去蒂；豆苗洗净。
2. 炒锅注油烧热，放入豆苗、盐、高汤翻炒均匀装盘。
3. 炒锅注油烧热，下姜片、冬菇爆香，加糖、胡椒粉、酱油、高汤焖至汤汁略干，用湿淀粉勾芡，淋香油，起锅盛在豆苗上即可。

特点

清脆爽口，和中下气，利小便。

草菇菜心

原料

草菇300克，嫩菜心150克，盐、味精、胡椒粉、湿淀粉、酱油、蚝油、料酒、色拉油各适量。

制作

1. 锅内添清水，加少许盐和色拉油烧开，下草菇焯过。
2. 炒锅注油烧热，下草菇煸炒熟盛出，放入酱油、料酒、盐、味精、胡椒粉、蚝油和少量水烧开，倒入草菇，用湿淀粉勾芡入盘。
3. 另起锅注油烧热，下菜心煸炒，加盐、味精炒匀入盘。

特点

鲜香脆嫩，微辣爽口。

蒜香鲜草菇

原料

鲜草菇400克，蒜片25克，葱花、姜片、盐、白糖、味精、清汤、湿淀粉、料酒、酱油、香油、花生油各适量。

制作

1. 将草菇洗净切开，入沸水焯过沥干；炒锅注油烧热，下葱花、姜片炒香，烹入料酒、酱油，加水烧沸，下草菇煨熟透，捞出。
2. 另起锅注油烧热，下蒜片炒香，加入草菇、少许清汤及白糖、盐、味精调味，烧开稍焖，用湿淀粉勾芡，淋入香油，出锅即成。

特点

软嫩爽滑，鲜香味美。

草菇炖豆腐

原料

南豆腐500克，草菇、竹笋、油菜心各25克，盐、酱油、味精、清汤、黄酒、淀粉、香油各适量。

制作

1. 草菇洗净切开；竹笋去壳、皮，洗净切片；油菜心洗净；淀粉加水调成湿淀粉；豆腐切厚块，入开水锅焯烫，捞出沥干。
2. 锅内注香油烧热，放入黄酒、清汤、草菇、笋片、菜心、盐、酱油、味精、豆腐块烧沸，用湿淀粉勾芡出锅即可。

特点

味鲜嫩软，汤汁可口。

蛤肉木耳煮豆腐

原料

豆腐500克，蛤蜊150克，韭菜100克，木耳、葱丝、姜丝各25克，蒜片、盐、香油、花生油各适量。

制作

1. 蛤肉洗净沥干；木耳泡水后洗净；豆腐洗净切块；韭菜洗净，切段。
2. 炒锅注油烧热，下姜丝、葱段、蒜片炒香，放入蛤肉、木耳、豆腐炒匀，添适量清水，再放入韭菜，淋香油，撒盐调味即可。

特点

汁浓味厚，营养丰富，别有风味。

枸杞炖鲫鱼

原料

鲫鱼500克，枸杞25克，香菜、葱、姜、盐、料酒、花生油各适量。

制作

1. 将鱼去鳞、鳃、内脏洗净，在鱼身打上斜刀花，放入开水锅中烫几分钟，捞出备用；将枸杞洗净；香菜洗净切段；葱、姜洗净切丝。
2. 炒锅注油烧热，放入葱姜丝煸炒，加入清水、料酒、盐、鲫鱼、枸杞烧开，小火慢烧至酥烂，加香菜段即成。

特点

健脑提神，行气开胃。

芹酥鲫鱼

原料

鲫鱼500克，芹菜100克，葱末、姜末、蒜末、花椒、八角、盐、白糖、酱油、醋、花生油各适量。

制作

1. 鲫鱼宰杀洗净，下入热油锅中滑至八成熟，捞出沥油。
2. 炒锅注油烧热，下入葱末、姜末、蒜末、花椒、八角爆锅，添入适量清水，放入芹菜垫底后加入鲫鱼，在放入盐、酱油、醋、白糖小火焖熟，装盘，用芹菜装饰即可。

特点

酸甜可口，骨酥肉香。

鳞香鲫鱼

原料

净鲫鱼500克，青红尖椒丝、葱丝、姜丝、香菜段、盐、糖、米醋、香油、料酒、花生油各适量。

制作

1. 将鲫鱼从鱼身中间剖成两片，洗净，加料酒、盐腌15分钟。
2. 炒锅注油烧热，下入腌好的鲫鱼，用旺火炸至酥脆。
3. 锅中留油少许，下葱丝、姜丝、青红椒丝炒香，加入料酒、盐、糖、米醋、香菜段、炸好的鲫鱼，淋上香油即可。

特点

酥香干脆，略带甜酸。

干煸鲫鱼

原料

净鲜鲫鱼350克，灯笼椒、花椒、盐、葱片、姜片、料酒、花生油各适量。

制作

1. 将鲫鱼从背部切成两半，再切成块，加盐、料酒、葱姜片腌15分钟。
2. 炒锅注油烧至9成热，下入鲫鱼炸酥至金黄色倒出控油。
3. 锅留底油，下入灯笼椒、花椒、葱炒香，加入料酒、盐调味，放入鲫鱼炒匀即可。

特点

鲫鱼香酥，口味麻辣。

韭菜鲫鱼羹

原料

鲫鱼400克，韭菜200克，湿淀粉、葱、姜、盐、味精、料酒、胡椒粉、花生油各适量。

制作

1. 韭菜洗净切段；鲫鱼去鳞、鳃、内脏洗净；葱、姜洗净，均切末。
2. 炒锅注油烧至五成热，下葱、姜末炝锅，添入水、盐、味精、料酒、胡椒粉、鲫鱼，煮熟，去鱼骨，将鱼肉放回锅内，下入湿淀粉煮成糊状，放入韭菜烧入味，淋油出锅即可。

特点

咸鲜可口。

葱焖鲫鱼

原料

鲫鱼500克，葱25克，姜、料酒、白糖、酱油、味精、香油、花生油各适量。

制作

1. 将鲫鱼去鳞、鳃、内脏，洗净，鱼身两侧划斜花刀，加酱油稍腌。
2. 炒锅注油烧热，下入鲫鱼煎至两面金黄色，烹入料酒，加酱油、葱、姜、糖旺火烧开，加盖用小火焖至鲫鱼熟烂入味，旺火收汁，撒味精，淋入香油，出锅装盘即可。

特点

色泽酱红，鱼肉酥香。

白果鲫鱼

原料

鲫鱼400克，白果、盐、味精、料酒各适量。

制作

1. 鲫鱼去鳞、鳃、内脏，洗净；白果仁洗净去芯，塞入鱼腹中，用麻线扎紧。
2. 将鱼放入蒸锅中蒸熟，加入盐、味精、料酒调味即可。

特点

滋阴养胃，敛肺定喘。

银鱼炒蛋

原料

银鱼150克，鸡蛋4个，水发木耳、韭菜段各25克，盐、料酒、香油、花生油各适量。

制作

1. 银鱼去头尾洗净，沥干水分；鸡蛋打入碗中搅匀。
2. 炒锅注油烧热，下银鱼炒熟，倒入鸡蛋液摊成饼形煎熟。
3. 蛋饼划成块，加入木耳、盐、料酒及少许清水，用小火烧透，淋上香油，撒上韭菜段，出锅即成。

特点

香嫩味鲜，营养丰富，补虚，健胃，益肺。

银鱼芥菜

原料

银鱼450克，芥菜300克，葱丝、姜丝、盐、淀粉、花生油、高汤、白糖、香油各适量。

制作

1. 芥菜择洗净，放入加淀粉的热水中焯片刻，捞出过凉备用。
2. 炒锅注油烧热，放入芥菜，添高汤、盐、糖入味后装盘备用。
3. 锅内添入高汤、葱姜丝、银鱼煮沸，加入调料，用湿淀粉勾薄芡，淋在芥菜上即成。

特点

咸鲜清淡，佐酒佳肴。

蒜瓣焖鳝段

原料

净鳝鱼500克，蒜瓣、青红椒、糖、湿淀粉、酱油、香油、花生油、高汤、料酒各适量。

制作

1. 鳝鱼切段，过油；青红椒切丝。
2. 锅中留油少许，下入蒜瓣炒至上色出味，加入料酒、高汤、鳝段、青红椒、酱油、糖，烧至汤浓鳝鱼熟烂，用湿淀粉勾芡，淋入香油出锅即可。

特点

蒜香味浓，男性滋补佳品。

红烧豆腐鳝段

原料

净鳝鱼450克，豆腐250克，葱、姜、蒜、泡椒、辣豆瓣、盐、湿淀粉、料酒、高汤、花生油各适量。

制作

1. 将鳝鱼切成段；豆腐洗净切成长方形条；葱、姜、蒜切成粒。
2. 炒锅注油烧热，放入鳝段，豆腐条，炸上色捞起控油。
3. 锅内留少许油，加辣豆瓣，下葱、姜、蒜、泡椒炒香，放入鳝段，豆腐条、高汤，加入调料，用湿淀粉勾芡，装盘即成。

特点

鲜香可口，风味浓郁。

干烧鳝鱼

原料

净鳝鱼300克，五花肉、香菇、冬笋片各50克，泡椒、葱丝、姜丝、盐、辣椒油、干辣椒、老抽、料酒、花生油各适量。

制作

1. 鳝鱼切段过油；五花肉、香菇、笋片、干辣椒、泡椒均切丝。
2. 炒锅注油烧热，下泡椒、干辣椒、五花肉、香菇、笋、葱、姜炒香，加入料酒，用盐、少许老抽调味，倒入鳝段，小火慢烧至汤汁浓，转大火收干汁，淋辣椒油出锅即可。

特点

色泽红亮，味道鲜美，口味咸辣香。

145

芹菜炒鳝鱼

原料

鳝鱼150克，芹菜100克，葱、姜、蒜、胡椒粉、花椒粉、豆瓣酱、白糖、酱油、醋、肉汤、料酒、植物油各适量。

制作

1. 胡椒、花椒炒香研成粉；芹菜切丝入沸水焯熟，捞出；姜、葱、蒜切丝。
2. 鳝鱼切丝，下入热油锅翻炒至五成熟，加入料酒、豆瓣酱、姜丝、葱丝、蒜丝翻炒，放入酱油、白糖、肉汤，小火煮至汁将干。
3. 加入醋、芹菜丝炒匀，盛在碗里，撒上胡椒粉、花椒粉即成。

特点

味美可口，颇有营养。

干烧鱼

原料

净鲜鱼1条，猪肉、豆瓣酱各50克，榨菜25克，葱花、姜末、蒜末、糖、料酒、酱油、醋、鲜汤、花生油各适量。

制作

1. 鱼身两侧切花纹，过油；猪肉、榨菜切末。
2. 炒锅注油烧热，放入肉末炒散，下豆瓣酱炒酥，加入葱、姜、榨菜末、蒜炒几下，再加汤、鱼、酱油、糖、醋和料酒煮一会儿，待鱼煨熟透后取出放盘中，收干汁浇在鱼上，撒上葱花即成。

特点

鲜香辣嫩，略带甜味。

麻辣带鱼

原料

净鲜带鱼500克，花椒40粒，葱段、姜末各25克，干红辣椒段、盐、糖、料酒、鲜汤、香油、熟菜油各适量。

制作

1. 将带鱼切成段，分3次放入7成热油温的锅内炸至金黄色捞起。
2. 炒锅注油烧热，下花椒、干辣椒、姜、葱炒香，添鲜汤，放入带鱼，加入盐、料酒、糖。
3. 改用小火慢烧至汤汁浓稠入味，淋入香油，起锅装盘即可。

特点

香醇滋润，色泽金黄。

泡菜烧带鱼

原料

冻带鱼500克，泡青菜50克，葱花、姜片、蒜片各25克，泡红辣椒、盐、胡椒粉、酱油、料酒、熟菜油、醋、鲜汤、湿淀粉各适量。

制作

1. 带鱼洗净切段，过油；泡青菜洗净，切成薄片。
2. 炒锅注油烧热，加入泡红辣椒、泡青菜、姜蒜片炒香，加鲜汤、带鱼、醋、料酒、酱油，撒盐、胡椒粉，烧沸至入味，用湿淀粉勾芡，待汁浓稠后加入葱花，将汁淋在盘内带鱼上面即成。

特点

带鱼细嫩，咸鲜微酸辣，清香扑鼻。

煎蒸带鱼

原料

净带鱼500克，鸡蛋1个，辣椒丝、香菜段、葱丝、姜丝、盐、胡椒粉、面粉、生抽、料酒、花生油各适量。

制作

1. 带鱼洗净切段，撒盐、胡椒粉、料酒腌制；鸡蛋磕入碗内打散。
2. 炒锅注油烧热，带鱼拍面粉，裹匀蛋液，码在锅中，将带鱼两面煎至金黄，上笼蒸15分钟取出，倒盘内；在鱼上淋上生抽，下入葱姜丝、香菜段、辣椒丝，烧热油浇在鱼上即成。

特点

带鱼原味鲜嫩，香鲜无比。

鳕鱼飘香

原料

净鳕鱼肉块300克，花生、芝麻、松仁、青尖椒粒、干辣椒、辣椒粉、香葱末、盐、花生油各适量。

制作

1. 花生炒热，碾成米粒状；把松仁、芝麻、花生切碎；辣椒粉、盐拌匀；鳕鱼肉过油。
2. 锅留底油，加入干辣椒、香葱末炒酥，倒入鳕鱼、青尖椒粒迅速炒匀，加盐调味即可。

特点

鱼肉鲜脆，辣味飘香。

147

雪菜黄鱼汤

原料

黄鱼1条，雪菜100克，葱段、盐、料酒、色拉油各适量。

制作

1. 黄鱼洗净，分别在鱼身两侧剞上波浪花刀；雪菜切成末。
2. 炒锅注油烧热，投入黄鱼煎金黄，烹入料酒，加盖略焖。
3. 加入清水烧沸焖至汤呈乳白色时加入雪菜、盐和葱段，再用旺火烧沸，起锅装入大汤碗中即可。

特点

鲜香适口。

豆瓣鱼

原料

净鲜鱼1条，葱姜蒜末、辣豆瓣、盐、糖、湿淀粉、甜醪糟、酱油、红油、香油、料酒、花生油各适量。

制作

1. 将鱼切断背部鱼骨，过油捞出。
2. 炒锅注油烧热，下入辣豆瓣爆香，再加入甜醪糟、鱼和调料，微焖至熟，捞起盛盘。
3. 将锅内余汤煮沸，用湿淀粉勾芡，淋在鱼身上，下入葱末即可。

特点

豆瓣香浓，鱼肉鲜嫩。

冬菜臊子鱼

原料

净鲤鱼1条，猪瘦肉末、冬菜末、葱姜蒜末、盐、糖、胡椒粉、干辣椒段、湿淀粉、生抽、料酒、花生油、香油、鲜汤各适量。

制作

1. 鲤鱼鱼身剞花刀，加料酒、生抽、盐、胡椒粉腌渍，过油。
2. 倒出锅内余油，下入肉末、干辣椒、冬菜、葱姜蒜末炒香，加入料酒、汤、生抽、糖、鲤鱼，慢火烧透，将鱼铲出装盘内，原汁用湿淀粉勾芡，滴入香油，浇在鱼身上即可。

特点

鱼肉香嫩，鲜香怡人。

五香桂鱼

[原料]

净桂鱼1条，葱段50克，姜片、糖各25克，酱油、醋、香油、料酒各25毫升，盐、五香粉、汤、花生油各适量。

[制作]

1. 鱼切成块，加少量葱、姜、香油、盐腌渍，过油。
2. 炒锅注香油烧热，下葱、姜炒香，即下入汤、酱油、糖、料酒、醋、五香粉和鱼，文火煮约15～20分钟，将汁收浓即成。

[特点]

肉质鲜嫩，香甜味咸。

家常泡菜鱼

[原料]

净鲜鱼2条，泡青菜100克，葱花、姜蒜末、泡红辣椒、盐、湿淀粉、醋、料酒、酱油、鲜汤、色拉油各适量。

[制作]

1. 鱼身两面剞花刀，加盐、料酒略腌，过油；泡青菜洗净切丝。
2. 锅内留油烧热，下入姜蒜末、泡红辣椒炒出香味，添鲜汤、酱油、料酒烧沸，下泡青菜丝烧约5分钟，放入鱼烧至入味，将鱼盛入盘中；锅内原汤用湿淀粉勾芡，加醋、葱花，浇在鱼身上即成。

[特点]

鱼肉细嫩鲜美，咸鲜微带酸辣。

烤鳗鱼

[原料]

净海鳗150克，盐、白胡椒粉、奶油、味精、植物油、番茄沙司、红葡萄酒各适量。

[制作]

1. 鱼肉斜切成两片，加盐、白胡椒粉腌片刻，均匀抹上奶油。
2. 煎锅注油烧热，放入鱼块煎至两面黄色，入烤箱中烤熟取出。
3. 煎锅放入适量番茄沙司烧热，加红葡萄酒、味精调匀烧开，制成红酒少司，浇在鱼上即可。

[特点]

风味独特，滋味香美。

清蒸鲈鱼

原料

鲈鱼500克，火腿、香菇各50克，香菜、葱段、姜片、黄酒、盐、鲜汤、胡椒粉、味精、香油、湿淀粉、色拉油各适量。

制作

1. 鲈鱼洗净加盐、黄酒入味；火腿、香菇均切片，葱、鱼、火腿、香菇、姜片蒸熟，滤去原汁，去掉葱和姜，浇入热油。
2. 锅内添汤烧热，加黄酒、盐、胡椒粉、味精，湿淀粉勾芡，淋香油，用香菜或葱丝围在鱼尾处即可。

特点

汁清肉白，嫩滑味鲜。

香椿鲐鱼

原料

鲐鱼300克，香椿100克，葱花、姜片、花椒、盐、味精、酱油、清汤、料酒、胡麻油、香油、植物油各适量。

制作

1. 鱼宰杀，去鳞、鳃、内脏，洗净，在鱼身两侧划上斜刀；香椿洗净切段。
2. 炒锅注油烧热，下葱、姜爆香，加入料酒、酱油、清汤、盐、花椒、鲐鱼、香椿，大火烧沸，小火焖熟。
3. 撒入味精，淋胡麻油、香油即可。

特点

香椿味浓，鱼肉细嫩。

豉油蒸罗非鱼

原料

罗非鱼500克，红辣椒、姜、葱各50克，酱油、香油、鱼露、糖、高汤、葱油、胡椒粉各适量。

制作

1. 罗非鱼洗净，加盐稍腌；红辣椒、姜、葱均切成细丝。
2. 鱼放在盘中，用竹筷垫高，入笼大火蒸12分钟取出，将酱油、香油、高汤、鱼露、糖、胡椒粉搅拌均匀后淋在鱼身上。
3. 撒葱丝、姜丝，淋葱油即可。

特点

味道清香，柔嫩可口。

鲢鱼丝瓜汤

原料

鲢鱼500克，丝瓜200克，料酒、葱段、姜片、盐、白糖、胡椒粉、猪油各适量。

制作

1. 丝瓜洗净切成条；鲢鱼去鳞、鳃、内脏，洗净，斩成段。
2. 将鲢鱼段放入锅中，加入料酒、盐、葱段、姜片、白糖、猪油，添入适量清水，煮至鱼熟。
3. 放入丝瓜条煮熟，拣去葱、姜，撒胡椒粉调味即可。

特点

汤鲜味浓，营养丰富。

番茄鱼片

原料

净草鱼肉200克，番茄150克，鸡蛋清1个，葱段、盐、湿淀粉、料酒、油、清汤各适量。

制作

1. 鱼肉洗净切片，加盐、料酒、鸡蛋清、湿淀粉上浆，过油。
2. 番茄去皮切片。
3. 锅中留底油，下葱段略煸，加入番茄、清汤，撒料酒、盐，用湿淀粉勾芡，再倒入鱼片，颠匀，淋入熟油，起勺装盘即可。

特点

红白相映，清淡鲜美，营养开胃，养颜佳品。

鱼香酥鱼片

原料

净鲤鱼肉250克，泡红辣椒3根，鸡蛋2个，干面包粉150克，葱花、姜、蒜末各25克，盐、糖、淀粉、醋、料酒、酱油、熟菜油、鲜汤各适量。

制作

1. 鸡蛋磕入碗中，打散；鲤鱼片成片，加料酒、蛋液、盐、面包粉上浆，过油；将糖、料酒、酱油、醋、鲜汤、淀粉调成味汁。
2. 锅内留油烧热，放入剁细的姜蒜末、泡红辣椒，炒至色红出香味，烹入味汁，待芡汁收浓吐油后，放入葱花，倒入鱼片上蘸食。

特点

鱼肉细嫩，用鱼香汁浇淋，分外酥香，别具一格。

151

糖醋酥鱼片

原料

净鲤鱼肉片300克，鸡蛋液2个，干面包粉100克，葱花25克，姜末、蒜末、盐、糖、湿淀粉、胡椒粉、酱油、醋、料酒、熟菜油、香油、鲜汤各适量。

制作

1. 将盐、酱油、醋、料酒、胡椒粉、糖、湿淀粉、香油、鲜汤调成味汁；鱼肉片加料酒、盐、鸡蛋液、干面包粉上浆，过油。
2. 炒锅注油烧热，下入葱花、姜蒜末炒香，添入味汁，收至浓稠吐油，淋在鱼片上即成。

特点

颜色金黄，外酥里嫩，有浓烈的糖醋香味。

芹黄烧鱼条

原料

净鲜鱼1条，芹菜心200克，豆瓣酱50克，盐、葱花、姜末、蒜末、糖、湿淀粉、胡椒粉、酱油、醋、料酒、花生油各适量。

制作

1. 将鱼切成长条，加葱、姜、盐、料酒等调料拌匀，腌2小时入味；芹菜洗净去叶去筋，切段。炒锅注油烧热，将鱼炸成黄色捞出。
2. 锅留底油烧热，下豆瓣酱炸酥出味，放入汤稍煮，投入鱼、料酒、葱、姜、蒜、酱油、糖、胡椒粉，旺火烧开，再用文火煨熟，加入芹菜、少许醋，用湿淀粉勾芡，淋少量热油即成。

特点

色泽金黄润亮，鱼肉鲜嫩味香。

香菇鱼块

原料

净鲜鱼肉200克，水发香菇75克，鸡蛋1个（打成蛋液），葱段、姜片、蒜片各25克，盐、胡椒粉、湿淀粉、淀粉、酱油、料酒、清油、香油、清汤各适量。

制作

1. 香菇洗净切条，加清汤、姜、葱蒸2小时；鱼切块，加料酒、盐、胡椒粉、鸡蛋液、淀粉上浆，过油。
2. 炒锅注油烧热，下姜、葱、蒜炒香，加清汤、鱼块、香菇、酱油、盐、料酒烧入味，用湿淀粉勾芡，淋香油，入盘即成。

特点

香菇清香，鱼肉细嫩，口味咸鲜。

炸熘鱼丸

原料

鲜鱼丸300克，蘑菇片、冬笋片、鲜菜叶、番茄片各25克，葱花、盐、湿淀粉、胡椒粉、料酒、色拉油、鲜汤各适量。

制作

1. 菜叶洗净沥干；盐、料酒、鲜汤、湿淀粉、胡椒粉调成味汁；鱼丸入下热油锅炸熟。
2. 炒锅注油烧热，下葱花爆香，放入蘑菇、冬笋、鲜菜叶、番茄片煸炒断生，添入味汁，放入鱼丸快速翻匀即成。

特点

质地细嫩，爽滑可口，色泽微黄。

木樨鱼丝

原料

净鱼肉250克，净黄瓜\200克，鸡蛋3个，水发木耳、盐、湿淀粉、料酒、油各适量。

制作

1. 将黄瓜、木耳、鱼肉均切丝。
2. 将鱼肉用湿淀粉上浆划油捞出，鸡蛋磕入碗中，加入盐、料酒、黄瓜丝、木耳丝搅匀。
3. 炒锅注油烧热，倒入鸡蛋液推炒至熟即可。

特点

色彩搭配巧妙，口味鲜香，注意鱼肉宜选用刺少肉多的鱼类。

葱豉鱼头汤

原料

鲜鱼头500克，香菜、淡豆豉、葱白、盐、味精、植物油各适量。

制作

1. 鱼头去鳃，洗净切开两边，过油；香菜、淡豆豉、葱白均洗净，香菜、葱白分别切碎。
2. 锅内放入淡豆豉、鱼头，添适量清水，大火煮沸，改用小火煲半小时，放入香菜、葱白煮沸片刻，加盐、味精调味即可。

特点

健脾和胃，味道鲜美。

白灼虾

原料

活基围虾500克，葱段、姜片、盐、胡椒粉、生抽、料酒、香醋各适量。

制作

1. 生抽、盐、胡椒粉调成汁，醋盛在碟内。
2. 炒锅添清水烧开，放入活基围虾，加入葱段、姜片、料酒。
3. 加盖焖至虾壳鲜红、肉质饱满，捞出沥水装盘，随调味汁蘸食。

特点

味美鲜嫩。

油爆虾

原料

虾250克，葱末，姜末、糖、料酒、酱油、花生油各适量。

制作

1. 虾洗净切段；将葱末、姜末加入酱油、糖、料酒调匀备用。
2. 炒锅注油烧热，放入虾段炸透后捞出，倒去锅中油。
3. 将炸好的虾段倒入锅中，随即将调好的汁倒入锅中翻炒几下，盖上盖稍焖片刻，待汁近干时再翻炒几下，盛入盘内即可。

特点

虾鲜香，味醇厚。

香辣虾

原料

新鲜虾500克，干辣椒节、花椒、料酒、香菜段、葱片、姜片、盐、淀粉、花生油各适量。

制作

1. 虾去虾线，清洗干净，加盐、料酒、淀粉拌好。
2. 炒锅注油烧至6成热，下入虾炸脆，捞出。
3. 炒锅注油烧热，下入葱姜、花椒、干辣椒炒香，放入炸好的虾，边炒边撒入盐，下香菜段炒匀即可。

特点

麻辣鲜香。

干烧大虾

原料

大虾300克，豆苗、葱、姜、蒜末、郫县豆瓣酱、糖、盐、酱油、醋、料酒、花生油、清汤各适量。

制作

1. 大虾洗净，过油；郫县豆瓣酱斩细；豆苗洗净。
2. 锅内留油少许，下入郫县豆瓣酱，加料酒、葱姜蒜末炒香，下入酱油、糖、盐，放入大虾烧至汤干盛盘。
3. 炒锅注油烧热，下入豆苗翻炒，加入醋、盐略炒入盘即可。

特点

红绿相间，令人食欲大增。

黄焖大虾

原料

大虾350克，熟冬笋片、水发冬菇、胡萝卜片各50克，鸡蛋2个（打成蛋液），葱段、姜片、盐、湿淀粉、胡椒粉、酱油、清汤、料酒、色拉油各适量。

制作

1. 虾洗净切段，加料酒、盐、胡椒粉、蛋液、湿淀粉上浆，过油。
2. 冬菇切块蒸熟；胡萝卜片入沸水氽烫捞出过凉。
3. 炒锅注油烧热，下入姜、葱炒香，添清汤，放入冬笋、冬菇、胡萝卜、大虾、酱油、盐烧开，小火焖透入味，用湿淀粉勾芡即成。

特点

色泽浅黄，虾肉鲜嫩，"二冬"香脆。

炸凤尾虾

原料

草虾300克，面粉100克，全脂牛奶粉、盐、味精、料酒、香油、姜末、葱末、苏打粉、植物油各适量。

制作

1. 虾去头、壳，自背部切开，加盐、味精、料酒、香油、姜末、葱末腌渍，再用面粉、苏打粉、奶粉、清水上浆。
2. 锅内注油烧热，下入虾炸至金黄色，捞出控油入盘即可。

特点

色泽金黄，酥脆浓香。

155

韭菜炒青虾

原料

青虾300克，嫩韭菜150克，葱段、姜片、糖、盐、酱油、料酒、醋、花生油各适量。

制作

1. 将青虾去须洗净；韭菜择洗干净，切成段。
2. 炒锅注油烧热，下葱姜爆香，放入青虾翻炒。
3. 待虾变红色，放入韭菜翻炒，加入盐、糖、料酒、酱油、醋和少许清水炒匀，出锅即成。

特点

脆嫩鲜香，美味爽口，补肾壮阳，润肠通便。

粉丝烧明虾

原料

明虾300克，粉丝、葱、姜、蒜、香辣酱、盐、糖、湿淀粉、香油、高汤、花生油各适量。

制作

1. 将明虾去壳、尾、肠线，放入热油锅内炸呈红色时捞出；粉丝用热水泡发至软。
2. 炒锅注油烧热，下香辣酱、姜、葱、蒜炒香，添高汤，加入粉丝、盐、糖烧入味，放入虾肉烧透，用湿淀粉勾芡，淋入香油即可。

特点

鲜美微辣，香味浓郁。

金沙玉米虾

原料

大虾250克，嫩玉米100克，咸蛋黄茸50克，盐、糖、玉米淀粉、吉士粉糊、色拉油各适量。

制作

1. 虾洗净，加盐腌至入味，裹匀吉士粉糊，过油。
2. 嫩玉米洗净，扑上玉米淀粉，放入热油锅中过油，捞出备用。
3. 炒锅注油烧热，下咸蛋黄茸翻炒，撒入盐、糖，再放入炸好的虾仁和玉米炒匀即可。

特点

细软的蛋黄包裹着虾仁，虾肉鲜嫩清香，玉米味香浓。

青瓜炒虾仁

原料

海虾200克，黄瓜150克，姜末、盐、湿淀粉、色拉油各适量。

制作

1. 黄瓜洗净切片，加盐稍腌；海虾去杂质洗干净。
2. 炒锅注油烧三成热，放入海虾炸熟，控油备用。
3. 锅中余油烧热，下入姜末、黄瓜片炒熟，注入开水，加入海虾、盐炒匀，用湿淀粉勾芡即可。

特点

味道鲜美，口感脆滑。

黄瓜炒河虾

原料

河虾150克，黄瓜100克，白糖、盐、酱油、猪油、料酒各适量。

制作

1. 河虾洗净，剪去须和脚；黄瓜洗净，切条。
2. 炒锅注入猪油烧热，放入虾翻炒片刻，加入黄瓜条、料酒、糖、酱油、盐翻炒，加适量水烧开收汁即成。

特点

清暑益气，生津止渴。

姜汁皮皮虾

原料

皮皮虾500克，姜50克，醋、盐、味精、香油各适量。

制作

1. 皮皮虾洗净煮熟，剪去头尾，去掉背壳，腹部带肉摆放入盘；姜洗净切末。
2. 将姜末、盐、味精、醋、香油调匀，倒在皮皮虾上即成。

特点

虾肉鲜嫩，姜汁味浓。

油菜拌海米

原料

油菜200克，海米50克，香油、盐、醋、葱花、姜末各适量。

制作

1. 将油菜择洗净，切成2厘米长的段，下入开水锅中焯熟，放入凉水中浸凉，捞出沥干水分。
2. 将海米用开水泡开，略切几刀，与油菜拌在一起。
3. 再加入盐、醋、香油、葱花、姜末拌匀，盛盘即可。

特点

色彩翠绿，鲜香味美。

海米炒青丝

原料

青萝卜300克，水发海米100克，干辣椒、葱丝、盐、料酒、香油、色拉油各适量。

制作

1. 萝卜去皮，切细丝；海米泡开；干辣椒切丝。
2. 炒锅注油烧热，下入葱丝、干辣椒丝炒香，加入料酒，放入海米、萝卜丝，不断翻炒（不能加水）。
3. 至萝卜丝炒熟变色、变软时，撒盐，淋香油即可。

特点

萝卜丝清香淡雅，下饭美食。

海米玉笋

原料

笋500克，海米25克，湿淀粉、盐、料酒、色拉油、高汤各适量。

制作

1. 笋剥去笋衣，去净头，每个切成片；海米用沸水泡开。
2. 炒锅注油烧热，投入笋片煸炒1分钟左右，加入料酒，添入高汤，撒盐，用勺搅匀，至汤汁将干时，放入海米、湿淀粉搅匀，淋油即成。

特点

脆嫩清鲜，清淡爽口。

海米冬瓜汤

〔原料〕

冬瓜500克，虾米25克，鸡蛋1个，香菜末、葱、姜丝、盐、味精、鸡汤、花生油各适量。

〔制作〕

1. 冬瓜去皮、瓤洗净切片；海米洗净；鸡蛋打散。
2. 炒锅注油烧热，放葱、姜丝，海米煸炒，添入鸡汤熬开，再放入冬瓜片煮熟烂，撒盐、味精，淋入鸡蛋液，起锅盛入大汤碗内，撒上香菜末即成。

〔特点〕

清爽适口，消暑解腻，去湿，利尿。

荷兰豆烩虾球

〔原料〕

荷兰豆100克，河虾250克，鲜白果、红椒各25克，鸡蛋清1个，葱段、姜末、盐、湿淀粉、鸡精、料酒、色拉油各适量。

〔制作〕

1. 虾取虾仁洗净，加入盐、蛋清和少许湿淀粉抓匀，过油。
2. 荷兰豆、红椒择洗净切块，过油；白果煮熟去薄皮。
3. 锅中留油烧热，下葱、姜爆香，加盐、料酒，放入虾仁、红椒、荷兰豆、白果快速翻炒熟，加鸡精调味即可。

〔特点〕

色美鲜香。

西芹虾球

〔原料〕

净虾肉150克，西芹100克，盐、花生油、胡椒粉、香油各适量。

〔制作〕

1. 将虾肉洗净，去虾线，加入少许盐稍腌。
2. 西芹洗净，切成菱形块，放入沸水锅中焯烫捞出，沥干水分。
3. 炒锅注油烧至四成热，下入虾肉炒熟，放入西芹，加盐、胡椒粉、香油炒匀，装盘即成。

〔特点〕

营养丰富，易消化。

干烧虾球

原料

对虾200克，葱、姜、蒜、蛋清、淀粉、醪糟、番茄酱、盐、糖、醋、酱油、香油、红油、辣豆瓣各适量。

制作

1. 对虾洗净沥干，加蛋清、淀粉、水上浆；葱、姜、蒜切成末。
2. 炒锅注油烧热，放入上浆的虾肉划油呈球状，捞出；锅内留少许油，先加入辣豆瓣炒香，再下入葱、姜、蒜末，加入醪糟、番茄酱和虾球，添水，随即加调料收汁，下入葱末即可。

特点

质地滑嫩，鲜香爽口。

滑炒虾球

原料

海虾300克，白果、花菇、豌豆各50克，葱段、姜末、植物油、盐、味精、鸡蛋清、料酒、高汤、淀粉各适量。

制作

1. 虾去头、皮、尾、沙线，加盐、味精、料酒、蛋清、淀粉上浆，过油；白果、花菇和青豌豆下入开水锅焯好。
2. 炒锅注油烧热，加葱段、姜末烹出香味，放入白果、花菇、青豌豆煸炒，加适量高汤、盐调味，放入虾仁，淋明油翻炒出锅即可。

特点

滑嫩洁白，鲜咸香爽。

清炒虾仁

原料

新鲜虾仁300克，青豆、水发木耳、盐、湿淀粉、料酒、鲜汤、香油、色拉油各适量。

制作

1. 将虾仁洗净，沥干水分，加入盐、湿淀粉拌匀上浆。
2. 炒锅注油烧至五成热，放入虾仁炒散至断生，倒出沥油。
3. 炒锅留少许油烧热，加入鲜汤、料酒、盐、青豆、木耳烧开，用湿淀粉勾芡，放入虾仁炒匀，淋上香油，出锅即成。

特点

肉质鲜嫩，益气滋阳。

马蹄炒虾仁

原料

虾仁100克，马蹄（荸荠）、胡萝卜各50克，糖、盐、湿淀粉、高汤、色拉油各适量。

制作

1. 将胡萝卜洗净切成片，虾仁洗净去虾线。
2. 炒锅注油烧热，放入胡萝卜片、马蹄翻炒，加入虾仁、盐、糖、高汤烧开，用湿淀粉勾芡即可。

特点

温中益气，清热开胃，明目清音。

锅巴虾仁

原料

虾仁250克，锅巴20块，青豆50克，鸡蛋清、葱末、姜末、蒜末、盐、糖、淀粉、番茄酱、高汤、酱油、白醋、红油、香油、花生油各适量。

制作

1. 虾仁洗净沥干，加鸡蛋清、淀粉、水、盐上浆，过油。
2. 锅内留少许油，下入葱、姜、蒜爆香，添入高汤，放入虾仁、番茄酱，撒盐、糖，滴入酱油、白醋、红油、香油，用湿淀粉勾芡入盘。
3. 将锅巴下热油锅炸膨胀后捞出放入盘中即成。

特点

形式别致，糖醋香味浓郁，虾肉滑嫩，锅巴酥脆，美味可口。

年糕炒虾仁

原料

腊肠、长条年糕、鲜虾仁、西芹各50克，葱、姜、蒜、盐、湿淀粉、料酒、鲜汤、花生油各适量。

制作

1. 将腊肠、年糕、西芹切丁，葱、姜、蒜切小片。
2. 把腊肠、年糕、虾仁、西芹全部放入开水中焯熟捞出备用。
3. 炒锅注油烧热，放入葱姜蒜片炒香，加入料酒，添汤少许，加上述原料炒匀，用湿淀粉勾芡即可。

特点

年糕既有腊肠的风味又有虾仁的鲜味，可口宜人。

虾仁粟米粒

原料

听装粟米粒200克，虾仁、火腿丁各100克，枸杞、葱、姜片、盐、湿淀粉、花生油各适量。

制作

1. 虾仁、粟米粒放入沸水中焯过捞出备用。
2. 炒锅注油烧热，下入葱姜片炒香，加枸杞、粟米粒、火腿肠丁、虾仁、盐炒匀，用湿淀粉勾芡，出锅装盘。

特点

味道清香，老少皆宜。

番茄炒虾仁

原料

海虾300克，番茄250克，青豌豆50克，葱末、姜末、盐、味精、料酒、白糖、湿淀粉、鸡蛋清、植物油各适量。

制作

1. 虾去皮、头、尾切片，加盐、料酒、蛋清、水淀粉上浆，过油；番茄去皮、籽切丁。
2. 炒锅注油烧热，下入葱姜末炒香，放入番茄丁煸炒，加入盐、味精、白糖、虾仁，用湿淀粉勾稀芡，撒青豌豆，淋明油即成。

特点

鲜咸味美，软嫩爽口。

芹菜拌虾仁

原料

芹菜200克，虾仁100克，花生油25克，花椒、葱段、蒜、盐各适量。

制作

1. 芹菜择洗净切段，入沸水焯烫捞出，加盐略腌；虾仁洗净切片，入沸水焯烫捞出沥干，放在芹菜上；蒜去皮洗净，切成薄片。
2. 将花椒放入锅内焙焦，放入热花生油内炸透，捞去花椒粒，加入蒜片和葱段略炸，浇在芹菜上，拌匀晾凉即成。

特点

芹菜脆嫩，虾仁鲜美。

虾仁炖豆腐

原料

豆腐400克，虾仁150克，毛豆50克，葱、姜、盐、味精、湿淀粉、高汤、香油、花生油各适量。

制作

1. 豆腐切丁；虾仁挑去泥肠，洗净；毛豆煮熟，捞出。
2. 炒锅注油烧热，爆香葱、姜末，添高汤，放入豆腐丁、虾仁，撒盐、味精炖煮入味，加毛豆略滚煮，倒入适量的湿淀粉勾芡，淋上少许香油即可。

特点

虾仁鲜嫩，豆腐滑软、清香，色泽诱人。

虾仁鲜豆腐

原料

豆腐500克，虾仁200克，蚕豆75克，葱花、姜末、盐、白糖、淀粉、色拉油、香油、料酒各适量。

制作

1. 豆腐切丁；虾仁加盐、淀粉少许，淋入料酒腌渍10分钟。
2. 取盘注入色拉油，下葱花、姜末，高火爆香2分钟；放入豆腐、虾仁、蚕豆，撒盐、白糖，加盖中高火烧9分钟。
3. 将淀粉15克添冷开水拌匀，倒入汤汁中勾芡，淋上香油即成。

特点

蛋白含量高，口感鲜滑，易消化。

虾仁鸡茸饺

原料

淀粉250克，虾仁、鸡脯肉各100克，黄酒、淀粉、盐、味精、猪油各适量。

制作

1. 虾仁、鸡脯肉斩成茸，加黄酒、精盐、味精拌匀，制成馅料。
2. 淀粉用沸水搅拌成熟粉，加猪油揉和，擀成合适的饺子皮，包入馅，捏成绞形花边的饺子生坯。
3. 将饺子生坯放入锅中煮熟即可。

特点

色泽洁白透明，入口爽滑，鲜咸入味。

虾仁馄饨

原料

面粉300克，猪肉馅100克，新鲜虾仁50克，香菜末、胡萝卜、葱、姜、盐、香油、高汤各适量。

制作

1. 将虾仁、肉馅、胡萝卜、葱、姜剁碎，加入盐、香油拌制成馅；面粉加水揉成面团分成剂子，包入馅，制成馄饨。
2. 锅内加水烧开，下入馄饨煮熟至浮起。盛入加高汤、精盐的碗中，再加入香菜末即成。

特点

虾仁的口味比较清鲜，馄饨美味可口。

菠菜拌虾皮

原料

菠菜300克，虾皮50克，花椒、盐、香油、色拉油各适量。

制作

1. 将菠菜洗净，切成段，放入沸水锅中焯熟，捞出，过凉。
2. 炒锅注油烧至七成热，下入花椒炸香，捞出，放入虾皮稍炸，浇在菠菜上，加盐、香油拌匀，装盘即成。

特点

营养丰富，补钙补血。

宫爆虾腰

原料

虾仁300克，猪腰子、青红尖椒、腰果、淀粉、花椒粒、葱末、姜末、蒜末、干辣椒、酱油、糖、醋、盐、花生油各适量。

制作

1. 虾仁洗净，猪腰切丁，加蛋清、盐、淀粉上浆，过油；青红椒切丁；腰果炸脆，压碎；虾仁、猪腰滑熟；糖、酱油、醋、盐、湿淀粉调成味汁。
2. 炒锅注油烧热，下葱姜蒜、花椒、辣椒炒香，倒入味汁、虾仁、猪腰，翻炒片刻出锅装盘，撒上腰果粒即可。

特点

酸甜适口，香辣宜人，滋阴强肾。

菜泥虾片

原料

菠菜500克,虾仁200克,牛奶200毫升,面粉、奶油、色拉油、姜汁、胡椒粉、盐、白糖各适量。

制作

1. 虾仁洗净切片,加姜汁腌10分钟;菠菜洗净,切碎。
2. 炒锅注油烧热,放入菠菜翻炒,加适量清水、姜汁、面粉、盐、白糖、奶油翻炒,用大火煮滚,放入虾仁和牛奶煮滚。
3. 撒胡椒粉调味即可。

特点

口感润滑,美味可口。

豆腐虾肉丸

原料

豆腐、虾仁各250克,猪肥膘肉50克,鸡蛋1个(打成蛋液),葱末、盐、味精、胡椒粉、淀粉、植物油各适量。

制作

1. 将豆腐、虾仁、猪肥膘肉分别剁碎,加葱末、鸡蛋液、淀粉、盐、胡椒粉、味精,搅打上劲成馅料。
2. 炒锅注油烧至五成热,将馅料挤成小丸子逐个放入油锅,炸至金黄色,捞出装盘即可。

特点

外焦里嫩,鲜美可口。

虾酱茼蒿炒豆腐

原料

豆腐300克,茼蒿、虾酱、鸡蛋、葱末、姜末、味精、胡椒粉、香油、植物油各适量。

制作

1. 茼蒿茎切粒,入沸水焯过控干;豆腐切丁,入沸水焯过,煎炒至表皮稍硬呈乳黄色;鸡蛋打散,虾酱放鸡蛋内打匀。
2. 炒锅注油烧热,放入虾酱鸡蛋炒碎,加入葱姜末、高汤、味精、胡椒粉、豆腐丁、茼蒿丁翻炒,淋香油,出锅即成。

特点

黄绿相间,味美可口。

茼蒿炒鱿鱼

原料

嫩茼蒿400克，鱿鱼300克，葱花、姜丝、盐、料酒、色拉油各适量。

制作

1. 鱿鱼去头洗净切丝，用开水汆一下捞出，茼蒿去叶去头洗净切段。
2. 炒锅注油烧热，投入葱花、姜丝爆锅，倒入茼蒿煸炒至变软。
3. 加入鱿鱼丝、盐、料酒，稍加翻炒，淋上熟油，出锅即成。

特点

洁白翠绿，咸鲜爽口。

鱿鱼西兰花

原料

鱿鱼500克，西兰花150克，葱花、姜末、盐、色拉油各适量。

制作

1. 鱿鱼改花刀，西兰花洗净掰成朵。
2. 锅中加水烧开，放入鱿鱼、西兰花汆水捞出。
3. 炒锅注油烧热，下葱花、姜末爆香，放入鱿鱼、西兰花翻炒，加盐调味即可。

特点

鲜嫩适口。

椒油鱿鱼卷

原料

鲜鱿鱼400克，红椒、西芹各50克，盐、香油、花椒油、料酒、鲜汤各适量。

制作

1. 将鱿鱼去头、尾洗净，从里面剞上麦穗花刀，切片。
2. 红椒去蒂、籽，切成菱形块；西芹撕去筋、皮，切成菱形段。
3. 锅内加鲜汤、料酒烧沸，放入鱿鱼、红椒、西芹煮熟，捞出沥干水分，放入碗内，加盐、香油、花椒油拌匀，装盘即成。

特点

颜色美观，嫩脆味美，补血助消化。

干煸鱿鱼丝

原料

干鱿鱼250克，猪肥瘦肉100克，净冬笋75克，盐、酱油、料酒、熟色拉油、香油各适量。

制作

1. 鱿鱼切丝，洗净沥干；将猪肥瘦肉、净冬笋切成粗丝，并将冬笋丝汆水，清洗2遍沥干备用。
2. 炒锅注油烧热，放入鱿鱼丝煸炒，烹料酒翻炒，放入猪肉丝、冬笋丝炒至鱿鱼略卷，加盐、酱油炒香，淋香油即成。

特点

鱿鱼丝干香味美，猪肉丝细嫩柔滑，冬笋鲜脆清香。

鲜辣花枝

原料

墨鱼300克，荷兰豆、胡萝卜、辣椒酱、盐、淀粉、料酒、香油、花生油各适量。

制作

1. 荷兰豆择洗净，胡萝卜切成花形，均入沸水焯烫过凉，炒熟入盘；墨鱼放入加有料酒的沸水中焯出，过油。
2. 炒锅注油烧热，下辣椒酱爆香，加入料酒，撒盐，倒入花枝烧熟，用湿淀粉勾芡，淋上香油炒匀，倒在荷兰豆上即可。

特点

颜色美观，味道爽脆。

韭菜墨鱼丝

原料

墨鱼500克，韭菜250克，姜、盐、料酒、色拉油适量。

制作

1. 将墨鱼去外皮洗净，切成丝；韭菜切成段，姜切成丝。
2. 将墨鱼丝放入沸水锅中烫一下，取出沥干水分。
3. 炒锅注油烧热，下姜丝爆香，放入墨鱼丝，加入料酒、盐调味，少许添水，烧至墨鱼丝入味，加入韭菜炒熟即成。

特点

鲜香开胃，补肾养血。

青椒墨鱼丝

原料

青椒300克，墨鱼丝250克，酱油、料酒、湿淀粉、香油、花生油各适量。

制作

1. 将墨鱼肉洗净，切成粗丝。
2. 青椒去蒂、籽洗净，切成丝，放入沸水锅焯后捞出，沥干水分。
3. 炒锅注油烧至六成热，下入墨鱼丝翻炒变色断生，放入青椒丝、料酒、酱油翻炒均匀，用湿淀粉勾芡，淋入香油，出锅即成。

特点

鱼肉滑嫩，鲜香爽口，滋养肝脾，补血。

墨鱼萝卜条

原料

墨鱼1只，青萝卜条、葱片、姜片、蒜片、盐、胡椒粉、淀粉、鲜汤、玫瑰露酒、花生油、香油各适量。

制作

1. 墨鱼切条，萝卜条、墨鱼条入沸水焯烫捞出沥水，过油。
2. 炒锅内留油少许，下入葱姜蒜片爆香，加入玫瑰露酒、汤、盐、萝卜条、胡椒粉、墨鱼条，翻炒片刻，用湿淀粉勾芡，淋香油即可。

特点

清爽脆嫩，色彩艳丽。

墨鱼鸡肉饮

原料

净母鸡1只，墨鱼干250克，糯米150克，盐适量。

制作

1. 将母鸡肉洗净，与墨鱼一同放入砂锅中，加水炖烂熟。
2. 将鸡肉、墨鱼捞出；用汤煮糯米成浓汤，加盐少许调味。
3. 食鸡肉、墨鱼，饮鸡鱼糯米汤。

特点

味道浓香，营养丰富。

炒墨鱼片

原料

墨鱼300克，油菜心150克，鸡蛋1个，盐、淀粉、香油、胡椒粉、料酒、白糖、植物油各适量。

制作

1. 墨鱼切薄片，用盐、蛋清、胡椒粉、淀粉调匀入味。
2. 锅内注油烧热，放墨鱼片滑散；留底油，放油菜心、料酒、精盐、香油、胡椒粉、白糖翻炒，添高汤烧沸，放入墨鱼炒匀，用湿淀粉勾芡，起锅即可。

特点

肉嫩汁鲜，清淡适口。

墨鱼炖鸡

原料

净鸡肉500克，墨鱼150克，葱末、姜片、盐、味精、清汤、植物油、胡椒粉、黄酒各适量。

制作

1. 将鸡肉洗净剁块；墨鱼洗净，去筋、皮切成块。
2. 炒锅注油烧热，放入鸡块，加黄酒、姜片、葱末一起翻炒，再加入清汤、墨鱼，用文火炖约2小时。
3. 撒入精盐、味精和胡椒粉调味即成。

特点

汤汁醇厚，风味独特。

蜇皮炒豆芽

原料

绿豆芽500克，泡发海蜇皮丝250克，胡萝卜、香菜段各200克，葱花、盐、料酒、花生油各适量。

制作

1. 蜇皮丝入沸水焯烫，捞出沥水；绿豆芽去头尾洗净，胡萝卜洗净切成丝。
2. 炒锅注油烧热，下入葱花爆锅，放入绿豆芽、胡萝卜丝、蜇皮丝、香菜段翻炒，至绿豆芽、胡萝卜变软，加盐、料酒调味，翻匀出锅即可。

特点

爽口脆嫩。

白菜拌蜇皮

原料

海蜇丝250克，白菜心200克，香菜50克，胡萝卜、蒜泥、盐、白糖、醋、香油各适量。

制作

1. 海蜇丝入沸水焯烫，过凉捞出沥干水分。
2. 嫩白菜心顶刀切成细丝，香菜择洗净切成段。
3. 海蜇丝、胡萝卜丝、白菜丝放入盘中，加入盐、白糖、醋、蒜泥、香油和香菜段，拌匀即成。

特点

酸辣清香，除烦解渴，利尿通便，活血通络，降血脂。

炝拌海蜇丝

原料

海蜇500克，葱丝、姜末、盐、酱油、醋、椒油各适量。

制作

1. 将海蜇用温水泡好，去沙洗净，推刀切成细丝，放在开水锅内焯一下捞出控干装盆。
2. 海蜇丝盆内撒上盐，加入酱油、醋调匀盛盘，撒上葱、姜，将热椒油炝在海蜇上即成。

特点

脆嫩清淡，宜佐酒饭。

豉汁扇贝

原料

扇贝500克，豆豉、香菜末、湿淀粉、蒜泥、酱油、蚝油、香油、花生油各适量。

制作

1. 扇贝洗净煮至张口，捞出，去掉半片壳，摆放盘中。
2. 炒锅注油烧热，下蒜泥、豆豉炒香，放入蚝油、酱油及少许清水烧开，用湿淀粉勾芡，淋上香油，撒上香菜末，均匀地浇在扇贝肉上即成。

特点

肉质鲜嫩，香味浓郁。

蘑菇拌贝肉

原料

蘑菇200克，鲜贝肉100克，西芹、鸡蛋清、湿淀粉、葱末、盐、料酒、香油、植物油、酱油、胡椒粉各少许。

制作

1. 西芹洗净切段，蘑菇切片；鲜贝肉洗净沥干，加盐、胡椒粉、料酒、鸡蛋清、湿淀粉略腌片刻，入沸水焯熟，捞出沥干，加盐、香油拌匀。
2. 炒锅注油烧热，下葱末煸香，放入蘑菇片、西芹、盐、酱油翻炒，盛入盘中，鲜贝放入中间即可。

特点

促进新陈代谢，提高免疫力。

蛤蜊炖豆腐

原料

豆腐250克，蛤蜊150克，湿淀粉、葱花、姜末、青蒜丝、料酒、清汤、香油、花生油各适量。

制作

1. 将豆腐切成方块；蛤蜊洗净。
2. 炒锅注油烧热，下葱花、姜末爆香，放入蛤蜊略炒，加入料酒翻炒片刻，再放入豆腐、清汤，用小火煮4分钟，用湿淀粉勾芡，淋上香油，盛于汤盘，撒上青蒜丝即成。

特点

滑嫩鲜爽，蒜香浓郁。

海带蛎黄蛋

原料

蛎黄100克，海带50克，鸡蛋2个，葱花、盐、料酒、色拉油各适量。

制作

1. 将海带水发，洗净蒸熟，切成细丝。
2. 鸡蛋打入碗内搅拌均匀；蛎黄洗净，控净水分。
3. 炒锅注油烧至六成热，下入海带丝煸炒，加入料酒、盐、蛋液翻炒，放入蛎黄和葱花炒熟即可。

特点

养心安神，补血，滋阴润燥。

酱烧海皇粒

原料

鱿鱼300克，鸡蛋液、虾仁、蟹肉、海参、青红尖椒、葱片、姜片、郫县豆瓣酱、甜面酱、盐、美极鲜酱油、花生油各适量。

制作

1. 鱿鱼、虾仁、蟹肉、海参，分别切小粒，入沸水焯透；青红尖椒切粒；鸡蛋液加料酒、盐搅匀，炒熟划片状。
2. 炒锅注油烧热，下葱姜、郫县豆瓣酱、甜面酱炒香，再放海鲜粒、鸡蛋，淋美极鲜酱油，炒匀出锅。

特点

咸鲜辣香，酱香浓郁；可配生菜或小荷叶饼以供卷食，则更具风味。

酱爆香螺

原料

香螺300克，辣椒、香菜、姜片、甜面酱、糖、花椒、酱油、花生油、香油各适量。

制作

1. 将香螺在清水中静养一天，使其吐净泥沙。
2. 辣椒切节，香菜洗净去叶切段，将香螺入沸水焯透备用。
3. 炒锅注油烧热，下姜片、辣椒、花椒、面酱炒香，加入料酒、糖、酱油、香螺、清水，爆至汤微干，撒上香菜，淋入香油即可。

特点

口味甜中带辣，酱香浓郁。

辣子田螺

原料

田螺400克，青笋片100克，泡海椒75克，葱末、姜末、蒜片、糖、盐、胡椒粉、肉松粉、淀粉、料酒、醋、花生油各适量。

制作

1. 田螺取肉洗净，下入姜末、葱末、盐、料酒、肉松粉、淀粉腌渍，入沸水焯烫，捞出沥干；青笋片切成丁；泡海椒去籽剁碎。
2. 炒锅注油烧至4成热，下泡海椒末爆香，加入姜末、葱末、蒜片、田螺肉、青笋丁炒香，再撒入糖，滴入醋，用湿淀粉勾芡即成。

特点

螺肉香嫩，青笋鲜脆，香辣回甜。

泡椒脆螺

原料

田螺350克，泡椒节75克，泡姜片25克，葱段、姜粒、蒜粒、盐、胡椒粉、湿淀粉、料酒、色拉油、鲜汤各适量。

制作

1. 将田螺洗净敲破尾部，入沸水焯烫捞出控干，过油。
2. 炒锅注油烧热，放入泡椒、泡姜炒出辣香味，下入姜粒、蒜粒炒香，添入鲜汤烧沸，放入田螺、盐、胡椒粉烧沸，撇去浮沫，转小火烧至入味，用湿淀粉勾芡，待汤汁浓稠，下葱推匀即可。

特点

色彩娇艳，口感鲜辣，螺肉脆爽，泡椒味浓。

宫爆螺片

原料

海螺300克，炸花生、青尖椒、洋葱、泡椒、盐、料酒、辣椒油、花生油各适量。

制作

1. 将螺肉片成薄片，锅注水烧开，倒入海螺微烫捞出。
2. 花生去皮，青尖椒、洋葱分别切粒，泡椒剁细。
3. 炒锅注油烧热，下入尖椒、洋葱、泡椒炒香，加入料酒、盐，放入螺片、花生炒匀，勾薄芡，淋辣油即可。

特点

味道爽脆，颜色鲜亮。

韭菜拌海肠

原料

活海肠400克，韭菜150克，盐、蒜泥、料酒、醋、香油各适量。

制作

1. 海肠去内脏洗净，用开水烫一下，捞出切成段；韭菜择洗净切段。
2. 韭菜加盐、醋、香油拌匀，放入盘中。
3. 海肠放入碗内，加盐、醋、蒜泥、香油拌匀，放在韭菜上即成。

特点

韭菜脆嫩，海肠鲜香。

酸辣黄瓜

原料

黄瓜250克，青葱、盐、辣椒粉各适量。

制作

1. 将黄瓜洗净，顺长一切为四。
2. 青葱洗净，用刀拍一下，切段。
3. 将黄瓜、青葱放入盆内，加入盐、辣椒粉拌匀，盖上盖，放常温处1～2天，出酸味时即可。

特点

韩式小菜，酸辣脆嫩。

炝黄瓜条

原料

黄瓜500克，干辣椒25克，盐、糖、花椒、醋、料酒、香油、清汤各适量。

制作

1. 黄瓜切条；干辣椒切段；盐、糖、醋、料酒、清汤调成味汁。
2. 炒锅注油烧热，下入花椒，炸出香味后，捞出花椒不用，下入干辣椒，炸至呈棕红色，再放入黄瓜条，翻炒均匀，淋入香油，起锅装盘内晾凉；吃时将黄瓜条摆在盘中间，浇上调好的味汁即成。

特点

色泽鲜嫩，麻辣脆香。

辣炒滚刀黄瓜

原料

黄瓜300克，五花肉100克，葱花、干辣椒、味精、糖、酱油、蚝油、花椒油、花生油各适量。

制作

1. 黄瓜洗净，切滚刀块；五花肉切片；干辣椒切段。
2. 炒锅注油烧热，加五花肉煸炒，下入葱花、干辣椒爆香，放入切好的黄瓜，淋蚝油、酱油等调料调味，炒至黄瓜熟透，淋花椒油即可。

特点

黄瓜清香，脆爽适口。

辣炒土豆丝

原料

土豆300克，干红辣椒75克，盐、味精、醋、花生油各适量。

制作

1. 土豆去皮切丝，用清水洗去淀粉；红辣椒去籽洗净，切丝。
2. 将土豆丝入沸水焯一下，捞出过凉，沥干水分。
3. 炒锅注油烧热，下红辣椒丝煸炒几下，加入土豆丝，放入盐、味精翻炒，淋入少许醋炒匀，出锅即成。

特点

脆嫩香辣，清淡爽口。

麻辣土豆松

原料

土豆400克，盐、味精、红油、花椒粉、香油各适量。

制作

1. 土豆去皮切丝，放入清水中漂去淀粉，捞出沥干水分。
2. 锅烧油至五成热，将土豆丝抖撒入锅，炸至色黄酥脆时捞出。
3. 取盘放入炸好的土豆丝，加盐、红油、花椒粉、味精、香油拌匀即可。

特点

红艳油亮，麻辣咸鲜，酥脆爽口。

辣烧土豆条

原料

土豆350克，尖椒、五花肉各100克，干辣椒段、芹菜、葱花、盐、味精、酱油、花生油、香油各适量。

制作

1. 土豆去皮切粗条略洗；五花肉切丝；尖椒切粗条；芹菜切段。
2. 炒锅注油烧热，放入五花肉煸炒，放入葱花、干辣椒、土豆条、酱油继续小火煸炒，放入尖椒条与芹菜段炒至熟透，撒味精、盐调味，淋香油即可。

特点

家常风味，味道可口。

雪菜辣干丝

原料

豆腐干丝250克，雪菜150克，干红辣椒、盐、味精、小苏打水、花生油各适量。

制作

1. 锅内加清水、小苏打水烧开，放入豆腐干丝略煮捞出，用凉开水漂洗净，沥干水分；雪菜洗净切末，干红辣椒切丝。
2. 炒锅注油烧热，下干红椒丝炒香，放入雪菜煸炒至熟，加豆腐干丝、盐、味精翻炒均匀，出锅即成。

特点

软嫩鲜香，清爽适口。

香辣肉末雪菜

原料

雪菜300克，猪五花肉100克，干辣椒、蒜末、盐、白糖、味精、料酒、酱油、香油、花生油各适量。

制作

1. 雪菜洗净切成末，入沸水焯烫捞出；干辣椒、猪肉均切末。
2. 炒锅注油烧热，下入干辣椒末、肉末、蒜末炒香，烹料酒，再放雪菜末煸炒，加入酱油、盐、白糖、味精炒匀，淋入香油，出锅即成。

特点

咸甜辣香。

酸辣白菜

原料

白菜500克，葱花、干辣椒、香菜、花生油、花椒油、米醋、味精、盐各适量。

制作

1. 将白菜洗净切条；干辣椒切丝；香菜择洗干净切段。
2. 将白菜入沸水焯至断生。
3. 炒锅注油烧热，下干辣椒丝、葱花爆香，再下焯好的白菜，加盐、味精、醋等调味，炒匀撒香菜段，淋花椒油，出锅即可。

特点

白菜脆嫩，味酸辣，色金红，注意白菜焯水时间不宜过长。

香辣卷心菜

原料

卷心菜400克，郫县豆瓣酱25克，干红辣椒丝、香菜段、料酒、酱油、香油、白糖、味精、花生油各适量。

制作

1. 将卷心菜洗净切成小片，豆瓣酱剁碎。
2. 炒锅注油烧热，下豆瓣酱、干红辣椒丝炒香，放入卷心菜、料酒、酱油、白糖，用旺火快速翻炒至断生，加入香菜段、味精炒匀，淋入香油，出锅即成。

特点

脆嫩香辣。

煳辣鸡丁

原料

鸡脯肉300克，鸡蛋清1个，炸花生米、干辣椒、葱、姜、蒜、花椒、八角、盐、糖、味精、湿淀粉、辣椒粉、老抽、米醋、花生油、料酒各适量。

制作

1. 将花生米去皮；鸡脯肉切丁，加盐、蛋清、湿淀粉抓匀；干辣椒切节；葱、姜、蒜切片。
2. 将糖、醋、老抽、盐、味精、适量水、湿淀粉调成味汁。
3. 炒锅注油烧至5成热，下入干辣椒、葱姜蒜片、花椒炒香，再放入鸡丁炒散至发白，添料酒、味汁，撒上花生米炒匀即可。

特点

色泽红润，辣而不燥。

双菇辣汤鸡

原料

净小公鸡1只，草菇、滑子菇各100克，葱段、姜片、尖椒、干椒丝、八角、甜面酱、盐、糖、鸡粉、鸡鲜汤、料酒、老抽、花生油各适量。

制作

1. 将小公鸡洗净剁成小块；草菇切两半；尖椒切条。
2. 锅中添水烧开，倒入鸡块煮沸，去除血沫，倒出冲凉。
3. 炒锅注油烧热，下入八角、葱、姜、干椒丝、甜面酱，放入鸡块炒香，加入料酒、鸡鲜汤、盐、老抽，倒入高压锅煮约12分钟，加鸡粉调味，放入尖椒烧开即可。

特点

色泽红亮，汤辣味浓。

香辣童子鸡

原料

小公鸡500克，花椒、灯笼椒、熟芝麻、葱段、姜片、蒜、盐、味精、料酒、色拉油各适量。

制作

1. 公鸡洗净剁小块，加入葱、姜、少许色拉油、味精略腌，过油；蒜切去两头，过油。
2. 锅留底油烧热，下入灯笼椒、花椒、葱花煸炒，倒入鸡块、蒜，加盐、芝麻翻炒均匀即可。

特点

味道香脆，蒜香味浓。

芥辣醋凤翅

原料

熟鸡翅400克，葱白、芥末酱、盐、味精、姜汁油、辣酱油、香醋、酱油、花椒油各适量。

制作

1. 熟鸡翅去除粗骨，切块；葱白切成片。
2. 盘内放入葱白片、鸡翅节摆成桥形。
3. 碗内加芥末酱、香醋调散，撒入盐、味精、淋姜汁油、辣酱油、花椒油、酱油调成味汁，浇在鸡翅上即成。

特点

肉质鲜嫩，芥辣酸香。

香辣鸡心花

原料

鲜鸡心300克，青尖椒、辣椒粉、葱末、干辣椒丝、盐、味精、料酒、辣椒油、花生油各适量。

制作

1. 鸡心洗净剪成"十"字形，过油；尖椒切条，过油。
2. 炒锅注油烧热，下入干辣椒丝、葱末、辣椒粉炒香，加入料酒、盐、味精，倒入鸡心，淋上辣椒油炒匀，倒入放有尖椒的盘中。

特点

造型美观，口感滑嫩。

香辣陈皮凤爪

原料

鸡爪6对，葱、姜、干辣椒、陈皮、花椒、盐、糖、味精、酱油、料酒、白醋、鲜汤、植物油各适量。

制作

1. 鸡爪去老皮，剔去中间大骨，放入加有醋、糖的开水稍煮，捞出洗净，过油；陈皮用温水泡软，辣椒切小节，葱、姜切片。
2. 锅留少许油，下入辣椒、花椒、陈皮、葱、姜炒香，加入料酒、酱油、汤、鸡爪、盐、味精炖烂，挑出辣椒、陈皮装盘即可。

特点

鸡爪软糯，香辣适口。

麻辣鱼块

原料

净银鳕鱼450克，青、红椒各50克，干红辣椒6个，蒜茸、熟花生碎、红辣椒碎、盐、糖、胡椒粉、淀粉、海鲜酱、香油、醋、生抽、清鸡汤、料酒、色拉油各适量。

制作

1. 银鳕鱼切块，加盐、胡椒粉、淀粉腌匀，煎熟；糖、香油、醋、海鲜酱、生抽、清鸡汤、料酒、红辣椒碎、淀粉制成浇汁。
2. 炒锅注油烧热，下红辣椒、蒜茸爆香，加入青、红椒片略炒，加入酱汁，淋在鱼上，撒上花生碎即成。

特点

海鲜酱与银鳕鱼搭配，使菜品鲜上加鲜，更加细嫩。

麻辣鱼头

原料

净鱼头1个，葱末、姜末、蒜末、香菜段、盐、糖、淀粉、花椒粉、豆瓣酱、老抽、料酒、色拉油、高汤各适量。

制作

1. 将鱼头洗净，拍匀淀粉，放入油锅炸熟捞出备用。
2. 锅内留底油，下葱、姜、蒜炒香后，放入高汤，滴入老抽、料酒，撒盐、糖、豆瓣酱、花椒粉烧开，再放入鱼头烧透，撒上香菜段即可。

特点

汤汁红亮，鱼头酥香滑嫩，增强食欲，健脑益智。

辣鱼粉皮

原料

带皮青鱼肉200克，干粉皮2张，葱丝、干辣椒段、盐、糖、鸡汤、料酒、酱油、甜面酱、香油、色拉油各适量。

制作

1. 干粉皮掰成块洗净泡软；青鱼洗净切成条，过油。
2. 炒锅注油烧热，投入葱丝和干辣椒段稍炒，烹入料酒、鸡汤，加入甜面酱、盐、酱油、糖、鱼条烧开，撇去浮沫，用中火煮10分钟后，加入粉皮再煮10分钟，淋入香油即成。

特点

粉皮润滑，味鲜微辣。

煳辣鳝鱼

原料

净鳝鱼350克，炸花生米、干红辣椒、花椒、盐、淀粉、盐、花生油各适量。

制作

1. 鳝鱼切段，加盐、淀粉拌匀，过油；花生碾碎，干辣椒切段。
2. 留底油烧热，放干辣椒、花椒炒香，放入鳝鱼、花生碎、少许盐炒匀即可。

特点

鳝鱼香脆，口味麻辣。

辣烧茄子

原料

茄子500克，猪瘦肉、香菜、干辣椒丝、蒜茸、葱花、味精、郫县豆瓣酱、淀粉、老抽、料酒、花生油各适量。

制作

1. 茄子洗净切条，加淀粉拌匀，过油；猪肉切末，香菜切小段。
2. 炒锅注油烧热，下入肉末、干辣椒丝、豆瓣酱、葱、蒜茸炒香，加入料酒、老抽，撒味精，烧开，倒入炸好茄子、香菜段略烧，勾芡即可。

特点

香辣诱人。

辣味蘑菇

原料

鲜蘑菇500克，干辣椒、五花肉、盐、味精、湿淀粉、老抽、鸡汤、花生油、花椒油各适量。

制作

1. 蘑菇洗净撕成块状备用；将五花肉切成片，干辣椒切成丝。
2. 炒锅注油烧热，将五花肉下锅煸香，后加入干辣椒丝、蘑菇略炒，添入少量鸡汤，后撒盐、味精、老抽等调味略烧，用湿淀粉勾芡，淋花椒油即可。

特点

菇鲜味美，注意蘑菇不宜长时间加热。

辣酱粉丝

原料

粉丝100克，瘦肉50克，海米、蒜茸、葱花、味精、香菜末、郫县豆瓣酱、蒜茸辣椒酱、花生油、鸡汤各适量。

制作

1. 粉丝泡发洗净，瘦肉切末，海米洗净。
2. 炒锅注油烧热，放入肉末煸炒，下入葱花、蒜茸、豆瓣酱、海米炒至出红油。
3. 再加入鸡汤、粉丝及味精、蒜茸辣椒酱等略烧入味，撒香菜末即可。

特点

香辣适口，食之有味。

油炸麻辣豆

原料

黄豆500克，盐、花椒粉、辣椒粉、面粉各适量。

制作

1. 将黄豆洗净放锅内煮熟。
2. 把面粉、花椒粉、辣椒粉、盐和水调成稠状面糊，然后把黄豆裹上面糊。
3. 炒锅注油烧热，放入黄豆炸熟即成。

特点

色金黄，味麻辣。

油辣小菜

原料

黄豆100克，大头菜、咸雪里蕻、黄瓜各50克，葱花、辣椒油、盐、味精、醋各适量。

制作

1. 黄瓜洗净切丝，加盐略腌沥干，加味精、醋、辣椒油拌匀；黄豆泡开煮透，加盐、味精、辣椒油拌匀。
2. 大头菜洗净切丝，加盐略腌洗净沥干，加入盐、味精、辣椒油拌匀；咸雪里蕻加水洗净切段，加入葱花、味精、辣椒油拌匀即可。

特点

味美香辣，开胃下饭。

酸辣韭菜炒蛋

原料

嫩韭菜350克，鲜红椒1个，鸡蛋3个，盐、糖、花椒粉、辣椒粉、料酒、香醋、花生油各适量。

制作

1. 韭菜择洗净切段；红椒去籽洗净切小块，入沸水焯过捞出；鸡蛋加盐、料酒搅匀，下锅炒熟；香醋、糖、盐、花椒粉、清水调匀成味汁。
2. 炒锅注油烧热，下辣椒粉炒出香辣味，放入韭菜翻炒，再放入红椒块、鸡蛋翻炒几下，倒入味汁炒匀，出锅即成。

特点

酸辣甜鲜，软嫩爽口。

辣炒茼蒿肉丝

原料

茼蒿500克，猪肉150克，红辣椒25克，蒜、酱油、料酒、盐、湿淀粉、色拉油各适量。

制作

1. 茼蒿洗净切段；蒜去皮洗净捣成茸；红椒去籽洗净切成丝。
2. 猪肉切成丝，加入酱油、料酒腌15分钟。
3. 锅中注油烧热，倒入猪肉丝略炒，下蒜茸爆香，放入茼蒿、盐炒至茼蒿变软，用湿淀粉勾芡，盛入盘中，撒入红椒丝即可。

特点

香辣开胃。

油辣冬笋尖

原料

净冬笋300克，高汤100毫升，鸡精、香油、盐、酱油、辣椒油、花椒各适量。

制作

1. 冬笋煮熟晾凉，切条。
2. 炒锅注香油烧至七成热，下冬笋、花椒煸炒，加酱油、盐炒几下，注入高汤，加鸡精，焖2分钟，待收浓汤汁，盛入盘中，淋上辣椒油拌匀，即成。

特点

白中带红，脆嫩鲜辣。

香辣绿豆芽

原料

绿豆芽500克，香菜50克，干红辣椒25克，葱丝、花椒、盐、味精、醋、花生油各适量。

制作

1. 绿豆芽择洗净，香菜洗净切段，干红辣椒切丝。
2. 炒锅注油烧至五成热，下花椒炸香，捞出去掉，下入葱丝、红辣椒丝炒出香辣味，放入绿豆芽翻炒，烹入醋，加入盐、味精，撒上香菜段炒匀，出锅即成。

特点

脆嫩香辣。

辣烧丝瓜

原料

丝瓜500克，羊肉100克，鲜红尖椒1个，豆瓣酱25克，葱末、姜末、蒜末、盐、白糖、味精、湿淀粉、酱油、料酒、花生油各适量。

制作

1. 丝瓜洗净切条；羊肉洗净切片；红尖椒切块；豆瓣酱剁碎。
2. 炒锅注油烧热，下肉片炒散，下豆瓣酱、葱、姜、蒜末、丝瓜条煸炒几下，加入料酒、酱油、盐、白糖及少许清水煨熟透，下红尖椒块、味精炒匀，收浓汤汁，用湿淀粉勾薄芡，出锅即成。

特点

酱香浓郁，咸鲜香辣。

香辣萝卜带皮肉

原料

白萝卜400克，带皮猪肉200克，葱花、姜片、花椒、郫县豆瓣酱、盐、味精、香油各适量。

制作

1. 猪肉煮至断生，捞出切片；萝卜洗净，切滚刀块。
2. 将煮肉原汤烧开，放入萝卜块、肉片、葱花、姜片、花椒、盐烧开，小火慢煮至肉熟烂，倒入容器中。
3. 把豆瓣酱、香油、味精调匀装入小碟内，佐食肉片、萝卜。

特点

汤汁乳白，清香不腻。

香辣三丝藕片

原料

鲜藕300克，香菜50克，鲜姜、干红辣椒、盐、白糖、味精、白醋、香油、花椒油各适量。

制作

1. 鲜藕洗净去皮切片，入沸水焯烫捞出；香菜切段，鲜姜、干红辣椒切丝。
2. 将藕片加入盐、白糖、味精、白醋、香油，拌匀入味。
3. 将藕片整齐地码在平盘中，撒上香菜段、姜丝、辣椒丝；锅内放入花椒油烧热，浇在三丝上，拌匀即成。

特点

颜色洁白，质地脆嫩，酸甜微辣。

麻辣肉丁

原料

瘦猪肉200克，炸花生米75克，花椒、干辣椒、葱花、姜末、蒜末、盐、味精、糖、湿淀粉、料酒、醋、酱油、色拉油各少许。

制作

1. 将猪肉切丁，加盐、料酒、酱油、湿淀粉、油上浆备用。
2. 料酒、湿淀粉、葱、姜、蒜、糖、酱油、味精调成味汁。
3. 炒锅注油烧热，下花椒、辣椒炸成黑紫色，放入肉丁、味汁烧开，滴少许醋，加入炸花生米即成。

特点

麻辣香鲜，适口。

回锅肉

原料

带皮熟五花肉150克，香葱、葱末、姜末、蒜末、郫县豆瓣酱、糖、味精、酱油、花生油各适量。

制作

1. 将五花肉切成均匀大片；香葱切段。
2. 炒锅注油烧热，加入郫县豆瓣酱、葱姜蒜末炒香。
3. 放入切好的五花肉片，干炒至出油，四周微卷，形似灯盏窝时，加入酱油、糖、味精、香葱段即可。

特点

咸鲜回甜，香辣美味，鲜香诱人。

醪糟红烧肉

原料

带皮五花肉750克，醪糟汁75毫升，冰糖20克，葱段、姜片各25克，鲜汤1000毫升，胡椒、盐、酱油、色拉油各适量。

制作

1. 冰糖加适量水炒至变色，添水制成糖色汁；五花肉洗净切片。
2. 炒锅注油烧热，放入肉片炒至吐油，下葱姜煸炒，添入鲜汤烧沸后去浮沫，加盐、酱油、胡椒、糖色汁和醪糟汁烧至色红、汁浓稠即可。

特点

红烧肉汁浓醇香鲜甜，肉肥软不腻，有开胃助消化之功效。

蒜泥白肉

原料

猪后腿肉350克，蒜、糖、盐、味精、辣椒油、酱油、香油各适量。

制作

1. 猪肉煮熟，用煮肉原汤泡上，待汤凉时将肉取出切成薄片。
2. 蒜撒少许盐捣成泥状，淋入少许香油，用凉开水搅匀，而后加上糖、味精、酱油、辣椒油调成味汁。
3. 用笊篱把薄肉片烫热码在盘内，浇上味汁拌匀即成。

特点

鲜香脆嫩，下饭佳肴。

合川肉片

原料

熟猪肉300克，水发木耳、冬笋各50克，鸡蛋液1个，葱片、姜片、蒜片、豆瓣辣酱、盐、糖、味精、淀粉、酱油、料酒、醋、香油各适量。

制作

1. 猪肉切片加蛋液、盐、淀粉上浆；木耳撕小块，笋切片，豆瓣酱斩细；盐、糖、味精、酱油、醋、料酒、香油调成味汁。
2. 炒锅注油烧热，下入肉片，两面煎黄，加料酒，再下入豆瓣酱、葱姜蒜片炒香上色，投入木耳、笋，烹入味汁，翻匀起锅装盘。

特点

外酥内嫩，酥甜可口；注意烹汁时速度要快，不然肉片不酥。

水煮肉片

原料

猪里脊肉250克，莴笋尖150克，芹菜段、蒜苗段各50克，豆瓣、盐、干辣椒、花椒、湿淀粉、味精、酱油、色拉油、鲜汤各适量。

制作

1. 猪肉切片加盐、湿淀粉拌匀；辣椒、花椒炸香剁成麻辣椒末。
2. 炒锅注油烧热，放莴笋尖、芹菜、蒜苗、盐炒至断生。
3. 另起锅注油烧热，下豆瓣炒出油，加鲜汤、酱油、肉片煮熟，撒入味精、麻辣椒末，淋入热油即可。

特点

重庆名肴，色深红，以麻辣、鲜烫、细嫩著称。

酥肉煲南瓜

原料

嫩南瓜、熟酥肉各200克，葱花、姜末、盐、鸡粉、胡椒粉、花椒、鲜汤、色拉油各适量。

制作

1. 将酥肉切成块，嫩南瓜摘蒂剖开去籽，清洗干净，切块。
2. 炒锅注油烧热，下姜末、花椒爆香，放入南瓜块略炒，添鲜汤烧开，放入酥肉煮至南瓜软熟后，撒盐、胡椒粉、鸡粉调味，起锅装入煲内，撒入葱花即成。

特点

咸鲜清香，软嫩适口。

鱼香肉丝

原料

猪里脊肉450克，冬笋片150克，水发木耳50克，玉米粉、鸡蛋、尖椒、葱、姜、蒜、辣豆瓣、番茄酱、糖、盐、酒酿、酱油、高汤、白醋、红油、香油、色拉油各适量。

制作

1. 将猪里脊肉切丝，加鸡蛋、玉米粉、酱油、盐、水腌渍10分钟，过油；将笋、木耳洗净切丝；葱、姜、蒜、尖椒切成丝。
2. 锅内留少许油，加入辣豆瓣、姜末、蒜末爆锅，再放入笋片、木耳、高汤、肉丝和其他调料，旺火收汁，下入葱花，装盘即成。

特点

色泽红亮，味酸辣甜咸，鲜香可口。

鱼香排骨

原料

小排骨1千克，泡红辣椒、姜丝、蒜末、葱、盐、淀粉、糖、酱油、醋、料酒、花生油各适量。

制作

1. 排骨剁块，加盐、淀粉略腌，过油炸透；葱切段。
2. 炒锅注油烧热，放入姜丝和蒜末炒香，加入泡红辣椒、酱油、醋、糖和料酒搅匀烧热，放入排骨和葱翻匀，收汁出锅。

特点

排骨肉质细嫩，香味浓郁，咸甜香辣适口。

烟熏排骨

原料

肋排500克，葱段50克，花椒25粒，姜片、盐、料酒、香油、色拉油各适量。

制作

1. 肋排剁小块，加上盐、葱段、姜片、料酒、花椒蒸熟取出，挑去葱、姜、花椒，过油。
2. 将炸好的排骨放于铁篦子上，再置于铁锅内，锅内底部放好锯末，点上火烧锅，待熏上烟味和颜色，取出稍凉刷上香油即成。

特点

味香浓，酥脆可口。

辣味蒸排骨

原料

鲜排骨500克，生菜、蒜茸辣酱、香菜末、盐、鸡粉、胡椒粉、老抽、料酒、香油、花生油各适量。

制作

1. 排骨洗净剁段沥干；生菜洗净；将蒜茸辣酱、盐、鸡粉、胡椒粉、老抽、料酒、香油调成酱，均匀地抹在排骨上。
2. 取蒸笼放入排骨蒸熟，撒上香菜末；炒锅注油烧至9成热，浇在排骨上，再装入生菜盘中即可。

特点

排骨鲜嫩，味道独特。

神仙骨

原料

排骨750克，海米末50克，鸡蛋液2个，面包糠、炸蒜末、辣椒粉、芝麻、花生碎、芹菜末、湿淀粉、香油、色拉油适量。

制作

1. 排骨剁成块，加鸡蛋液、盐、湿淀粉挂糊，过油。
2. 面包糠炒变色，加炸蒜末、辣椒粉、芝麻、花生碎拌匀。
3. 炒锅注油烧热，放入排骨、海米末、面包糠、芹菜末、少许香油，翻炒匀起锅装盘即可。

特点

咸鲜微辣，排骨外酥回糯，回味悠长。

宫保鸡丁

原料

鸡脯肉450克，鸡蛋清1个，青红尖椒、花生米、葱、蒜、花椒、番茄酱、盐、糖、淀粉、酱油、醋、香油、花生油各适量。

制作

1. 鸡脯肉切块，加鸡蛋清、淀粉、盐上浆，过油；青红尖椒切成小段；蒜拍碎切末；葱切小段。
2. 炒锅注油烧热，下入花椒炸香；下入青红尖椒、葱段、蒜末和鸡丁煸炒，加番茄酱、酱油、糖、醋、香油、花生米炒匀即可。

特点

鸡丁鲜香细嫩，香辣味浓。

辣子鸡

原料

净鸡1只，蛋清1个，干红辣椒25克，葱花、姜片、香菜段、盐、糖、湿淀粉、料酒、酱油、色拉油各适量。

制作

1. 鸡剁切成丁，加酱油、料酒、盐、蛋清、湿淀粉上浆，过油；红辣椒切成小块；盐、糖、湿淀粉、酱油调成调味汁。
2. 炒锅注油烧热，下入姜片、葱花、辣椒段炝锅，放入鸡丁，添入兑好的调味汁、香菜段翻匀，淋明油，出锅装盘即可。

特点

鸡肉嫩而有嚼劲，口味香辣回甜。

七星芝麻鸡

原料

净肉鸡1只，熟芝麻25克，香油、酱油各25毫升，七星辣椒、葱、糖、味精、花椒粉、醋各适量。

制作

1. 肉鸡洗净煮熟，取出晾凉；葱切成末；七星辣椒剁碎。
2. 将酱油、醋、香油调和，再撒入糖、花椒粉、七星辣椒、味精、熟芝麻、葱末搅拌均匀成味汁。
3. 将熟鸡剁成块，码放盘中，浇味汁后即可食用。

特点

菜品清心悦目，芝麻香酥，鸡肉酸甜香辣。

芋儿鸡

原料

净鸡1只，芋头2个，泡椒、泡姜、葱花、花椒、盐、味精、料酒、鲜汤、植物油各适量。

制作

1. 鸡洗净斩成块；芋头去皮切块，过油；泡椒、泡姜剁切小块。
2. 炒锅注油烧热，下入鸡块煸炒，加入料酒、盐、泡椒、泡姜、花椒、鲜汤煮沸，下芋头烧至鸡熟芋糯，撒入味精、葱花即成。

特点

芋儿鸡是一款特色鲜明的川味乡土江湖菜。

川椒辣子鸡

原料

鸡脯肉300克，青红尖椒、香菇各50克，蛋清、干辣椒丝、泡椒、淀粉、胡椒粉、葱、姜、盐、味精、辣酱、料酒、花生油各适量。

制作

1. 鸡脯肉切丁，加盐、味精、胡椒粉、料酒、蛋清、淀粉上浆，过油；青红尖椒、香菇分别切丁。
2. 炒锅注油烧热，下入干椒丝、泡椒、辣酱、葱、姜炒香，淋入料酒，放入尖椒及香菇丁、鸡丁炒匀，勾芡淋明油即可。

特点

鸡肉滑嫩，辣味十足。

香辣过江鸡

原料

净小公鸡1只，葱段、姜片、蒜、香叶、草果、灯笼椒、盐、味精、麻辣料、辣椒油、植物油、料酒、清汤各适量。

制作

1. 小公鸡取肉切片，加盐、味精、葱、姜腌入味。
2. 炒锅注油烧热，加入辣椒油、麻辣料、香叶、草果、葱段、姜片、蒜、料酒、清汤、鸡骨块煮至汤味香浓，取出鸡骨。
3. 另起锅注辣椒油烧热，放入灯笼椒，放入鸡片煮熟即可。

特点

香辣适口，鸡片爽脆。注意盛器保温要好，辣椒油要封住汤面。

酸菜鱼

原料

草鱼1条，酸菜200克，香葱、淀粉、鸡蛋清、料酒、香油、花生油、鲜汤各适量。

制作

1. 草鱼取肉切片，加蛋清、淀粉上浆；酸菜切块洗净。
2. 炒锅注油烧热，放入鱼骨、酸菜炒香，加入料酒、鲜汤调味，放入鱼肉烧开至鱼肉变白和汤一块倒入器具里，下入香葱、姜片、盐；锅中淋香油，烧至9成热浇在原料上即可。

特点

鱼肉细嫩爽口，汤汁奶白醇香，开胃健脾，醒酒提神。

剁椒鱼头

原料

鲢鱼头1个，剁椒75克，葱花、盐、香菜末、料酒、花生油、鲜汤各适量。

制作

1. 鲢鱼头去鳃洗净切两半，煎至两边变白入盘；剁椒剁碎。
2. 炒锅注油烧热，下入剁椒、葱花炒香，加入料酒，添入少许鲜汤，撒盐调味，浇在鲢鱼头上，上笼蒸10分钟至熟，撒上香菜末；另起锅烧热油浇在原料上即可。

特点

色润鲜香，咸中回甜，注意切鲢鱼头时不能全部分开，要连接在一起。

水煮鱼

原料

净鲈鱼1条，青笋尖5根，鸡蛋清1个，花椒、豆瓣酱、海椒、熟芝麻、香菜段、葱花、蒜块、盐、淀粉、胡椒粉、色拉油、高汤各适量。

制作

1. 鲈鱼取肉切片，加盐、鸡蛋清、淀粉腌制；青笋尖洗净切块。
2. 炒锅注油烧热，下入花椒、豆瓣酱炒变色，添入高汤、蒜块、盐、胡椒粉、青笋尖略煮，放入鱼片微煮，勾芡。
3. 炒锅注油烧热，下入海椒、花椒炝香，淋在鱼片上，加入葱花、芝麻、香菜段等即成。

特点

香气诱人，麻辣浓香，极其惹味。

劲爽血旺鱼花

原料

鲤鱼肉200克，鸭血、豆芽各100克，葱花、姜末、火锅底料、鲜汤、辣椒酱、淀粉、胡椒粉、料酒、花生油各适量。

制作

1. 豆芽洗净焯出，放碗底；鸭血改刀成片，热水焯一下备用。
2. 鲤鱼肉切块，加料酒、淀粉上浆滑油。
3. 炒锅注油烧热，加辣椒酱、姜末炒香，添入汤、火锅底料、胡椒粉烧开，放入鱼花、鸭血，小火烧片刻，撒入葱花即可。

特点

香辣适口，鱼肉细嫩。

清蒸过江鱼

原料

净鲤鱼750克，肥膘猪肉片、熟莴笋丝各100克，葱段25克，姜末、盐、鲜汤、料酒、醋、香油各适量。

制作

1. 鲤鱼切块，加葱、姜、盐、料酒腌渍；加盐、姜、葱段、鲜汤、肥膘肉片蒸熟透取出，揭去肥膘肉和拣去姜葱不用。
2. 莴笋丝放入鱼碗内。
3. 姜、盐、醋、香油调成味汁，同清蒸鱼一同上桌供蘸食。

特点

鱼肉洁白细嫩，汤清澈，味鲜美。

毛血旺

原料

午餐肉、毛肚、牛肚、猪血、猪大肠、豆芽各75克，麻辣粉条、香叶、灯笼椒、姜末、香葱末、盐、鸡粉、火锅料、辣椒油、料酒、花生油、鲜汤各适量。

制作

1. 午餐肉、猪血分别切片；牛肚、毛肚、大肠洗净切小块；豆芽、粉条入沸水焯一下，捞出沥水。
2. 炒锅注油烧热，下火锅料、葱姜末炒香，加料酒、鲜汤、放入午餐肉、毛肚、牛肚、猪血、大肠、鸡粉略煮，撒上香葱末，淋辣椒油，放入香叶、灯笼椒烧热即可。

特点

红亮油润，味道麻辣鲜嫩，汤汁浓香醇厚。

酸辣汤

原料

豆腐100克，冬菇50克，水发海参、水发鱿鱼、猪瘦肉、鸡蛋液、葱花、淀粉、盐、味精、胡椒粉、醋、鸡汤、酱油、色拉油各适量。

制作

1. 豆腐、冬菇、海参、鱿鱼切丝；猪瘦肉切成丝汆熟，加豆腐丝、冬菇丝、海参丝、鱿鱼丝、鸡汤、盐、味精、酱油烧沸，用湿淀粉勾芡，加打散的鸡蛋液制成汤。
2. 将汤冲入放有胡椒粉、醋、色拉油、葱花的大碗中即成。

特点

醒酒去腻，助消化。

麻婆豆腐

原料

豆腐300克，猪肉100克，辣豆瓣酱50克，葱花、姜末、蒜末各25克、盐、湿淀粉、花椒粉、料酒、豆豉、酱油、花生油各适量。

制作

1. 豆腐切块，入沸水焯烫，捞出沥干；将猪肉切成末，辣豆瓣酱剁细。
2. 炒锅注油烧热，下肉末炒香，待水分将干时，放入辣豆瓣酱、豆豉、姜末、蒜末炒香，加入料酒、酱油、水（和豆腐一样多为宜），随即下豆腐、盐，转小火焖熟，用湿淀粉勾芡，撒葱花和花椒粉即可。

特点

色如玉镶琥珀，口味细嫩、鲜烫、酥香。

川汁辣茄饼

原料

茄子300克，五花肉100克，郫县豆瓣酱、老抽、料酒、盐、糖、淀粉、胡椒粉、葱、姜末、辣椒油、白醋、花生油各适量。

制作

1. 茄子洗净去皮切片，五花肉剁细，加盐、老抽、胡椒粉、料酒调味，酿入茄夹里，用淀粉拌匀，入油锅炸熟。
2. 锅留底油烧热，下豆瓣酱、葱、姜炒香味，烹入料酒、醋、糖、盐、老抽烧开，用湿淀粉勾少许芡，淋辣椒油，浇在茄饼上即可。

特点

辣味浓香，外脆里嫩。

银丝顺风虾

原料

鲜虾300克，粉丝、青红椒、蒜茸、盐、胡椒粉、花生油各适量。

制作

1. 虾片成尾部相连的两半，加盐、胡椒粉、蒜茸、粉丝腌好蒸熟；青红椒切细粒；粉丝用开水泡开。
2. 取出蒸熟的虾，撒上青红椒粒，浇上烧热的油即可。

特点

造型别致，口感清新。

山药芝麻粥

原料

大米、黑芝麻各100克，鲜牛奶200克，山药、玫瑰糖、冰糖各适量。

制作

1. 大米淘净，加水浸泡；山药切成细粒；黑芝麻炒香，同大米、山药一起倒入搅拌器，加水和鲜牛奶搅碎，去渣留汁。
2. 锅内添适量清水，放入冰糖烧沸，倒入浆汁，慢慢搅拌，加入玫瑰糖，继续搅拌至熟即成。

特点

香甜可口，滋阴补肾，益脾润肠。

荔枝山药粥

原料

粳米150克，荔枝肉50克，莲子、山药、白糖各适量。

制作

1. 粳米洗净，用冷水浸泡30分钟，捞出沥干；山药洗净，去皮，捣成泥；莲子洗净，用冷水浸泡回软，除去莲心。
2. 锅内添适量冷水，放入荔枝肉和粳米，用大火煮沸，加入山药泥和莲子，改用小火熬煮成粥，加入白糖调味，稍焖片刻即可。

特点

黏稠味美，营养丰富。

莲子山药粥

原料

空心莲子、山药各150克，大米、冰糖、糖桂花各适量。

制作

1. 将莲子用沸水泡软；山药削去皮，切成滚刀块。
2. 锅中放入莲子、山药块、大米、清水，大火煮沸，转小火煮至莲子酥烂。
3. 放入冰糖煮沸，加入少量糖桂花，起锅倒入碗中即成。

特点

甜酸适口，健脾养肺，益肾安神。

冰糖莲子粥

原料

莲子、百合各25克，冰糖、大米各适量。

制作

1. 将莲子去皮、心，放入清水中泡片刻；大米淘洗净。
2. 锅中添入清水、大米、莲子、百合，大火煮开，慢熬成粥。
3. 待莲子百合烂熟，加入冰糖即可。

特点

粥稠香糯，微甜适口，养颜补气。

牛奶麦片粥

原料

牛奶150毫升，麦片、冰糖各100克。

制作

1. 锅中加入清水，大火烧开，放入麦片，用小火煮3分钟。
2. 加入牛奶、冰糖搅匀烧开，起锅盛入碗内即可。

特点

色泽乳白，甜润可口，补益脾胃。

南瓜牛奶粥

原料

牛奶400毫升，南瓜100克，大米50克，洋葱、鸡肉各25克，天麻、盐、胡椒粉、奶油各适量。

制作

1. 天麻加水煮10分钟，去渣取汁；南瓜、洋葱、鸡肉均切丁。
2. 锅中加入奶油烧热，放入洋葱、鸡肉略炒，再放入米、清水，用小火煮20分钟，加入南瓜、牛奶、天麻汁煮10分钟，撒盐、胡椒粉调味即可。

特点

补中益气，安神。

红豆米枣粥

原料

红糯米100克，赤小豆50克，干枣、红糖各适量。

制作

1. 赤小豆洗净，在清水中浸泡8小时；红糯米洗净，在清水中浸4小时；干枣洗净。
2. 锅内注水，放入赤小豆和红糯米、干枣，慢火煲至米烂粥熟。
3. 加入红糖拌匀即可。

特点

颜色美观，味道香浓。

赤小豆粥

原料

赤小豆、糯米各150克，红糖适量。

制作

1. 赤小豆、糯米淘洗干净。
2. 锅内添适量清水，放入赤小豆、糯米用大火煮开，转小火熬煮成粥。
3. 食时加红糖搅匀即可。

特点

益气生乳，利尿消肿。

红豆粥

原料

大米100克，年糕50克，赤小豆25克，盐适量。

制作

1. 红豆洗净煮熟。
2. 大米淘洗干净，放入锅中，倒入适量水煮开。
3. 放入煮熟的红豆和适量的汤汁，用小火煮1个小时左右。
4. 加入盐调味，再放入年糕即可。

特点

柔韧可口，口感软糯。

五宝粥

原 料

赤小豆50克，花生米、绿豆、黑米、红枣各25克，红糖适量。

制 作

1. 将赤小豆、绿豆、花生米、黑米、红枣分别去杂质洗净，浸泡。
2. 锅中添入适量清水，放入赤小豆、绿豆、花生米、黑米、红枣。
3. 用旺火烧开，转小火煮至熟烂，撒入红糖调味即成。

特 点

浓香适口，营养丰富，补血益肝，健脾。

黑米粥

原 料

粳米100克，黑米50克，干枣、银耳各25克，芝麻、黄豆各少许。

制 作

1. 黄豆用温水浸泡1小时，洗净；银耳泡软，去老蒂；红枣去核，黑米、粳米淘洗干净。
2. 锅内添适量清水，放入粳米和黑米煮约1小时，加入黄豆、红枣及洗净的芝麻，继续煮约30分钟即可。

特 点

柔滑可口，颜色美观。

小米红糖粥

原 料

小米100克，红糖适量。

制 作

1. 将小米淘洗干净，放入开水锅内，旺火烧开，转小火煮至粥黏稠。
2. 加入适量红糖搅匀，煮开，盛入碗内即可。

特 点

香黏可口，滋补养身。

197

鸡子粥

原料

糯米100克，阿胶25克，鸡蛋3个，盐、猪油各适量。

制作

1. 将鸡蛋打入碗内搅散；糯米淘洗干净，用清水浸泡1小时。
2. 锅内注水烧开，放入糯米烧开，改用小火煮至成粥，加入阿胶，淋入鸡蛋液烧沸，再加入猪油、盐搅匀即可。

特点

养血安胎。

鸡汁粥

原料

母鸡肉500克，粳米200克，盐适量。

制作

1. 母鸡肉洗净，放入锅中，添水煮汤，撇去鸡油，继续熬煮成浓鸡汁。
2. 粳米淘洗干净，添适量水煮成粥，加入鸡汁和盐，稍煮片刻即可，食用时可配鸡块。

特点

香浓黏滑，营养丰富。

鸡丝粥

原料

大米300克，鸡脯肉100克，碎干贝25克，火腿片、葱末、香菜、盐、胡椒粉、味精、料酒各适量。

制作

1. 锅内放入水、鸡脯肉、料酒旺火烧开，改用小火煨煮至鸡肉熟烂，鸡肉捞出，切成丝；大米淘洗净，香菜择洗净切细粒。
2. 锅中放入清水、大米烧沸，加入鸡肉丝、碎干贝、火腿片熬成粥，撒入盐、味精、胡椒粉、葱末、香菜调味即成。

特点

鲜嫩滑爽，粥香味浓，养生保健。

皮蛋瘦肉粥

[原料]

大米100克，里脊肉100克，去皮皮蛋2个，盐、白胡椒粉、料酒、香油、色拉油各适量。

[制作]

1. 将里脊肉切丁，皮蛋切丁。
2. 将大米淘洗干净，倒入锅中，添入清水熬煮。
3. 将里脊肉丁、皮蛋丁、盐、料酒、香油、色拉油、白胡椒粉，放入米粥中，小火熬煮黏稠即可。

[特点]

粥香润滑，除烦益血，滋阴清热。

茭白猪肉粥

[原料]

粳米、茭白各100克，猪瘦肉50克，香菇25克，盐、味精、猪油各适量。

[制作]

1. 茭白洗净切细丝；香菇切末；粳米淘洗干净，添适量水，旺火烧开，转用小火熬煮成稀粥；猪瘦肉切细末。
2. 炒锅注猪油烧热，放入猪肉末炒散，加入茭白、香菇、精盐、味精炒入味，放入稀粥搅匀，稍煮片刻即可。

[特点]

清热解毒，除烦止渴。

五香甜沫

[原料]

小米250克，菠菜100克，赤小豆50克，花生米、豆腐干各25克，葱末、姜末、盐、八角、花生油各适量。

[制作]

1. 赤小豆、花生米煮熟；小米洗净加水磨成米糊；菜洗净切段；豆腐干切片；葱末、姜末下油锅炸香。
2. 锅内添适量水烧沸，加入八角、盐稍煮，捞出八角，放入豆腐干、菠菜煮沸，倒入米糊、葱姜油、花生米、赤小豆搅匀即可。

[特点]

色黄微咸，五香味浓。

芹香荸荠粥

原料

粳米、芹菜各200克，荸荠150克，萝卜干50克，盐、鸡精、香油各适量。

制作

1. 芹菜择洗净切丁；荸荠去皮切片入沸水焯后捞出；萝卜干洗净切丁入沸水焯后捞出。
2. 粳米淘洗净，放入锅内，添入清水煮沸，转用小火熬煮成粥。
3. 炒锅注入少许香油烧热，下入芹菜略炒，倒入粥内煮沸，加入荸荠片和萝卜干、盐、鸡精拌匀即成。

特点

黏糯清香，滑润爽口，滋肺生津。

甘薯米粥

原料

大米90克，甘薯25克，白芝麻、盐、料酒各适量。

制作

1. 大米淘洗净；甘薯切成小块，冲洗净。
2. 将大米和甘薯放入电饭锅内，添入清水，撒入盐和料酒搅拌后，开始煮。
3. 煮好搅拌，盛入碗中，撒上白芝麻即可。

特点

自然的甜香味，食物纤维丰富，让人更清爽。

芋头咸粥

原料

大米150克，芋头50克，芹菜、虾米各25克，盐、花生油各适量。

制作

1. 芋头、芹菜洗净切丁；大米淘净熬成粥；虾米泡软。
2. 炒锅注油烧热，将虾米爆香，再放入芋头同炒。
3. 将原料倒入粥内同煮；待芋头等都熟软时，撒入盐调味，放入芹菜末拌匀即可。

特点

咸香可口，浓淡得当。

包心菜粥

原料

粳米100克，包心菜（圆白菜）150克，虾米、姜丝、盐、味精、色拉油各适量。

制作

1. 包心菜洗净切细丝；粳米洗净，用凉水浸泡半小时。
2. 炒锅注油烧热，放入包心菜丝、虾米、姜丝煸炒，加入味精、盐翻几下，起锅装入碗内；锅内添适量水，倒入粳米，旺火煮沸，改用小火熬成粥，加入炒包心菜丝，搅匀即可。

特点

粥润滑黏稠，菜清香味美。

大枣银耳粥

原料

大米300克，大枣、冰糖各50克，银耳25克，莲子、枸杞各适量。

制作

1. 将银耳用温水泡发回软，择洗干净；大枣洗净，泡软去核；莲子、枸杞分别洗净，泡软；大米淘洗净。
2. 锅中放入银耳、大枣、莲子、枸杞、大米、清水同煮至黏稠，加冰糖调匀即可。

特点

甜香软烂，补血养颜。

松子粥

原料

粳米、松仁各50克，蜂蜜适量。

制作

1. 将松仁研碎，粳米淘洗干净。
2. 锅中放入松仁碎、粳米、清水熬煮成粥。
3. 加入适量蜂蜜即可。

特点

香甜可口，营养丰富。

木耳粥

原料

籼米、水发木耳各100克，白菜、猪瘦肉各50克，虾米25克，盐、香油各适量。

制作

1. 将猪肉洗净切末，白菜洗净取心，洗净切丝；黑木耳洗净切细丝；虾米洗净。
2. 炒锅注香油烧热，加白菜心、猪肉末、黑木耳煸炒，撒入盐调味，盛入碗中；籼米淘洗净，加水煮成粥，放入上述原料调和即可。

特点

香浓营养，口感润滑。

木瓜粥

原料

粳米100克，木瓜200克，冰糖50克。

制作

1. 木瓜洗净，用冷水浸泡，上笼蒸熟，趁热切成小块；粳米淘洗干净，用冷水浸泡半小时，捞起沥干。
2. 锅中添适量冷水、粳米，旺火煮沸，改用小火煮半小时。
3. 加入木瓜块、冰糖煮至粳米软烂即可。

特点

甜美营养，滑软绵香，润肤丰胸。

白果冬瓜粥

原料

稀粥1碗，冬瓜150克，白果仁25克，姜末、盐、胡椒粉、高汤各适量。

制作

1. 将白果仁洗净，浸泡回软，入沸水焯透，捞出，沥干水分。
2. 冬瓜洗净，去皮、瓤，切厚片。
3. 锅中放入高汤、姜末煮沸，加入稀粥、白果、盐、胡椒粉烧开，下入冬瓜片，搅拌均匀，煮5分钟，出锅即可。

特点

咸鲜微苦，疏通血管，护肝润肤，抗衰老。

香菇牛肉粥

[原料]

大米、香菇各150克，熟牛肉100克，盐、味精各适量。

[制作]

1. 将熟牛肉切成细丁。
2. 香菇放入水中发透，捞出切成碎粒；大米淘洗净。
3. 锅中放入清水、大米烧沸，加入牛肉丁、香菇粒，小火熬煮成粥，撒入盐、味精搅匀即成。

[特点]

补虚养生。

南瓜蛤蜊粥

[原料]

大米200克，嫩南瓜、蛤蜊肉各100克，香油、酱油各适量。

[制作]

1. 大米加水浸泡，嫩南瓜切丝。
2. 蛤蜊肉用热香油略炒，放入水、米烧开，改用小火煮30分钟左右。
3. 至粥熟，加酱油调味，撒嫩南瓜丝略煮即可。

[特点]

蛤蜊鲜浓，南瓜糯香，增强免疫力。

虾球粥

[原料]

鲜虾350克，大米200克，干贝25克，香菜、葱花、糖、盐、酱油、色拉油、淀粉各适量。

[制作]

1. 大米淘洗净，添入适量清水烧沸，放入干贝同煮；香菜切末。
2. 将虾去头、壳、沙线洗净，加少许盐、浅色酱油、糖、色拉油、淀粉拌匀。
3. 粥将煮好，加入虾肉煮沸，调好味，撒入香菜末、葱花即成。

[特点]

虾肉鲜嫩，粥味香浓。

小米红枣粥

原料

小米100克，去核红枣、赤小豆各25克，红糖少许。

制作

1. 红豆洗净泡涨，添水煮至半熟。
2. 放入洗净的小米、红枣，煮至烂熟成粥，以红糖调味即可。

特点

色泽黄亮，柔腻香甜。

红枣山药粥

原料

山药250克，大米100克，枣25克，白糖适量。

制作

1. 将红枣用沸水涨发后去核切丁；山药去皮切丁；红枣丁和山药丁都加白糖腌30分钟。
2. 将大米大火12分钟熬成粥，加入红枣丁、山药丁，用小火熬10分钟即可。

特点

粥香枣甜，山药对孩子的肠胃很有好处。

生姜大枣粥

原料

大米250克，大枣5个，生姜4块，盐适量。

制作

1. 大米淘洗净；生姜去皮，切成薄片；大枣去核，对半切开备用。
2. 将米放入锅中，干炒一下，倒入适量水、大枣、生姜片。
3. 文火慢煮至粥熟，加少许盐调味即可。

特点

滋补益气，姜味浓厚。

枸杞红枣粥

原料

大米50克，红枣（去核）、枸杞各25克，白糖适量。

制作

1. 将枸杞、红枣用水泡软；大米淘洗净备用。
2. 锅中加水，倒入大米、枸杞、红枣同煮至黏稠，加入白糖调匀即可。

特点

养肾补阴。

荔枝红枣粥

原料

粳米100克，荔枝、红枣、冰糖各适量。

制作

1. 荔枝去皮；红枣洗净，去核；粳米淘洗干净。
2. 锅内注冷水，放入荔枝肉和粳米，用旺火烧沸后放入红枣，再改用小火熬煮成粥。
3. 放入冰糖拌匀，煮片刻即可。

特点

甜美滋补，口感黏滑。

山楂大枣莲子粥

原料

大米、山楂肉各50克，大枣、莲子各25克。

制作

1. 将山楂肉、大枣、莲子洗净放入砂锅内加水。
2. 用小火煮至莲子熟烂，放入洗净的大米，煮至黏稠即可。

特点

补血养身，酸甜味美。

橘香绿豆粥

原料

绿豆100克，小米50克，冰糖25克，鲜橘皮适量。

制作

1. 将小米和绿豆洗净，放入砂锅中，加水大火煮沸，改慢火煲1小时。
2. 煮至绿豆开花，加入几片橘皮、适量冰糖煮片刻即可。

特点

清热解毒，滋味甘香。

绿豆竹叶粥

原料

大米100克，绿豆25克，银花露、鲜荷叶、鲜竹叶、冰糖各适量。

制作

1. 将鲜荷叶、鲜竹叶用水洗净，共煎，取汁去渣。
2. 绿豆、大米淘洗净，共煮沸，兑入银花露及药汁，文火缓熬至粥熟，调入冰糖即可。

特点

清暑化湿。

麦片竹叶粥

原料

大米100克，麦冬25克，去核红枣6枚，甘草、竹叶各适量。

制作

1. 将麦冬、甘草、竹叶用水煎熬，取浓汁。
2. 大米淘洗净，加水、红枣、浓药汁一起煮成粥即可。

特点

清香甜润，清热解暑，益气健胃。

粳米大麦花生粥

[原料]

粳米150克，大麦、花生米各100克，冰糖50克。

[制作]

1. 大麦、花生米洗净，粳米淘洗净。
2. 将大麦、花生米放入锅中，大火煮至麦粒快开花时，放入粳米煮至米烂。
3. 加入冰糖调味即可。

[特点]

滋味甘甜，营养丰富。

灵芝小麦粥

[原料]

糯米、小麦各50克，白糖、灵芝各25克。

[制作]

1. 小麦和糯米洗净浸透；灵芝洗净。
2. 锅中加水，放入灵芝煮30分钟至出味。
3. 取砂锅，放入水、小麦、糯米，用慢火熬烂，加入灵芝汁、白糖煮片刻即可。

[特点]

滋补益气，口感甜美。

荞麦粥

[原料]

荞麦200克，百合根、枸杞、干贝、干香菇、春菊、盐、酱油、鸡蛋各适量。

[制作]

1. 干贝洗净，浸汁留用；香菇洗净切丝浸汁；干百合根、枸杞洗净泡软；荞麦洗净煮熟。
2. 把干贝汁、香菇汁加香菇、干贝煮透，放入荞麦略煮，加百合根、枸杞、春菊，打成蛋花稍煮，加盐、酱油调味即可。

[特点]

营养滋补，风味独特。

207

枸杞粥

原料

大米、枸杞叶各150克，盐适量。

制作

1. 大米洗净，用水浸30分钟，沥干，与水同放煲内，大火煮开，小火煲至米烂。
2. 枸杞叶洗净，放入粥内煮10分钟，离火，加适量盐调味即可。

特点

黏稠香滑，治虚劳，清理肠胃。

枸杞粳米粥

原料

粳米100克，菟丝子、枸杞各25克，白糖适量。

制作

1. 将粳米、枸杞洗净备用。
2. 菟丝子洗净捣碎，加水煎煮，去渣取汁。
3. 将枸杞、粳米加入菟丝子汁、水煮至米熟软，加入白糖稍煮片刻即成。

特点

补肾益精，养肝明目。

金银花粥

原料

大米、金银花各50克。

制作

1. 金银花用水煎煮，取浓汁。
2. 大米淘洗净，加水、浓汁同煮成稀粥即可。

特点

清热解毒，防治中暑。

菊花粥

[原料]

大米100克，菊花末15克。

[制作]

1. 菊花去蒂，上笼蒸透，取出晒干或阴干，磨成细末备用。
2. 大米淘洗净，放入锅内，加水烧沸，转文火煮至五成熟，加入菊花细末，文火煮至米烂成粥即可。

[特点]

口感独特，清热佳品。

桑菊粥

[原料]

粳米50克，霜桑叶、菊花各25克，川贝母适量。

[制作]

1. 将桑叶、菊花、川贝母洗净，装进已消毒的纱布袋内。
2. 将纱袋放入煲中，注适量水煮30分钟，捞去药袋，放入粳米煮成粥即可。

[特点]

营养丰富，滋味清香。

荷叶粥

[原料]

大米100克，鲜荷叶1张，冰糖少许。

[制作]

1. 将荷叶洗净，切成3厘米见方的方块，入锅加水适量烧沸，文火煎煮15分钟，去渣留汁。
2. 将大米洗净入锅，倒入荷叶汁，加冰糖和适量水，熬煮成粥即成。

[特点]

消化湿浊，适于体质肥胖者。

参苓粥

原料

大米100克，人参、白茯苓、生姜各适量。

制作

1. 将人参切薄片，茯苓、生姜捣碎。
2. 将人参、茯苓、生姜浸泡半小时，煎取药汁两次，药汁合并，放入大米同煮成粥即可。

特点

益气，健脾胃，利水渗湿。

麦冬粥

原料

大米150克，麦冬、大枣、冰糖各适量。

制作

1. 将大米、麦冬、大枣淘洗干净。
2. 锅中加水，倒入大米、麦冬、大枣，大火煮沸，小火煨至米烂、粥稠即可。

特点

粥味甘甜，滋阴润肤。

决明子粥

原料

大米50克，决明子10克，冰糖少许。

制作

1. 将决明子炒至微黄，取出冷却后加入水中熬成汁。
2. 将大米淘洗净，与决明子汁同煮至黏稠，加入冰糖即可。

特点

清肝明目，通便。

杏仁川贝百合粥

[原料]

大米50克，杏仁、百合各30克，川贝母适量。

[制作]

1. 杏仁、川贝母、百合洗净，装入已消毒的纱布袋内煮1小时，去渣取汁。
2. 将大米和煮出的汁放入锅中，煮成粥即可。

[特点]

滋补养身，美味可口。

大米碎肉粥

[原料]

牛肉250克，大米200克，干虾仁、葱丝、香菜、姜丝、蒜、盐、胡椒粉、湿淀粉、酱油、料酒、花生油各适量。

[制作]

1. 大米淘洗净；牛肉切片用湿淀粉、酱油、料酒略腌；干虾仁泡好；香菜切小段。
2. 炒锅注油烧热，炒香干虾仁和蒜瓣，添水放入米烧开，改用小火煮40分钟，放入牛肉、盐、胡椒粉调味；食用时撒入香菜和葱姜丝就可以了。

[特点]

经典家常做法，配料丰富，粥香浓郁。

肉丸粥

[原料]

猪肉200克，粳米100克，淀粉25克，葱末、盐、酱油、料酒各适量。

[制作]

1. 粳米淘洗净，浸泡半小时，捞出沥干。
2. 猪肉切末，加葱末、料酒、酱油、盐和淀粉拌匀，搓成丸子。
3. 粳米放入锅中，添冷水用旺火烧沸，改用小火熬煮25分钟，放入肉丸煮至米烂肉熟时即可。

[特点]

粥味香浓，咸香软糯，美味可口。

白菜肉末粥

原料

粳米200克，白菜100克，猪肉末50克，香菇、盐、味精、色拉油各适量。

制作

1. 粳米洗净，加水用小火慢煮；白菜洗净切丝；香菇切小块。
2. 炒锅注油烧热，放入猪肉末、白菜丝、香菇块翻炒，撒盐、味精调味；待粳米烂熟时，将猪肉末、白菜丝、香菇块一起放入粥内，烧沸后即可。

特点

鲜美可口，营养丰富。

靓仔菜肉粥

原料

大米100克，猪肉末30克，青、红甜椒各1个，木耳、盐、花生油、葱末各适量。

制作

1. 将青、红甜椒去籽洗净，切成碎丁；木耳水发后洗净切成丁；大米洗净后添水煮成粥。
2. 炒锅注油烧热，下葱末、盐炒出香味，倒入猪肉末、青红甜椒丁、木耳翻炒，炒熟后放入粥中搅匀即成。

特点

多种营养成分结合，让孩子摄取均衡营养。

鲇鱼粥

原料

鲇鱼250克，粳米100克，香菜、香油、盐、味精、胡椒粉各适量。

制作

1. 将鲇鱼从鳃部撕开，去内脏，洗净；香菜洗净切末。
2. 锅内添清水烧开，放入鲇鱼煮熟，捞起去鱼刺。
3. 将鱼汤与淘洗干净的粳米一同煮成粥，加入盐、味精、鲇鱼肉、香油、香菜末、胡椒粉，稍煮即成。

特点

黏滑适口，营养味美。

猪蹄粥

原料

猪蹄400克，粳米100克，通草、漏芦、葱白段、盐、味精各适量。

制作

1. 猪蹄去毛洗净，剁成块；通草、漏芦放入锅中，加适量清水熬煮至汁浓，去渣取汁。
2. 锅内放入猪蹄、药汁、粳米、葱白，添适量清水煮至肉烂熟，加入味精、盐调味即可。

特点

通乳汁、利血脉。

猪蹄当归粥

原料

猪蹄350克，粳米100克，当归、葱、盐、味精、酱油各适量。

制作

1. 将猪蹄去毛洗净，加入清水和当归煎取浓汤，剁块；葱洗净切末；粳米淘洗干净。
2. 猪蹄汤捞出当归，放入粳米、猪蹄一同煮成粥，加葱花、盐、味精、酱油调味，稍煮即成。

特点

益气，补血，通乳。

翡翠鸡羹

原料

青菜叶200克，鸡脯肉末50克，熟火腿末25克，鲜汤、盐、味精、绍酒、湿淀粉、植物油各适量。

制作

1. 青菜叶洗净用沸水焯过，捞出，过凉搅碎，加适量水成青菜汁；鸡脯肉末加少许鲜汤调稀。
2. 锅内添鲜汤烧沸，放入青菜汁、鸡脯肉末烧沸，加入盐、味精、绍酒，用湿淀粉勾芡，撒入熟火腿末，淋明油即成。

特点

碧绿鲜美，增进食欲，健脾和胃。

鸭血鲫鱼粥

原料

鲫鱼250克，粳米、鸭血100克，葱段、姜末、盐、味精、香油各适量。

制作

1. 粳米淘洗干净；鲫鱼洗净、切小块，和葱、姜、盐一同放入锅中，添水适量，旺火煮沸，小火将鱼煮至烂熟。
2. 用汤筛滤出鲫鱼汤；用鲫鱼汤汁加入鸭血、粳米及适量水，煮成粥，再淋入香油，撒味精即可。

特点

清香爽口，营养丰富，软糯易嚼。

海蜇羹

原料

海蜇皮200克，鸡蛋3个，火腿100克，姜、盐、淀粉、胡椒粉各适量。

制作

1. 海蜇洗净沥干；火腿剁成茸。
2. 鸡蛋取蛋白搅匀，加入冷开水3/4杯，再搅匀，入碟蒸熟。
3. 煲内添汤煲滚，加姜、盐，用湿淀粉勾芡，将蒸熟的蛋白放入汤内，放入海蜇，撒上火腿茸即可。

特点

鲜脆可口，颜色清新。

沙参银耳粥

原料

沙参、银耳、粟米各50克，冰糖少许。

制作

1. 将沙参洗净，放入砂锅中，加水煮40分钟；粟米、银耳洗净备用。
2. 将沙参取出，放入银耳、粟米煮1小时，加入冰糖熬至溶化即可食用。

特点

营养丰富，美味香甜。

白菜蒸饺

原料

面粉500克，白菜300克，猪肉馅100克，木耳粒、海米粒、胡萝卜粒、花椒水、葱花、姜末、白胡椒粉、盐、鸡精、糖、生抽、花生油各适量。

制作

1. 白菜加盐剁成泥，挤水放入肉馅中，再加入葱花、海米、姜末、花椒水、糖、生抽、胡椒粉、木耳、胡萝卜、盐、花生油、鸡精调成馅。
2. 面粉加热水揉成面团，饧1小时揪成剂子，擀成皮，放入适量的馅捏成饺子，放入蒸锅，蒸15分钟即可。

特点

营养均衡。

三鲜蒸饺

原料

精面粉500克，熟鸡肉250克，水发海参、大虾、葱花、色拉油各100克，笋50克，姜末、花椒粉、盐、淀粉、酱油、香油各适量。

制作

1. 鸡肉、海参、笋切丁，大虾去皮切成碎丁，一同加酱油、淀粉、盐、葱、姜、花椒粉、色拉油、香油搅匀成馅。
2. 面粉用开水烫好揉成面团，搓成长条，揪成剂子，擀成圆形薄皮，包入馅，捏合成月牙形的饺子；放入蒸锅，蒸熟即可。

特点

味香腴嫩，口感嫩滑。

白萝卜水饺

原料

面粉500克，白萝卜600克，鲜香菇80克，虾米50克，葱末、姜末、盐、味精、白糖、胡椒粉、香油、猪油各适量。

制作

1. 白萝卜洗净切丝焯烫过凉剁碎，挤干；香菇、海米切碎沥干。
2. 将萝卜碎、葱末、姜末、盐、味精、糖、胡椒粉、香油、猪油拌匀，制成馅料；面粉加水和成面团揪剂子，擀成饺子皮，包入馅料，捏成饺子；锅内注水烧开，放入饺子煮熟即可。

特点

味道鲜咸，清淡适口。

猪牛肉饺

原料

猪肥肉、牛肉各600克，面粉400克，鸡蛋100克，葱、姜、盐、味精、白糖、酱油、胡椒粉、香油各适量。

制作

1. 猪肉、牛肉剁馅；葱、姜制成葱姜水；猪肉馅、牛肉馅加盐、味精、酱油、胡椒粉、葱姜水、香油搅成猪牛肉馅。
2. 将面粉加盐、水、鸡蛋混合，揉搓成面团，揪剂子，擀成大小均匀面皮，包入馅，制成饺子，煮熟即可。

特点

浓浓的汤汁，香嫩的口感。

牛肉馅水饺

原料

面粉500克，牛肉400克，猪肋条肉100克，干贝50克，葱、姜、盐、味精、花椒、八角、料酒、胡椒粉、香油各适量。

制作

1. 葱、姜洗净切末；花椒、八角泡水；干贝发透，切末；牛肉洗净剁馅；猪肉洗净剁馅。
2. 将牛肉、猪肉馅、干贝末加调料拌匀成馅。
3. 面粉加水和好揉透，揪剂子擀成饺子皮，包馅捏紧，入锅煮熟即可。

特点

皮面爽滑，馅心鲜美可口。

牛肉玉兰片水饺

原料

面粉500克，牛肉300克，玉兰片、葱、姜、盐、味精、花椒粉、酱油、香油各适量。

制作

1. 玉兰片入沸水焯一下沥干，切末；葱、姜切末；牛肉洗净剁泥。
2. 牛肉、花椒粉、酱油、盐、味精、葱末、姜末、玉兰末搅匀，制成馅料。
3. 面粉加水和成面团，揪剂子，擀饺子皮，包馅捏紧，入锅煮熟即可。

特点

咸香味鲜，风味独特。

墨鱼水饺

原料

面粉、猪肉、墨鱼各300克，盐、味精、胡椒粉、豌豆淀粉各适量。

制作

1. 猪肉洗净剁成肉馅；墨鱼处理干净，切小粒。
2. 墨鱼中加盐、味精、胡椒粉、淀粉，用筷子向一个方向拌匀，直到墨鱼上劲后和肉馅混合调匀，做成饺子馅。
3. 水饺面皮中包入适量的馅，捏成饺子，放入烧开的锅内，煮熟即可。

特点

墨鱼味道浓郁，柔韧鲜美。

古道鱼汤饺子

原料

富强粉250克，鳜鱼200克，鸡蛋150克，韭菜、猪肥肉各100克，香菜、盐、味精、胡椒粉、香油、葱、姜、酱油、醋各适量。

制作

1. 面粉加水揉成面团；葱、姜加料酒、水煮开取汁；猪肉、韭菜剁末。
2. 鱼肉剁细，加葱姜水、肥肉末、盐、味精、胡椒粉、鸡蛋、香油、酱油、韭菜末、香油搅匀成饺子馅；用面团揪剂子、擀皮，包成鱼馅饺子，放入鱼汤中煮熟，用醋、胡椒粉、香菜末、香油调成汁即可。

特点

饺子鲜嫩，汤汁浓鲜，酸辣可口。

荸荠鸡肉饺

原料

面粉、鸡肉各300克，荸荠150克，枸杞、大头菜、盐、酱油、白糖、香油、胡椒粉、植物油各适量。

制作

1. 鸡肉洗净切粒，大头菜、荸荠切粒；枸杞蒸熟；将鸡肉、大头菜、荸荠、枸杞、盐、酱油、白糖、香油、胡椒粉、植物油搅匀，制成馅料。
2. 面粉加水揉成面团，揪剂子，擀成饺子皮，包成饺子大火蒸熟即可。

特点

造型美观，口感味美。

香菇冬瓜蒸饺

原料

面粉500克，冬瓜、鲜香菇、猪肉各150克，火腿、香菜、葱、姜、盐、味精、胡椒粉、淀粉、香油、猪油、花生油各适量。

制作

1. 葱、姜切末；猪肉、香菇洗净切丁；火腿切丁；冬瓜切丁，入沸水焯后沥干；锅内注花生油烧热，放入所有原料炒匀，制成馅。
2. 面粉加水揉成面团，揪剂子，擀成饺子皮，包馅捏紧，旺火沸水蒸熟即可。

特点

清淡爽口，不油不腻，营养价值高。

金针菇水饺

原料

面粉、金针菇各500克，猪肉馅300克，盐、味精、植物油各适量。

制作

1. 金针菇洗净入沸水氽烫切粒，放入盐、味精、植物油、肉馅搅匀，制成饺子馅。
2. 面粉加适量水揉成面团，揪剂子，擀成饺子皮，包成饺子。
3. 锅内注水烧沸，放入饺子煮熟即可。

特点

清鲜味美，风味独特。

荠菜饺子

原料

面粉、荠菜各500克，虾皮50克，盐、味精、酱油、葱花、植物油、香油各适量。

制作

1. 荠菜洗净切碎，加虾皮、盐、味精、酱油、葱花、植物油、香油拌匀，制成馅。
2. 面粉加水揉成面团，揪剂子，擀成合适的饺子皮，包入馅，捏成饺子；锅内注水烧沸，放入饺子煮熟即可。

特点

荠菜味浓，鲜美异常。

素五丁饺

原料

面粉250克，鲜香菇、鲜玉米、豌豆、胡萝卜各50克，松仁25克，葱、味精、白糖、淀粉、鸡蛋、植物油各适量。

制作

1. 鲜香菇入沸水焯过捞出沥水切粒；胡萝卜洗净切丁，和玉米、豌豆一起入沸水焯过，捞出冲凉；锅内注油烧热，放入所有原料炒匀成馅。
2. 面粉加盐、水、鸡蛋揉成面团，揪剂子，擀饺子皮，包馅捏紧，煮熟即可。

特点

五丁味道完美融合，天然鲜美。

洋葱饺

原料

面粉、猪肉、洋葱各250克，葱、姜、盐、味精、鸡蛋、植物油各适量。

制作

1. 猪肉洗净，绞成肉馅；洋葱洗净切末，加盐、油、味精、肉馅搅匀，制成馅料。
2. 面粉加精盐、水、鸡蛋揉成面团，揪剂子，擀成饺子皮，包入馅，捏成饺子；锅内注水烧滚，放入饺子煮熟即可。

特点

辛香开胃，略带微辣。

蛤蜊水饺

原料

面粉500克，莴笋400克，猪肉馅、蛤蜊各250克，葱花100克，盐、味精、植物油各适量。

制作

1. 蛤蜊煮熟取肉切粒；莴笋去皮切细丝，加适量盐，揉捏、挤干水分；将莴笋丝、葱花、蛤蜊肉和鲜肉馅搅匀，制成馅料。
2. 面粉加水揉成面团，揪剂子，擀成饺子皮，包成饺子。
3. 锅内注水烧滚，放入饺子煮熟即可。

特点

口感鲜美，风味迷人。

雪菜芦笋饺

原料

面粉、腌雪里蕻、芦笋各250克，植物油、盐、味精、白糖、香油、鸡蛋各适量。

制作

1. 雪菜入沸水焯过，捞出，去咸味，切末；芦笋入沸水焯过，捞出切粒。
2. 将雪菜、芦笋粒、盐、油、味精、白糖、香油搅匀，制成馅。
3. 面粉加水、盐、鸡蛋揉成面团，揪剂子，擀成饺子皮，包馅捏紧，入锅煮熟即可。

特点

雪菜甘咸爽口，芦笋嫩绿清香。

萝卜干饺

原料

面粉、猪肉各250克，萝卜干100克，葱花、盐、味精、香油、鸡蛋各适量。

制作

1. 萝卜干切粒；猪肉洗净绞成肉馅；将萝卜干粒、油、葱花、盐、味精、肉馅搅匀，制成馅料。
2. 面粉加盐、水、鸡蛋揉成面团，揪剂子，擀成饺子皮，包成饺子。
3. 锅内注水烧滚，放入饺子煮熟即可。

特点

咸甜适宜，香脆微辣。

京味馄饨

原料

面粉300克，猪肉、猪胫骨各250克，虾皮50克，香菜、冬菜、紫菜干、葱末、姜末、盐、酱油、胡椒粉、香油各适量。

制作

1. 猪肉剁泥；香菜切段；紫菜撕块；猪骨洗净，煮成馄饨汤。
2. 猪肉泥加酱油、盐、葱末、姜末、香油、水搅匀，制成馅料。
3. 面粉加水揉匀，擀馄饨皮，包馅，入猪骨汤煮熟，盛碗中，撒香菜、胡椒粉即可。

特点

馄饨皮薄，馅鲜汤醇，色味俱佳。

馄饨汤

原料

面粉200克，猪肉馅、白菜各100克，芹菜50克，鸡蛋清、盐、白糖、味精、白胡椒粉、香油、葱花各适量。

制作

1. 面粉加水、鸡蛋轻揉成面团，擀成馄饨皮；猪肉馅加盐、白糖、味精、白胡椒粉、芝麻油、葱末拌匀后，包入馄饨皮内。
2. 锅内注水烧滚，加馄饨、白菜、芹菜末、盐、味精、胡椒粉、香油、葱花煮熟即可。

特点

馄饨口感细腻、鲜香、有劲润滑。

红油馄饨

原料

面粉200克，猪肉、鸡蛋各50克，面酱、辣椒油、蒜泥、葱花、醋、味精、花椒粉、胡椒粉、盐、香油各适量。

制作

1. 猪肉剁泥，加鸡蛋、胡椒粉、盐、味精、香油拌成肉馅；面酱、辣椒油、蒜泥、葱花、醋、味精、花椒粉拌成红油汁。
2. 面粉加水揉成面团，擀馄饨皮，包肉馅，对折成型。
3. 馄饨入沸水锅煮熟，拌匀红油汁即可。

特点

鲜辣香浓，味道丰富。

鲜肉蛋黄馄饨

原料

面粉300克，猪肉馅200克，咸蛋1个，香菜末、料酒、盐、葱姜水、高汤、胡椒粉各适量。

制作

1. 面粉加水揉成面团；猪肉馅加入料酒、盐、葱姜水、咸蛋黄丁拌成馅料；面团切成均匀小段，包入馅，制成馄饨。
2. 锅内添水烧开，下入馄饨煮熟至浮起，盛入加高汤、盐、胡椒粉的碗中，撒上香菜末即成。

特点

蛋黄咸香，馄饨汤香醇，口感丰富。

荠菜馄饨

原料

面粉200克，猪肉馅250克，荠菜末100克，鸡蛋液1个，葱花、盐、米酒、清鸡汤、味精各适量。

制作

1. 猪肉馅加鸡蛋、米酒、盐、荠菜末制成馅；面粉揉成面团。
2. 把面团制成馄饨皮，包上馅，制成馄饨。
3. 锅内加水烧开，放入馄饨，待馄饨浮起即放入煮沸的鸡汤中，撒上葱花即可。

特点

荠菜口味清新，并含有多种有益成分。

腐皮黄鱼包

原料

黄鱼500克，豆腐皮300克，火腿50克，面粉、猪板油、植物油、料酒、盐、味精、香油、胡椒粉、葱末各适量。

制作

1. 火腿、板油切末；豆腐皮切成三角形，面粉加水调成糊。
2. 黄鱼取肉切丝，加火腿、板油、盐、味精、香油、胡椒粉、葱末搅匀成馅料；将馅料放入豆腐皮包成春卷状，用面粉糊粘住。
3. 锅内注油烧热，下入腐皮黄鱼，炸至金黄色，捞起即可。

特点

酥脆适口，味道香浓。

火腿虾肉包

原料

面粉500克，熟火腿200克，虾仁200克，姜末、盐、味精、鸡汤、胡椒粉、料酒、香油、酵母各适量。

制作

1. 火腿切末；虾仁洗净沥水，加盐、味精、姜末、胡椒粉、料酒、香油腌渍，加入火腿末、鸡汤拌成馅料。
2. 面粉加酵母、温水和好，擀成圆皮，放入馅料制成包子。
3. 将包子摆入屉中，用旺火沸水蒸熟即可。

特点

膨松柔软，鲜咸味浓。

海米粉丝包

[原料]

面粉500克，白萝卜300克，粉丝100克，虾米、猪油各50克，盐、味精、白糖、料酒、鸡粉、醋、香油、食用碱、酵母各适量。

[制作]

1. 粉丝泡软切碎；海米泡发切碎；萝卜擦丝，放盐略腌沥干。
2. 将粉丝、海米、萝卜加料酒、盐、糖、香油、猪油、味精和鲜鸡粉拌为馅料；面粉加酵母、温水和好，擀成圆皮，包入馅料，制成包子；旺火沸水蒸熟即可。

[特点]

鲜嫩味鲜，清淡适口。

洋葱牛肉包

[原料]

面粉500克，牛肉、洋葱各250克，葱汁、姜汁各50克，盐、味精、白糖、酱油、香油、泡打粉、酵母各适量。

[制作]

1. 将面粉、酵母、泡打粉、白糖加水揉成面团，牛肉洗净绞馅，加调料、葱姜汁水搅至上劲，洋葱切末，加入牛肉馅搅匀。
2. 面团擀包子皮，包馅捏好，蒸熟即可。

[特点]

牛肉软嫩，葱香酱甜，爽口有劲。

咖喱牛肉包

[原料]

面粉500克，牛肉400克，洋葱300克，盐、味精、白糖、咖喱粉、料酒、淀粉、猪油、酵母各适量。

[制作]

1. 牛肉洗净剁末，滑散；洋葱切丁；锅内注油烧热，放咖喱粉炒香，加洋葱丁、牛肉末、料酒、鸡汤、盐、味精、糖制成馅料。
2. 面粉加酵母、温水揉成团，擀成圆皮，包入馅料，收边捏紧，制成包子；摆入屉中，用旺火沸水蒸熟即可。

[特点]

咖喱味浓，爽口不腻。

三鲜长寿包

原料

富强粉500克，马齿苋200克，猪肉、虾米各50克，味精、盐、植物油、酵母各适量。

制作

1. 马齿苋泡发洗净切段；选用肥七瘦三的猪肉洗净剁成肉馅。
2. 将水发海米切碎，同肉馅、马齿苋放入盆中，加调料拌匀成馅。
3. 面粉加酵母、温水揉成面团，搓为长条，揪成30个面剂，擀成包子皮，包入调好的馅，蒸熟出锅即成。

特点

营养丰富，口味咸香。

三鲜汤包

原料

面粉700克，猪肋条肉、冬笋各200克，鸡肉100克，海参、虾仁各60克，葱、姜、盐、味精、酱油、香油、花生油、食用碱、酵母各适量。

制作

1. 葱、姜切末备用；猪肉剁茸；虾仁剁碎；冬笋、鸡肉、海参均切丁备用；将所有原料拌成馅。
2. 面粉加酵母、温水揉成面团，擀成包子皮，包入馅料，收边捏紧，制成包子，摆入屉中，用旺火沸水蒸熟即可。

特点

滋味鲜美，汁多不腻。

雪笋包

原料

面粉600克，猪肉、芥菜各300克，冬笋100克，白糖、植物油、酱油、盐、胡椒粉、味精、淀粉、泡打粉、酵母各适量。

制作

1. 面粉、干酵母粉、泡打粉、白糖、水揉成面团；猪肉煮熟，剁丁；冬笋洗净剁丁。
2. 炒锅注油烧热，加肉丁、笋丁、白糖、油、酱油、盐、胡椒粉、味精、雪菜末炒匀成馅；面团擀成面皮，包入馅捏好蒸熟即可。

特点

雪菜辛香，笋嫩爽脆，风味浓郁。

牛肉芹菜包

原料

面粉500克，牛肉300克，芹菜200克，姜、盐、白糖、醪糟汁、食用碱、豆瓣、花生油、酵母各适量。

制作

1. 姜、芹菜切末；牛肉切细；锅内注油烧热，放入豆瓣炒酥，放入牛肉、醪糟汁、盐、糖、姜末、芹菜末搅成馅料。
2. 面粉加酵母、温水揉匀，加食用碱揉匀，擀成圆皮，包入馅料，收边捏紧，制成包子，摆入屉中，旺火沸水蒸熟即可。

特点

皮薄色白，馅鲜细嫩，味咸微辣。

麻酱素包

原料

面粉500克，粉丝、绿豆芽各100克，水面筋、豆腐干各25克，香菜、植物油、芝麻酱、盐、味精、白糖、酵母各适量。

制作

1. 将面粉、酵母、泡打粉、白糖加水搅拌成块，揉成面团。
2. 将粉丝、豆芽、面筋、豆干、香菜均切粒，加油、芝麻酱、盐、味精拌匀。
3. 将发好的面团分小块，擀成面皮，包入馅，捏好，蒸熟即可。

特点

清素甘美，柔嫩爽口，麻酱飘香。

香菇素包

原料

面粉500克，香菇、油菜各200克，干木耳100克，油面筋60克，酵母、盐、味精、白糖、植物油、香油各适量。

制作

1. 面粉加酵母、温水和成面团；香菇、木耳泡发洗净切碎；油面筋洗净切碎；油菜洗净入沸水焯熟切碎。
2. 锅内注油烧热，放香菇、黑木耳、油面筋、白糖、盐炒熟，加入油菜、味精、香油拌成馅；面团擀成皮包入馅捏好蒸熟即可。

特点

外酥内软，鲜香可口。

香菇油菜包

原料

面粉500克，油菜300克，香菇碎100克，木耳碎、粉丝各50克，葱末、姜末、盐、糖、味精、泡打粉、酵母粉、香油、色拉油各适量。

制作

1. 面粉加水、泡打粉、酵母粉揉成面团，粉丝、油菜煮熟剁碎。
2. 将馅料加葱末、姜末、盐、糖、味精、香油、色拉油拌成馅。
3. 将发好的面团切成剂子，擀成包子皮，包入馅制成包子，上蒸锅蒸20分钟即成。

特点

香鲜适口，营养丰富。

鸡丁汤包

原料

面粉750克，鸡肉、猪肉各500克，猪肉皮、虾皮、葱末、姜末、盐、白糖、酱油、料酒、食用碱、酵母各适量。

制作

1. 熟鸡肉、猪肉切丁；猪肉皮洗净煮熟剁碎；面粉加酵母、温水揉好，擀成包子皮。
2. 锅内加鸡汤、猪皮、鸡肉丁、酱油、盐、虾皮、料酒、葱姜末烧沸，撇浮沫，收浓后冷却；猪肉加酱油、糖、葱姜末、鸡丁、猪皮汤搅匀成馅；面皮包入馅捏紧，旺火沸水蒸熟即可。

特点

鲜香味美，回味无穷。

白果包

原料

面粉500克，白果、栗子各100克，干枣、赤小豆、柿饼各75克，白糖、酵母、泡打粉各适量。

制作

1. 面粉、酵母、泡打粉、白糖、水揉成面团；白果去壳烫过，去内皮；板栗去外壳及内膜；红枣去核、皮；红豆焖至熟烂。
2. 柿饼、白果、板栗、红枣切丁，加红豆、糖、面粉搅成馅料。
3. 面团分小块，擀包子皮，包馅捏好，蒸熟即可。

特点

五仁香酥，口感甜脆，风味浓郁。

豆腐素蒸包

[原料]

面粉500克，豆腐500克，虾米、粉条、油菜各20克，盐、味精、葱末、姜末、植物油、酵母、食用碱各适量。

[制作]

1. 面粉加酵母、温水揉匀；粉条、油菜、海米、豆腐切末。
2. 将粉条末、油菜末、豆腐末、海米末、葱姜末、盐、味精、植物油调拌均匀，制成馅。
3. 将面团擀成大小均匀面皮，包入馅入蒸笼内蒸20分钟即成。

[特点]

素雅清香，口味鲜美。

冬瓜肉包

[原料]

面粉500克，冬瓜400克，猪肉100克，酱油、姜末、葱末、盐、味精、香油、酵母各适量。

[制作]

1. 面粉加酵母、温水揉匀，发后揉匀；猪肉剁泥，加酱油、味精、香油、葱末、姜末搅匀。
2. 冬瓜去皮剁末，加盐拌匀，挤去水分，加肉馅拌好；将包子捏好，入笼蒸熟即成。

[特点]

制作简便，鲜香软滑。

咸菜猪肉包

[原料]

面粉500克，猪肉500克，干咸菜200克，葱花、姜末、酱油、白糖、猪油、料酒、味精、酵母各适量。

[制作]

1. 面粉加酵母、温水揉成团；咸菜水洗净切末；猪肉洗净切丁。
2. 锅内放酱油、糖、猪肉丁、葱花、姜末、料酒、水烧开，倒入咸菜末煸炒，倒入猪油，炒拌均匀，出锅加入味精制成馅料；将面团擀成大小均匀面皮，包入馅料，蒸熟即可。

[特点]

咸甜适口，清爽不腻。

227

冬菜包

原料

面粉500克，冬菜300克，猪油100克，火腿、虾米、盐、味精、香油、酵母、食用碱各适量。

制作

1. 面粉加酵母、温水和好发酵；冬菜洗净，切碎沥干，和香油入锅炒好；猪板油、火腿肉切碎，加海米、盐、味精拌成馅料。
2. 将面团揪成剂子，擀成圆皮，包入馅料，将包好的包子摆入笼屉内，用旺火蒸熟即可。

特点

皮暄馅美，回味无穷。

冬菜鸡蛋包

原料

面粉500克，冬菜末300克，鸡蛋3个，泡打粉、酵母粉、葱末、姜末、盐、糖、香油、色拉油各适量。

制作

1. 面粉加水、泡打粉、酵母粉揉成面团；鸡蛋打散炒碎。
2. 冬菜末、鸡蛋、葱末、姜末、盐、糖、香油、色拉油拌成馅。
3. 将发好的面团切成剂子，擀成包子皮，填入馅，制成包子，放入蒸锅蒸15分钟即成。

特点

冬菜咸香，鸡蛋嫩滑，开胃下气，益血生津。

小笼汤包

原料

面粉500克，猪肉300克，肉皮清冻200克，葱白、盐、味精、酱油、花椒、甜面酱、花椒粉、食用碱、香油、酵母各适量。

制作

1. 葱白洗净切末；花椒取花椒水；猪肉剁末；猪皮冻绞成碎末。
2. 将所有材料和调料搅匀，制成馅料。
3. 面粉加酵母、温水揉匀发起，加食用碱揉匀，擀成包子皮，包馅捏紧，摆入屉中蒸熟即可。

特点

鲜香味美，油而不腻。

三鲜炒饼

原料

大饼、菜心各100克，水发海参、熟虾仁、净笋片、鸡肉各50克、盐、味精、白糖、植物油、酱油、绍酒、清汤各适量。

制作

1. 海参、鸡肉、笋片切丁，大饼切条；菜心洗净入沸水焯熟，铺盘底。
2. 炒锅注油烧热，下入饼条炸至金黄；锅留底油烧热，放入海参丁、鸡肉丁、虾仁、笋丁煸炒片刻，烹入绍酒、清汤烧沸，加入酱油、盐、味精、白糖烧入味，起锅浇在饼条上即成。

特点

荤素搭配，营养均衡，增进食欲。

小米烙饼

原料

小米300克，面粉200克，葱50克，盐、花椒粉、花生油各适量。

制作

1. 葱洗净切末；小米淘洗干净煮至八成熟捞出。
2. 小米加入面粉、葱末、盐、花椒粉拌匀揉透，搓成长条，分成剂子，擀成圆饼；锅内注花生油烧热，放入圆饼烙黄，刷上一层花生油，翻身烙黄熟透即可。

特点

软嫩咸香，营养丰富。

玉米面饼子

原料

玉米面400克，黄豆粉200克，发酵粉、花生油各适量。

制作

1. 玉米面、黄豆粉用温水、发酵粉搅匀，饬好分成小块。
2. 高压锅内抹油烧热，把面团放入用手按成饼形，盖盖，加上高压阀，上汽2至3分钟后，打开锅，在空隙处倒些沸水，几分钟后改用小火，待水汽放完后，即可铲出。

特点

松软香甜，脆而不硬。

蒸韭菜蛋饼

原料

面粉500克，嫩韭菜400克，鸡蛋4个，料酒、葱、盐、色拉油各适量。

制作

1. 嫩韭菜择洗净切段；葱洗净，切成细末；鸡蛋打散搅匀。
2. 面粉加水和成薄浆，加入打好的蛋液、料酒、盐和葱花，随即再将韭菜倒入拌匀；将面粉糊摊入盘中，放入蒸屉蒸熟即可。

特点

鲜咸适口，开胃助消化。

吊炉烧饼

原料

面粉500克，盐、食用碱、花生油各适量。

制作

1. 面粉加温水、碱、盐揉成面团，搓成条，分成剂子，擀薄片，刷花生油，擀成饼坯。
2. 将饼坯放入烧至七成热的吊炉饼铛上，盖上烧热的炉盖，烤约8~10分钟，至饼皮金黄酥脆，里面柔软熟透即可。

特点

此饼外焦里软，香脆可口。

干菜油酥烧饼

原料

面粉500克，梅干菜200克，鸡蛋液、海米、葱末、姜末、盐、味精、食用碱、香油、猪油、花生油、酵母各适量。

制作

1. 面粉加酵母、水、花生油揉成水油酵面；余面粉揉油酥面。
2. 梅干菜泡软切末；猪油切粒；海米切末；鸡蛋液加葱末、姜末、盐、香油、味精拌成菜馅；水油酵面擀薄片，包入油酥面，卷成条分剂子，包入馅心，擀成饼坯，刷蛋液，烤至金黄色即可。

特点

外酥内软，醇香味浓。

椒盐家常饼

原料

面粉500克，花生油50克，椒盐、白糖各适量。

制作

1. 面粉加椒盐、糖、温水和面团，饧20分钟，分成面剂，擀成圆皮，刷上花生油，擀薄成饼坯。
2. 锅内注油烧热，放入饼坯烙至两面都呈金黄色且饼皮酥松时出锅，食时可改切小块。

特点

咸中带甜，酥软可口。

煎饼果子

原料

绿豆浆400克，籼米粉100克，油条50克，鸡蛋液1个，香菜、葱、甜面酱、辣椒酱、花生油各适量。

制作

1. 绿豆浆加籼米面、水调成糊；香菜切碎；葱洗净切碎。
2. 平锅抹花生油烧热，舀绿豆籼米糊摊成薄圆片，放上鸡蛋液摊匀变色，用刮子从煎饼边上刮下，揭起，翻扣在锅上，刷甜面酱、辣椒酱，放油条、葱末、香菜末，叠成四方形即可。

特点

天津风味，脆软适口。

油煎南瓜饼

原料

南瓜250克，糯米粉200克，红豆沙125克，白糖、花生油各适量。

制作

1. 南瓜洗净切块蒸熟，晾凉后去皮捣成糊，加糯米粉和白糖，搓成粉粒状，蒸熟晾凉，搓成条状，揪成10个小团。
2. 将小团捏扁，包上豆沙馅，按成圆饼，即成为南瓜饼坯。
3. 炒锅注油烧热，放入饼坯煎熟即可。

特点

色泽美观，香甜软糯。

香脆黄瓜饼

原料

面粉250克，嫩黄瓜100克，油炸花生米25克，鸡蛋1个，葱末、盐、糖、花生油各适量。

制作

1. 黄瓜洗净切丝；花生米拍成碎粒。
2. 盐、糖添少许清水、鸡蛋、面粉、黄瓜丝、葱末拌成糊状。
3. 炒锅注油烧热，倒入面糊，撒上花生粒推匀，用小火煎至熟透，两面呈金黄色即成。

特点

黄瓜清香，多吃黄瓜能补充大量水分。

营养蛋饼

原料

鸡蛋1个，草鱼25克，洋葱、番茄酱、花生油各少许。

制作

1. 洋葱切成碎末；鱼肉煮熟，去皮、刺，研碎；鸡蛋液放入碗内，加入鱼肉泥、洋葱末，调拌均匀成馅待用。
2. 炒锅注油烧热，将馅团成小圆饼，放入油锅内煎炸至熟，起锅装盘；将番茄酱淋蛋饼上，晾温即可喂食。

特点

蛋饼色泽美观，软嫩鲜美，营养全面。

裙带菜土豆饼

原料

土豆、裙带菜各25克，盐、淀粉、色拉油各适量。

制作

1. 裙带菜切碎，入沸水焯烫至熟；土豆去皮，煮熟，趁热压成土豆泥。
2. 在土豆泥中加入裙带菜，撒盐搅拌均匀，做成2个小汉堡肉的形状，均匀地沾上淀粉。
3. 炒锅注油烧热，将沾上淀粉的小汉堡肉两面煎黄。

特点

香鲜可口，素而不腻。

饼卷小牛肉

原料

牛里脊肉300克，春饼6张，老干妈酱25克，辣椒碎20克，鸡蛋1个，花椒碎、葱末、姜、蒜、糖、味精、湿淀粉、酱油、花生油各适量。

制作

1. 牛肉切丁，加入蛋清腌制，滑熟；蒜苗洗净，切成丁。
2. 炒锅注油烧热，下入姜、蒜、葱末、辣椒碎、花椒碎、老干妈酱爆香，加入牛肉丁，再加入盐、酱油、糖、味精翻炒，用湿淀粉勾芡，出锅装盘，搭配春饼一同上桌即可。

特点

牛肉鲜嫩，辣而不燥，搭配春饼食用，鲜香满口。

肉饼子炖蛋

原料

猪肋条肉150克，鸡蛋1个，盐、酱油、料酒各适量。

制作

1. 将洗净的肉剁成肉末放入碗中。
2. 打入鸡蛋，加上述调料后用筷打散。
3. 放蒸锅中蒸15分钟即成。

特点

味鲜，肉嫩。

炸茄饼

原料

茄子300克，猪五花肉200克，鸡蛋、葱、姜、蒜、盐、胡椒粉、面粉、香油、花生油各适量。

制作

1. 将猪五花肉、葱、姜、蒜、切成末，加入调料制成肉馅。
2. 茄子洗净，斜切夹刀片，将肉馅填充其中，挂上用鸡蛋、面粉、水调成的糊备用。
3. 炒锅注油烧热，下茄饼炸至金黄色，捞出装盘即可。

特点

外酥里嫩，香辣适口。

233

炸酱面

原料

手擀面250克，黄酱200克，猪五花肉150克，黄瓜、葱末、糖、味精、料酒、香油、色拉油各适量。

制作

1. 将黄瓜洗净切丝；猪五花肉切丁。
2. 炒锅注油烧热，下入葱末爆香，放入猪肉丁煸炒，加入黄酱、水、料酒炒熟，再加糖、味精、香油炒匀，制成炸酱卤。
3. 面条煮熟，捞入碗内，放上黄瓜丝，浇入炸酱卤即可。

特点

酱香浓郁，面条爽滑。

三鲜面

原料

面条200克，鲜虾100克，韭菜75克，火腿丁50克，盐、胡椒粉、生抽、香油、色拉油各适量。

制作

1. 面条煮熟，捞出过凉沥水，盛于碗内。
2. 韭菜洗净切末；鲜虾洗净，去虾脚、虾线。
3. 炒锅注油烧热，加入少许水、盐、胡椒粉、生抽、香油，放入鲜虾稍煮，撒上韭菜末、火腿丁，制成汤卤，浇在面条上即可。

特点

鲜香爽滑，缓解便秘。

鲜鱼面

原料

净鲈鱼肉200克，面条150克，鸡蛋清1个，油菜、葱花、姜末、辣豆瓣、盐、淀粉、料酒、花生油各适量。

制作

1. 鲈鱼肉片成片，加盐、料酒、鸡蛋清、湿淀粉上浆，滑熟；油菜取心煮熟，摆在汤盘内；面条煮熟，放入碗内。
2. 炒锅注少许油烧热，加入辣豆瓣、姜末、料酒、水烧沸，用湿淀粉勾芡，淋在鱼片上，撒上葱花即可。

特点

味香鲜嫩，造型美观。

担担面

原料

面条500克（面粉加水、鸡蛋揉制而成），菠菜250克，芽菜、香油、麻酱、酱油、葱花、辣椒油各适量。

制作

1. 将麻酱加香油调稀；芽菜洗净，用刀剁成细末；将全部调料调匀放碗内。
2. 锅中注水烧开，下入面条煮熟，放入择洗净的菠菜稍烫一下，一同捞出放入碗中即成。

特点

口味鲜香，咸辣滑软，别具风味。

刀切面

原料

面粉500克，菠菜300克，猪肉150克，木耳、葱、盐、味精、料酒、香油各适量。

制作

1. 面粉加盐、水和成面团，切成面条；猪肉洗净，切丝；木耳泡发洗净；菠菜洗净，纵向一切为二；葱洗净切末。
2. 锅内注清水烧沸，放肉丝、木耳、盐和料酒煮沸，加菠菜煮沸，再加味精、香油、面条，煮熟捞出，浇上菠菜肉丝汤即可。

特点

清淡适口，色美味鲜。

爆锅面

原料

挂面200克，韭菜200克，草菇、猪肉丝各50克，水发木耳30克，鸡蛋1个、盐、鸡粉、生抽、香油、色拉油各适量。

制作

1. 分别将韭菜洗净切段，草菇切丝，木耳切丝；锅内加入少许油烧热，放入肉丝炒熟，放入木耳丝、草菇丝略炒。
2. 倒入开水，加入盐、鸡粉、生抽、香油调味，再放入挂面煮熟，淋入鸡蛋液，最后放入韭菜段略煮即可。

特点

色泽分明，口味清淡。

茭白肉丝面

原料

面条300克，猪肉150克，茭白75克，香菇25克，葱、姜、盐、味精、料酒、白酱油各适量。

制作

1. 香菇洗净切丝；葱切段；姜切片；茭白煮熟切丝。
2. 猪肉洗净，加料酒、葱段、姜片、盐、水煮熟，捞出切丝；捞出葱段、姜片，放入香菇丝煮沸，加入白酱油、味精。
3. 将面条煮熟，放入适量肉丝、茭白丝，浇入香菇鲜汤即可。

特点

汤清色淡，肉嫩味鲜。

家常肉末卤面

原料

面条300克，肉末150克，醋、葱花、姜末、蒜末、香菜末、辣椒酱、盐、糖、味精、酱油、料酒、色拉油各适量。

制作

1. 炒锅注油烧热，下入葱花、姜末爆香，放入肉末煸炒变色。
2. 加入醋、酱油、料酒、糖、香菜末烧开，撒入盐、味精、蒜末调匀，制成卤汁；锅中添入清水烧开，放入面条煮熟，捞入碗内，倒入卤汁，加辣椒酱拌匀即成。

特点

酸辣可口，开胃消食。

香菇打卤面

原料

面条200克，香菇丝150克，竹笋丝100克，水发木耳50克，香葱末、盐、鸡粉、生抽、高汤、香油、色拉油各适量。

制作

1. 木耳切丝；手擀面煮熟，捞出沥水，盛于碗内。
2. 炒锅注油烧热，下香葱末爆香，放入香菇丝、竹笋丝、木耳丝，添入高汤，加入盐、鸡粉、生抽、香油调味，制成汤卤，浇在面条上即可。

特点

清香滑爽，补肝肾，健脾胃，助消化。

芸豆打卤面

原料

挂面300克，芸豆250克，猪肉100克，水发木耳25克，鸡蛋1个，香葱末、盐、鸡粉、生抽、蚝油、香油、色拉油各适量。

制作

1. 芸豆择洗净丝；猪肉、木耳切丁，鸡蛋打散；挂面煮熟。
2. 炒锅注油烧热，下入香葱末爆锅，放入猪肉丁、芸豆丝煸炒，倒入适量开水，加入盐、鸡粉、生抽、蚝油烧开，倒入鸡蛋液，淋入香油制成卤汁；将卤汁浇在面条上即可。

特点

口味鲜美，温中下气，利肠胃，活血降压。

京味打卤面

原料

面条200克，五花肉100克，鸡蛋1个，香菇、黄花菜、木耳、口蘑、葱段、姜片、蒜、花椒、淀粉、鸡精、盐、老抽、香油各适量。

制作

1. 香菇、黄花、木耳、口蘑泡发；蒜切末；鸡蛋打散；五花肉加葱、姜煮熟，切片。
2. 香菇、黄花菜、木耳、口蘑加肉汤、盐、鸡精、老抽炖煮，勾芡，加蛋液、香油、花椒、蒜末，面条煮熟，浇卤即可。

特点

香菇味浓，鲜香无比。

油菜丝炒面

原料

面条150克，油菜250克，葱、盐、味精、酱油、花生油、鲜汤各适量。

制作

1. 油菜洗净切丝；葱切末；面条煮熟。
2. 炒锅注油烧热，放葱末炝锅，加油菜丝煸炒，加盐、酱油、味精和鲜汤翻炒均匀；将油菜丝盛入碗内，锅内留下菜汁，倒入晾凉的面条，煸炒至收汁，放油菜丝，翻拌均匀即可。

特点

柔韧滑润，鲜香清爽。

肉丝炒面

原料

挂面200克，五花肉、胡萝卜、黄瓜、香菇、水发木耳、方火腿各50克，葱花、盐、鸡粉、生抽、香油、色拉油各适量。

制作

1. 挂面煮熟；五花肉、胡萝卜、黄瓜、香菇、木耳、火腿分别切丝。
2. 锅内加少许油烧热，下入葱花爆锅，放入肉丝煸炒，再加入胡萝卜丝、香菇丝、木耳丝、火腿丝、盐、鸡粉、生抽炒匀，淋入香油，倒入面条炒匀即可。

特点

色泽分明，口感滑爽，明目活血。

什锦汤面

原料

面条500克，猪肉片150克，熟火腿片、生冬笋片、水发口蘑片各50克，葱花25克，姜末、盐、味精、胡椒粉、料酒、酱油、高汤、色拉油各适量。

制作

1. 炒锅注油烧热，下入肉片、葱、姜、冬笋煸炒，待肉散开，放入熟火腿片、口蘑片、盐、胡椒粉、料酒、高汤、酱油烧开，撇去浮沫，待肉烂时再加入味精，即成红汤。
2. 面条煮熟，分盛在5个碗中，浇上红汤即成。

特点

汤味鲜美，面条滑软，营养丰富。

肉丝汤面

原料

面条600克，圆白菜250克，猪腿肉、菠菜各100克，白酱油、肉骨汤、味精、花生油各适量。

制作

1. 猪腿肉、圆白菜洗净切丝，入沸水焯透盛出；面条煮熟过凉。
2. 锅内注油烧热，放入菠菜、面条、酱油、肉骨汤烧开，加味精，将面条盛出，菠菜放在面上，最后把已熟的圆白菜、肉丝加油翻炒后，覆盖于菠菜之上即成。

特点

红、黄、绿、白四色相间，汤汁浓郁，滋味鲜美。

韩式冷汤面

原料

面条150克，牛肉200克，圆白菜100克，小黄瓜50克，鸡蛋1个，泡菜、白芝麻、奶油、葱末、姜末、辣椒酱、白糖、醋、盐、香油各适量。

制作

1. 小黄瓜切片加盐腌软，沥干拌香油；冷面略煮捞出过凉沥干。
2. 把小黄瓜、牛肉、圆白菜、泡菜、鸡蛋、盐、葱末、姜末、白糖、醋、香油下锅炖煮1小时，捞出蔬菜。
3. 牛肉切片；冷面盛碗，放上牛肉片、小黄瓜片、煮鸡蛋、泡菜、辣椒酱、冷藏的牛肉汤，撒上白芝麻即可。

特点

凉润鲜香，滋味丰富。

什锦拌面

原料

面条200克，鲜香菇、油菜心、胡萝卜各50克，葱花、盐、味精、老抽、香油、花生油各适量。

制作

1. 鲜香菇洗净切片，油菜心洗净，胡萝卜切粗丝，均入沸水焯透捞出。
2. 锅中添入清水烧开，下面条煮熟，捞出过凉，控去水分。
3. 炒锅注油烧热，下葱花、香菇片、油菜心、胡萝卜丝煸炒，加入盐、味精、老抽调味，放入面条略炒，淋入香油炒匀即可。

特点

鲜香清爽，助消化，降血脂。

芝麻酱拌面

原料

面条300克，芝麻酱100克，酱油、白糖、味精、精盐、香油、辣椒油各适量。

制作

1. 取酱油、白糖、味精、盐加水300克煮沸，即成调味用的鲜酱油；将芝麻酱加芝麻油搅成浆状麻酱。
2. 锅内注水烧沸，放入面条煮熟，捞出沥干水分，盛入碗中。
3. 面条上加鲜酱油、麻酱、辣椒油或香油即可。

特点

麻香扑鼻，咸中带甜。

滋味凉面

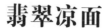

原料

面条100克，火腿25克，黄瓜、番茄、裙带菜各少许，白糖、盐、奶酪、香油、酱油各少许。

制作

1. 火腿切片；黄瓜切片；番茄去皮切碎；奶酪切片。
2. 将酱油、香油、糖、盐混合加热至沸腾，熄火放凉；面条煮熟，捞出盛入盘内，淋上加热的酱油调料，放火腿片、黄瓜片、番茄、裙带菜和奶酪片即成。

特点

味道鲜香，配料丰富，色彩鲜艳，很能引起幼儿食欲。

翡翠凉面

原料

面条500克，金华火腿、黄瓜、虾米、鸡肉、榨菜各50克，盐、味精、香油、植物油、酱油、辣椒油、腐乳汁、醋、姜、芝麻酱、蒜各适量。

制作

1. 面条煮熟，捞出沥干水分，加盐、味精、香油、植物油拌匀，冷藏；鸡肉煮熟切末；虾米、榨菜切末；火腿、黄瓜切丝；姜切末；蒜切泥。
2. 将所有材料搅匀盛碟，和面拌匀食用。

特点

色泽翠绿，在凉中透着清香，最宜夏天食用。

蒸拌冷面

原料

面条300克，绿豆芽100克，花生油、醋、香油、酱油、辣椒油、芝麻酱、姜丝、白糖、味精各适量。

制作

1. 面条煮熟沥干水分，冷却，浇熟油，避免粘在一起；芝麻酱用冷开水调薄；绿豆芽烫熟；酱油烧开加味精、白糖、冷开水调和。
2. 将冷面盛在碗中，放姜丝、绿豆芽、芝麻酱、香油、米醋、酱油、辣椒油拌匀即可。

特点

面条软熟爽滑，咸中带甜，酸辣适口。

四川冷面

原料

挂面200克，火腿、黄瓜、水发木耳、胡萝卜各50克，葱油、辣椒、盐、鸡粉、辣椒油各适量。

制作

1. 挂面煮熟，捞出过凉水，拌入少许葱油。
2. 将辣椒、火腿、黄瓜、木耳分别切丝；胡萝卜切丝，入沸水焯过。
3. 将辣椒丝、火腿丝、黄瓜丝、木耳丝、胡萝卜丝摆入面条上，将盐、鸡粉、辣椒油搅匀，撒在表面上即可。

特点

口感微辣，具有浓郁四川风味特色。

杂菜拌荞麦面

原料

荞麦面200克，鲜香菇50克，嫩青菜心50克，胡萝卜50克，盐、味精、老抽、香油、花生油各适量。

制作

1. 鲜香菇切片，油菜心洗净，胡萝卜洗净去皮切粗丝，均入沸水焯过捞出。
2. 汤锅加清水烧开，下面条煮熟，捞出过凉，沥去水分备用。
3. 炒锅加油烧热，下香菇片、青菜心、胡萝卜煸炒，加入盐、味精、老抽调味，再放入面条，淋上香油拌炒均匀即可。

特点

香鲜，清爽，适口。

肉丝荞麦面

原料

荞麦面条250克，黄瓜丝100克，猪肉丝、木耳丝各50克，葱丝、盐、味精、酱油、香油、色拉油、鲜汤各适量。

制作

1. 面条煮熟，过凉，盛于碗内。
2. 炒锅注油烧热，放葱丝、猪肉丝翻炒，加黄瓜丝、木耳丝、盐、味精、酱油炒熟。
3. 炒锅添鲜汤烧滚，和黄瓜丝、肉丝、木耳丝浇面条上，淋上香油，拌匀即可。

特点

鲜香软滑，营养美味。

鸡汤面条

鸡肉500克，面条250克，盐25克。

【制 作】

1. 鸡肉洗净切块，煮熟，肉捞出，汤撇清留用。
2. 锅内注水烧滚，放入面条煮熟，捞出。
3. 将清汤、适量盐调匀，放入面条，在面条上放置鸡肉即可。

【特 点】

简单易做，味道清鲜。

家常荞麦面条

【原 料】

荞麦面250克，青菜丝100克，猪肉丝、木耳丝各50克，葱丝、盐、味精、酱油、香油、食油、鲜汤各适量。

【制 作】

1. 炒锅注油烧热，爆香葱丝、肉丝，加青菜丝、木耳丝、盐、味精、酱油炒熟。
2. 面条煮熟过凉，捞出沥水；鲜汤烧滚，调好口味，浇入面条碗内，再把炒好的青菜肉丝放在面条上面即可。

【特 点】

制作简便，鲜香软滑。

海鲜伊面

【原 料】

挂面200克，韭菜100克，火腿丁50克，水发海参2个，虾仁、盐、鸡粉、胡椒粉、生抽、香油、色拉油各适量。

【制 作】

1. 挂面煮熟，捞出备用；韭菜洗净切末。
2. 锅内注油烧热，下虾仁、盐、鸡粉、胡椒粉、生抽、香油炒匀，放海参稍煮，撒韭菜末、火腿丁制成汤卤，浇面条上即可。

【特 点】

色泽碧绿，口感爽滑，营养丰富。

海鲜宽面条

原料

宽面条250克，河虾150克，鲜扇贝100克，牛奶、奶油、黄油、盐、胡椒粉各适量。

制作

1. 锅内注水烧沸，放入宽面条用大火煮熟，捞出沥去水分。
2. 锅内注黄油烧热，放入扇贝肉、虾、牛奶及奶油拌匀，大火煮开，取出后加入盐、胡椒粉调味。
3. 将扇贝混合物淋在面条上，加盖大火烧开即可。

特点

奶香和海鲜的鲜美交融，口感滑润。

虾米葱油面

原料

面条300克，葱100克，虾米、酱油各25克，白糖、黄酒、味精、植物油各适量。

制作

1. 虾米用黄酒浸发；葱切段；炒锅注油烧热，放葱段煎黄，加虾米煸炒，加酱油、白糖，炒至葱段颜色将近变黑时出锅。
2. 锅内注水烧沸，放入面条煮熟，装在盛有味精、酱油的碗中，将葱油倒入面中，吃时拌透即可。

特点

香味浓郁，面条爽滑，鲜美异常。

炒乌龙面

原料

乌龙面150克，圆白菜、胡萝卜各50克，鲜香菇、鸡肉各25克，熟白芝麻、色拉油、盐、酱油各适量。

制作

1. 锅内注水烧沸，放入乌龙面烫熟，捞出弄散；圆白菜、胡萝卜、香菇切成细丝。
2. 锅内注油烧热，放入鸡肉和蔬菜翻炒，加入乌龙面和适量水，稍煮片刻，最后用盐、酱油调味，撒上白芝麻即可。

特点

口味清淡，营养健康。

虾仁炒饭

原料

米饭200克，鸡蛋1个，大虾50克，黄瓜、葱、盐、胡椒粉、色拉油各适量。

制作

1. 将鸡蛋打散；葱洗净切花；黄瓜切丁；大虾洗净去肠线。
2. 炒锅注油烧热，倒入鸡蛋液炒散成块。
3. 炒锅注油烧热，下葱花爆香，放入米饭、鸡蛋、黄瓜、大虾、盐、胡椒粉翻炒均匀即成。

特点

虾鲜饭香，极富营养。

大虾捞饭

原料

白米饭200克，大虾、番茄酱、盐、糖、葱姜片、西兰花、料酒、鲜汤、花生油各适量。

制作

1. 大虾洗净去掉虾须、虾爪，炸熟捞出；西兰花入沸水氽烫捞出。
2. 炒锅注油烧热，放入葱姜片略炒，烹料酒、少许汤、番茄酱、糖、盐、虾烧至汤汁浓稠，将虾捞出。
3. 将米饭扣入盘内，放上大虾、西兰花，浇汁即可。

特点

甜酸适宜，红白绿相间，诱人食欲。

香菇薏米饭

原料

大米300克，薏米、水发香菇各50克，油豆腐30克，青豆、盐、花生油适量。

制作

1. 薏米洗净浸透；水发香菇泡于温水中，20分钟后捞出沥干，泡香菇的水留下备用；香菇、油豆腐切成小块。
2. 将大米、薏米、香菇、油豆腐加水搅拌均匀，加入油、盐调味，再撒上青豆上笼蒸熟即成。

特点

清香腴软，口感柔美。

香菇糯米饭

原料

糯米300克，猪里脊肉100克，鲜香菇50克，紫菜、虾米、姜、料酒、盐、香油、酱油、植物油各适量。

制作

1. 糯米淘洗干净，浸好蒸熟；紫菜和虾米泡软，紫菜切细末；香菇去蒂切丝；姜切细末；猪肉切丝。
2. 锅内注油烧热，放姜和猪肉丝炒散；再放虾米、香菇、紫菜、料酒、酱油、盐炒匀，最后放入糯米饭炒熟即可。

特点

鲜嫩软糯，清香醇厚。

生炒糯米饭

原料

糯米300克，白糖100克，猪油50克，赤小豆、干枣、桂圆各25克。

制作

1. 糯米淘净沥干水。
2. 炒锅注猪油烧至四成热时，倒入糯米翻炒，加入赤小豆、红枣、桂圆肉、白糖、适量水煮沸，再翻炒至水干，用筷子在饭上戳几个洞，小火焖熟即可。

特点

制作简单，口味丰富。

鲜爽香米饭

原料

米饭250克，鸡腿肉100克，鸡蛋1个，菠菜、高汤、鸡粉、咖喱酱、色拉油、白胡椒粉各适量。

制作

1. 鸡腿肉切丝；菠菜洗净切末；鸡蛋打散。
2. 锅中加油烧热，下入鸡肉丝炒熟；米饭加鸡蛋液、菠菜末炒匀。
3. 锅内注油烧热，炒香咖喱酱，加高汤、米饭、鸡粉、胡椒粉炒浓，加鸡肉丝炒匀即可。

特点

色泽碧绿，口味清爽微辣，营养均衡。

萝卜干炒饭

[原料]

米饭250克，萝卜干、猪里脊肉各50克，葱、蒜、料酒、白糖、酱油、胡椒粉、花生油各适量。

[制作]

1. 萝卜干洗净切碎；蒜去皮切末；葱切丁；猪里脊肉切末。
2. 炒锅注油烧热，放蒜末炒香，放入肉末，淋料酒，炒至肉色发白，加萝卜干炒香盛出；葱入油锅炒香，再放入米饭炒散，将盛出的萝卜干等配料倒入同炒，并加入所有调料，炒匀即成。

[特点]

色泽艳丽，美味可口。

扬州炒饭

[原料]

米饭200克，火腿30克，鸡蛋1个，青豆、黄瓜、虾、色拉油、味精、葱、盐各适量。

[制作]

1. 将鸡蛋打散；葱洗净切成葱花；火腿、黄瓜、虾切成小丁。
2. 炒锅注色拉油烧热，倒鸡蛋液炒散成鸡蛋块。
3. 炒锅加油烧热，放入葱花、火腿、青豆、虾炒匀，加入米饭、鸡蛋、黄瓜、味精、盐翻炒均匀即成。

[特点]

火腿深红，蛋花金黄，色香俱备，引人食欲。

海鲜炒饭

[原料]

米饭300克，鸡蛋、葱、虾仁、墨鱼、干贝、鱼肉、色拉油、盐、苏打粉、淀粉、胡椒粉、味精各适量。

[制作]

1. 去骨鱼肉洗净，切片；墨鱼切丁；干贝、虾仁洗净；鸡蛋炒成蛋皮，切丝。
2. 墨鱼、干贝、虾仁加胡椒粉、盐、苏打粉、淀粉、蛋清拌匀，入沸水氽烫捞出；炒锅注油烧热，爆香葱末，加入所有材料翻炒均匀，蛋丝装饰装盘即成。

[特点]

海鲜味浓，丰腴适口。

什锦炒饭

原料

熟米饭250克，方火腿50克，虾仁50克，鸡蛋1个，香葱末、青豆仁、玉米粒、盐、鸡粉、花生油各适量。

制作

1. 将方火腿切丁；鸡蛋打散；虾仁改刀切段，入沸水焯过。
2. 锅中加入花生油烧热，倒入鸡蛋液炒熟取出。
3. 锅油烧热，下入香葱末爆锅，放入熟米饭、火腿粒、虾仁炒香，最后放入青豆仁、玉米粒、盐、鸡粉调味即可。

特点

色泽鲜艳，让人食欲倍增，且营养丰富。

焖南瓜饭

原料

大米500克，南瓜600克，葱、盐、猪油各适量。

制作

1. 大米淘洗净浸泡；南瓜去皮和籽，洗净，切大块。
2. 炒锅注猪油烧至七成热，爆香葱花，放南瓜块煸炒，再放入大米和水烧开，煮至米粒开花、水快干时盖上锅盖，焖熟即可。
3. 食用时可加入精盐搅拌一下。

特点

软糯清香，咸甜适度，别有风味。

蛋炒饭

原料

米饭200克，鸡蛋2个，盐、味精、色拉油、葱各适量。

制作

1. 将鸡蛋打散，葱洗净切成葱花。
2. 炒锅加色拉油烧热，倒入鸡蛋液炒散成凝固的鸡蛋块。
3. 将米饭倒入锅内翻炒，炒至米饭没有块结，有少许蒸汽冒出时，放入葱花、盐、味精，充分翻炒均匀即可。

特点

操作便捷，营养丰富。

咸蛋黄炒饭

原料

米饭300克，熟咸蛋黄3个，肉松20克，葱、香菜、色拉油、盐各适量。

制作

1. 葱及香菜均洗净，去根、切末；咸蛋黄切丁备用。
2. 锅内注油烧热，爆香葱末，放入咸蛋黄翻炒。
3. 再加入白饭及盐炒匀，盛入盘中，撒上香菜及肉松即可。

特点

口味咸香，丰腴可口。

香椿蛋炒饭

原料

米饭300克，嫩香椿芽100克，瘦猪肉丝100克，鸡蛋2个，色拉油、盐、湿淀粉各适量。

制作

1. 瘦猪肉丝加盐、湿淀粉、蛋清抓匀上浆；剩余鸡蛋加盐搅匀；香椿芽择洗干净，切丁。
2. 炒锅注油烧温热，放入肉丝滑散，捞出。
3. 炒锅注油烧热，放肉丝、蛋液、香椿、米饭翻炒均匀即成。

特点

芬芳诱人，蛋白质丰富，适宜孕妇食用。

培根木耳蛋炒饭

原料

米饭300克，培根100克，木耳50克，鸡蛋1个，酱油、色拉油各适量。

制作

1. 木耳泡发，洗净，切丝；培根切丝；鸡蛋打散，搅成蛋液。
2. 锅内加油烧热，倒入蛋液炒成蛋块备用。
3. 锅内加油烧热，爆炒培根，再放入木耳丝翻炒，加入酱油调味，放入米饭、鸡蛋块翻炒均匀即成。

特点

蛋块金黄，木耳色深，培根香浓，营养美味。

牡蛎蒸米饭

原料

大米300克，牡蛎200克，酱油、辣椒面、葱末、蒜茸、香油、盐、芝麻、胡椒粉各适量。

制作

1. 牡蛎去壳，用盐水洗净并除去水分；大米洗净。
2. 把米饭放入锅内蒸熟，并在焖的时候放牡蛎蒸熟。
3. 将饭盛入碗中，加酱油、辣椒面、葱末、蒜茸、香油、芝麻、胡椒粉拌匀即可。

特点

牡蛎腥香味浓，配辣椒粉、胡椒粉非常适合下饭。

人参营养饭

原料

大米200克，水参100克，大枣、栗子、红豆、黑豆各适量。

制作

1. 大米洗净，泡30分钟沥干；水参切块；大枣切丝；栗子切块；红豆、黑豆泡软；红豆放入锅中烧开待用。
2. 把米饭和各种材料一起放入锅中，加水煮饭，待米汤开后用微火焖熟即可。

特点

滋味香甜，营养丰富。

辣椒醋油饭

原料

糯米、鲜香菇、猪肉各100克，虾米、洋葱各50克，盐、植物油、青椒、醋各适量。

制作

1. 糯米用水泡好；香菇、猪肉洗净切丝，下油锅炒熟。
2. 糯米加醋、盐、油拌匀，放入锅中加水，用微波炉加热、搅匀，再加热至熟。
3. 盖上炒熟的香菇丝、猪肉丝即可用。

特点

配菜丰富，鲜辣味美。

肉丁豌豆饭

原料

米250克，嫩豌豆150克，咸肉、色拉油、盐各适量。

制作

1. 大米淘洗干净；豌豆洗净，咸肉洗净切丁。
2. 炒锅注油烧热，放咸肉丁、豌豆煸炒，加盐和水煮开，倒入大米，待米与水融合时将饭摊平，在饭中扎几个孔，盖上锅盖，焖至锅中蒸气急速外冒时，转微火，继续焖15分钟即成。

特点

浓香味美。

红烧肉饭

原料

五花肉300克，米饭150克，萝卜干、葱末、姜末、盐、糖、料酒、酱油、色拉油各适量。

制作

1. 五花肉洗净切块；炒锅注油烧热，爆香葱姜，放入肉块煸炒，加料酒、酱油、水、白糖焖烧，将熟时翻炒收汁，切小丁。
2. 炒锅注水烧热，加入肉丁，炒匀烧滚即可。
3. 将红烧肉丁盛在米饭上，放上萝卜干即可。

特点

浓香鲜美，诱人食欲。

茄汁肉丁盖浇饭

原料

米饭300克，瘦猪肉200克，胡萝卜50克，番茄酱、熟猪油、料酒、葱、姜、味精、盐各适量。

制作

1. 瘦猪肉洗净拍松，切小丁；胡萝卜洗净，切小丁；葱、姜洗净，葱切葱花，姜切姜末。
2. 炒锅注熟猪油烧热，放葱花、姜末、胡萝卜丁、猪肉丁炒散变色，再放料酒、盐、番茄酱、味精炒匀，浇米饭上即可。

特点

色泽美观，鲜嫩味香。

排骨盖饭

原料

米饭300克，排骨300克，酱油、盐、料酒、葱、姜、八角、湿淀粉、色拉油各适量。

制作

1. 排骨洗净，剁成段，控干水分；葱切段、姜切片；把排骨加酱油、淀粉拌匀，用油炸至金黄色捞出。
2. 排骨入水，酱油、料酒、盐、八角、葱段、姜片调味，大火烧开后转小火焖至排骨肉烂；把排骨盖在饭上即可食用。

特点

排骨酥烂，味道香咸，色泽金红。

咖喱牛肉饭

原料

米饭300克，牛肉100克，土豆、胡萝卜、洋葱末各50克，蒜末、咖喱粉、黑胡椒、生抽、盐、色拉油各适量。

制作

1. 牛肉洗净煮熟、切块，加蒜末、洋葱末、盐、咖喱粉、生抽、少量黑胡椒拌匀。
2. 土豆、胡萝卜、洋葱切块，入锅翻炒，放入牛肉，加入煮牛肉的汤煮开，加咖喱粉煮开，浇在米饭上即成。

特点

肉香味道浓郁，口感醇重。

黑椒牛柳盖饭

原料

米饭250克，牛里脊肉200克，洋葱20克，青椒30克，淀粉、盐、黑胡椒、色拉油各适量。

制作

1. 将洋葱、青椒洗净，切略粗的丝；牛里脊肉切条，加淀粉拌匀；炒锅注油烧热，下牛肉爆炒。
2. 待牛肉变色后，加洋葱、青椒，再放两杯水烧开，然后加盐、黑胡椒，翻炒均匀后出锅，倒在米饭上即可。

特点

洋葱有杀菌保健作用，牛肉味美、营养丰富。

红烧牛肉盖饭

原料

米饭300克，牛肉300克，辣豆瓣酱、葱片、姜片、料酒、酱油、糖、胡椒粉、八角、盐、味精、色拉油各适量。

制作

1. 牛肉切块，入沸水氽一下捞出；炒锅注油烧热，下葱姜爆香，加入辣豆瓣酱，放入牛肉块翻炒。
2. 加酱油、糖、胡椒粉、料酒、味精、八角、水，慢慢煮至汁稠肉酥；把做好的红烧牛肉盖到米饭上即可食用。

特点

牛肉香腴，极富营养。

香菇鸡肉炒饭

原料

大米300克，鸡肉200克，香菇100克，酱油、醪糟、植物油、盐各适量。

制作

1. 白米洗净煮成白饭；鸡肉洗净切丁；香菇洗净切薄片。
2. 锅中注油烧热，放鸡丁、香菇和米饭煸炒，加酱油、醪糟、盐煸炒至匀即可。

特点

滋味鲜美，制作简单。

咖喱鸡肉拌饭

原料

米饭、熟鸡腿肉各300克，美乃滋、草菇、鲜奶油、咖喱粉、盐、胡椒粉各适量。

制作

1. 鸡腿肉撕条；草菇洗净，切片煮熟。
2. 美乃滋、鲜奶油、咖喱粉、盐、胡椒粉拌匀成酱汁。
3. 酱汁、鸡肉条、草菇片拌入米饭即可。

特点

颇具南洋风味的咖喱拌饭，鲜香微辣，做法简单。

鸡汁浇饭

[原料]

米饭、鸡肉各500克，油炒面、胡萝卜、洋葱、芹菜各50克，盐适量。

[制作]

1. 胡萝卜切片；洋葱切块；芹菜切段。
2. 鸡肉入水煮沸，放胡萝卜片、洋葱块和芹菜段煮熟，鸡肉冲洗后剁块，放回鸡汤内焖；将油炒面粉放入锅内，用过滤后的鸡汤稀释成稀汁状，煮至微沸，放盐，食用时浇上原汁即可。

[特点]

肉嫩饭香，鲜香可口。

鸡丝蛋炒饭

[原料]

米饭250克，鸡蛋100克，虾仁、鸡肉各50克，葱、盐、味精、白糖、淀粉、料酒、花生油各适量。

[制作]

1. 鸡蛋摊成蛋皮，切丝；鸡肉洗净切细丝，用淀粉、盐、糖拌匀；葱洗净切葱花。
2. 锅内注花生油烧热，放鸡肉丝、虾仁和料酒炒熟；加入米饭、葱花、味精、盐，不断翻炒；撒入蛋丝炒透即可。

[特点]

干香松软，爽滑柔嫩。

鱼肉杂粮饭

[原料]

杂粮米、鱼肉各100克，鲜香菇50克，无精盐奶油15克，酱油15毫升，葱花、色拉油、高汤、胡椒粉各适量。

[制作]

1. 将鱼肉去骨洗净切丁，入沸水焯过；鲜香菇切丁；杂粮米蒸熟。
2. 锅内注入无精盐奶油加热，爆香葱花，放香菇片炒至收汁，加入酱油、高汤、胡椒粉调味，用大火煮滚后转小火。
3. 放入蒸好的杂粮饭、鱼丁，煨至汤汁收浓即可。

[特点]

色泽美观，香甜口味新鲜，健脑益智，营养丰富。

鱼香肉丝盖饭

原料

米饭300克，猪腿肉200克，嫩笋丝100克，鸡蛋、糖、醋、葱花、姜末、香油、味精、酱油、盐、郫县豆瓣酱、黄酒、淀粉、胡椒粉、色拉油各适量。

制作

1. 猪肉切丝，加酒、盐、蛋清、淀粉上浆；白糖、酱油、醋、味精、淀粉调匀成汁。
2. 炒锅注油烧热，放入肉丝煸炒八成熟倒出。
3. 炒锅加少许油烧热，下入郫县豆瓣酱、笋丝、葱花、姜末、胡椒粉、味汁炒香，加入肉丝炒匀，盖浇在饭上即可食用。

特点

鱼香肉丝微甜咸辣，适宜下饭。

蟹肉饭

原料

米饭、螃蟹、鸡脯肉各200克，豌豆50克，鲜香菇25克，色拉油、盐、胡椒粉、淀粉各适量。

制作

1. 鸡脯肉切小丁，加胡椒粉、色拉油、淀粉、盐拌匀；香菇泡软切丁；螃蟹蒸熟去壳，取蟹肉。
2. 炒锅注油烧热，放鸡脯肉丁、香菇丁、姜末翻炒，再加入白饭、蟹肉及盐炒匀；取出炒饭，拌入豌豆仁及胡椒粉即可。

特点

丰腴柔软，鲜美爽口。

虾仁南瓜烩饭

原料

米饭250克，南瓜150克，虾仁50克，葱花、色拉油、高汤、酱油、香菜各适量。

制作

1. 南瓜洗净去皮籽，切块；虾仁洗净入沸水焯过捞出备用。
2. 锅中加油烧热，放入葱花、南瓜爆炒，至南瓜变色，加入高汤、酱油调味。
3. 再放入米饭，拌炒至汤汁收浓，加入香菜略炒即可。

特点

饭粒色泽金黄，南瓜绵软。

鱿鱼丝拌饭

原料

米饭250克，水发鱿鱼100克，芦笋50克，水发黑木耳20克，虾仁、高汤、葱花、酱油、白糖、色拉油各适量。

制作

1. 将水发鱿鱼、木耳切成丝；芦笋去皮切成丝；虾仁洗净。
2. 锅中加油烧热，下入葱花、虾仁爆香，加入水发鱿鱼丝、芦笋丝、黑木耳丝用大火略炒，加高汤、酱油、白糖调味，煮滚至稍微收汁，倒入米饭拌匀即可。

特点

海鲜味浓，口感爽滑。

海鲜煲仔饭

原料

大米300克，海参2只，虾仁、火腿、盐、鸡粉、生抽、葱、高汤、花生油各适量。

制作

1. 大米淘净蒸熟，放上少许火腿丝；虾仁改刀成形，入沸水焯过，捞出沥水。
2. 锅中注油烧热，放葱末炸制葱油，加盐、鸡粉、生抽、高汤略煮，放虾仁、海参略炒，待汤汁收浓时，取出摆在盘内即成。

特点

色泽淡雅，口味清香，营养丰富。

叉烧煲仔饭

原料

米饭250克，成品叉烧肉200克，香葱末、盐、鸡粉、生抽、蚝油、高汤各适量。

制作

1. 将蒸好的米饭放入砂锅中；叉烧肉改刀成形，摆到米饭上。
2. 锅内加入少许高汤加热，放入盐、鸡粉、生抽、蚝油调匀，待汤汁收浓时，淋在叉烧肉表面，撒入香葱末即可。

特点

广东风味煲仔饭，甜咸适中，香而不腻。

五福煲仔饭

原料

米饭250克，胡萝卜100克，里脊肉、方火腿、黄瓜各50克，水发木耳25克，香葱末、盐、鸡粉、生抽、花生油各适量。

制作

1. 将里脊肉、方火腿、胡萝卜、黄瓜、木耳切丝；米饭入锅内。
2. 锅内加入少许油烧热，下入香葱末爆锅，放入里脊丝煸炒，再放入火腿丝、胡萝卜丝、黄瓜丝、木耳丝煸炒。
3. 加盐、鸡粉、生抽调味，放在米饭表面即可。

特点

色泽分明，口味咸鲜适中，营养丰富。

番茄火腿盖浇饭

原料

米饭300克，火腿150克，番茄4个，鸡蛋3个，葱、香菜、盐、味精、色拉油各适量。

制作

1. 番茄、火腿切片；葱、香菜切末备用；鸡蛋炒碎出锅备用。
2. 炒锅加油烧热，将番茄加入迅速翻炒，再加入鸡蛋、葱末、香菜末，盐、味精调味翻炒，至熟备用。
3. 把炒好的番茄盖在饭上，摆上火腿片即可食用。

特点

番茄鸡蛋营养美味，火腿片美观好吃。

五彩果醋蛋饭

原料

米饭300克，莴笋200克，青豆100克，鸡蛋1个，香菜、小番茄、冰糖、醋、面粉、植物油、盐、胡椒粉各适量。

制作

1. 将鸡蛋、冰糖、果醋、盐制成果醋酱；莴笋去皮切片烫熟；青豆洗净烫熟；小番茄洗净切块；香菜洗净切段。
2. 炒锅注油烧热，放米饭、果醋酱翻炒一会，下莴笋片、青豆粒、小番茄翻炒，撒香菜段即可。

特点

鲜咸适口，色泽美观。

酸辣橙子饭

原料

米饭250克，黄瓜50克，橙子3个，白糖30毫升，酱油20毫升，葱花、辣椒碎、色拉油各适量。

制作

1. 将黄瓜洗净，切成丁；1个橙子切成丁；另2个橙子榨汁备用。
2. 锅中加油烧热，下入葱花、辣椒碎爆香，加入酱油略炒，放入橙子丁、橙汁、白糖大火煮沸。
3. 煮至汤汁收浓，倒入米饭、黄瓜丁，拌炒均匀即可。

特点

酸甜微辣，爽口开胃。

腰果肉饭

原料

米饭300克，猪肉100克，腰果50克，盐、味精、白糖、生抽、淀粉、花生油各适量。

制作

1. 猪瘦肉切粒，加盐、糖、淀粉拌匀，过油爆香。
2. 炒锅注花生油烧热放腰果炸至金黄色捞出，沥油。
3. 炒锅注油烧热，加清水、味精、盐、糖、生抽烧沸，用湿淀粉勾芡，放腰果、肉粒即可。

特点

香酥嫩脆，风味独特。

盖浇饭

原料

大米500克，猪肉、小白菜各100克，冬笋50克，大葱、盐、味精、酱油、淀粉、花生油各适量。

制作

1. 猪肉切片；小白菜切段；冬笋切片；葱切段；大米饭蒸熟。
2. 炒锅注花生油烧热，爆香葱段，放猪肉片、熟冬笋、青菜段、酱油、盐、味精翻炒，倒入适量肉汤烧沸，用湿淀粉勾芡即可。
3. 盛起米饭，浇上汁即可。

特点

色泽悦目，汁醇饭软。

红枣糯米藕

原料

鲜藕500克，糯米、红枣、火腿末、栗子末、桂花、蜂蜜、红曲米、酱油、冰糖、盐各适量。

制作

1. 鲜藕洗净沥干；糯米洗净泡软；红枣洗净切粒，与火腿末、栗子末、糯米塞入藕孔中。
2. 炒锅加入红曲米、冰糖、清水，藕放入锅中煮酥烂取出切片，将红曲米、蜂蜜、桂花、酱油、盐调成汁，浇在藕片上即成。

特点

颜色红润，软糯香甜。

翡翠酸甜丝

原料

大白菜4片，水发黑木耳3朵，红甜椒1个，胡萝卜1根，韭菜、蒜末、熟芝麻、盐、白糖、白醋、香油、白葡萄酒、花生油各适量。

制作

1. 大白菜、韭菜切段；胡萝卜、红甜椒、黑木耳均切丝。
2. 炒锅注油烧热，下入蒜末、红椒丝、木耳丝炒香，淋上白葡萄酒，放入胡萝卜丝炒匀断生，放入白菜丝、韭菜丝，撒入盐、白糖，淋入白醋、香油拌匀盛于盘中，撒上芝麻即成。

特点

大白菜含有丰富的维生素C和粗纤维，有整肠、健胃和消热退火等功效。

冰糖荔枝

原料

荔枝500克，鸡蛋1个，冰糖、白糖、桂花酱各适量。

制作

1. 鲜荔枝剥去壳、核，稍烫，捞出沥水装碗；鸡蛋取蛋清打散。
2. 锅内添适量清水，加入冰糖和白糖煮至溶化，加入桂花酱，淋入蛋清液，撇去浮沫，盛入荔枝肉的碗里，晾凉即可。

特点

汤清味甜，荔枝香鲜。

鲜桃冰激凌

[原料]

鲜桃150克，白糖75克，牛奶150毫升，奶油75毫升，柠檬汁适量。

[制作]

1. 桃子洗净去皮、去核，放入果汁机打成糊状。
2. 牛奶中加入白糖，烧开溶解凉透待用。
3. 桃汁加入牛奶、柠檬汁混合，再加入奶油调匀，放入冰箱内冻结成型即可。

[特点]

桃子性味平和，肉质鲜美，营养价值高。

奇异果黑雨捞

[原料]

猕猴桃（奇异果）2个，黑糯米50克，白糖、鲜牛奶各适量。

[制作]

1. 猕猴桃洗净，去皮切小粒；黑糯米洗净，加清水煮熟，加入白糖溶化，调匀放凉。
2. 将凉好的黑糯米倒入杯子中，加入鲜牛奶，面上放猕猴桃粒即可。

[特点]

常吃猕猴桃，在摄取营养的同时，还有助于常有个好心情。

玫瑰香薯条

[原料]

番薯350克，鸡蛋2个，玫瑰花25克，白糖、湿淀粉、食油各适量。

[制作]

1. 番薯切条洗净沥干；玫瑰花剁末；鸡蛋加湿淀粉、清水调成糊。
2. 炒锅注油烧热，薯条沾蛋糊，下油锅炸至皮酥，捞出沥油。
3. 锅内添少许清水，放入白糖溶化，待糖汁受热起泡时，再放入玫瑰、薯条，离火翻炒裹匀糖汁即可。

[特点]

番薯所含的大量赖氨酸是身体必不可少的营养素。

西式全彩薯片

原料

土豆250克，洋葱150克，芹菜25克，香菜、盐、胡椒粉、色拉油各适量。

制作

1. 洋葱、芹菜、香菜洗净切末；土豆煮熟去皮切片。
2. 炒锅注油烧热，放一层土豆片，撒盐、胡椒粉，煎两面。
3. 放入洋葱末、芹菜末、香菜末，撒盐、胡椒粉慢火煎香，且土豆片两面均呈金黄色，取出摆放盘中即可。

特点

土豆富含膳食纤维，能促进肠胃蠕动，也是理想的食品。

白糖糯米糕

原料

糯米250克，白糖100克，酵母，植物油、食用碱各适量。

制作

1. 糯米洗净打成米浆，控去水分，搓松。
2. 将白糖、酵母、适量水搅匀，倒入糯米粉中待发至稍酸。
3. 锅内添水烧开，放上蒸笼、湿布，糯米粉加食用碱水、熟油搅匀，倒入笼中蒸透，冷却后切块即可。

特点

糕体晶莹雪白，表层油润光洁，芳香清甜。

山楂糕

原料

糯米粉、山楂条各200克，白糖适量。

制作

1. 山楂条放入锅内，慢火熬成糊，加糖拌匀，倒入糯米粉搅拌。
2. 将蒸屉用湿布蒙好加热，倒入糯米山楂糊，蒸熟晾凉。
3. 用刀切块装盘，再撒糖即可。

特点

酸甜味美，营养生津。

三合面发糕

原料

面粉300克，黄豆粉、玉米面各150克，红枣、青梅、酵母各适量。

制作

1. 玉米面倒入八成开热水、面粉、鲜酵母、温水和成稀软面团。
2. 红枣洗净去核，与青梅切小条；面团掺入黄豆面揉匀，加入红枣条、青梅条拌匀；蒸锅内添水烧沸，铺好屉布，倒入面团，蘸水拍匀，割成小方块，用旺火蒸熟即可。

特点

暄软微甜。

胡萝卜蛋糕

原料

面粉300克，胡萝卜、鸡蛋各150克，白糖50克，发酵粉、肉桂粉、葡萄干、盐、柠檬汁、植物油各适量。

制作

1. 胡萝卜磨碎，沥干；蛋白打至膨松，加入糖拌匀，再逐渐加入蛋黄、植物油及胡萝卜碎。
2. 将面粉、发酵粉、肉桂粉及盐拌匀，分3次加入，最后加入柠檬汁拌匀；放入盛器内，撒上葡萄干，用微波炉烤熟即可。

特点

滋味丰富，鲜美无比。

端阳豆糕

原料

绿豆500克，青梅、核桃仁、桂花酱各50克，白糖适量。

制作

1. 绿豆洗净煮熟，磨成细粉；青梅、核桃仁切粒。
2. 将绿豆粉与青梅粒、核桃仁粒、糖和桂花酱放入盆内，搓匀，淋些凉开水使绿豆粉湿润，将绿豆粉放入小方模内铺匀压实，扣出即可食用。

特点

甜香适口，去暑解热。

桂花年糕

原料

糯米粉500克，白糖250克，籼米粉150克，桂花酱、香油、花生油各适量。

制作

1. 糯米粉、籼米粉加糖、水拌成糕粉。
2. 糕粉铺在刷过花生油的笼屉上，蒸熟后倒在浸过水的净布上。
3. 在净布上淋沸水，把熟糕粉揉成粉团，按成条，撒桂花酱，切块，刷香油即可。

特点

色泽美观，香甜松软。

小米面蜂糕

原料

小米面500克，黄豆粉100克，食用碱适量。

制作

1. 小米面、黄豆粉加温水和成较软的面团，加上盖，稍饧。
2. 屉布浸湿铺在屉上，面团倒入抹平，用旺火沸水蒸25分钟左右即熟。
3. 将蒸熟的蜂糕扣在案板上，稍晾，用刀切小块即可。

特点

蜂窝大，暄软适口。

花生糯米糕

原料

糯米粉400克，籼米粉50克，澄面30克，葱油250克，白糖150克，浓缩橘汁100克，花生酱50克，椰浆、椰蓉、八宝菜各适量。

制作

1. 糯米粉、籼米粉和澄面入碗，水、糖和椰浆同煮，冲入碗内。
2. 手沾油，将拌好的料搓成软滑粉团，分成如荔枝般大的小砣，搓圆，捏成窝形，包入适量馅料（花生酱、白糖共10克），搓成圆球，放入已涂油的碟内，隔水蒸3分钟，取出，沾上椰蓉、八宝菜即成。

特点

黏糯浓香，香甜可口。

黏黄糕

[原料]

黄米面500克，白糖100克。

[制作]

1. 将黄米面放入盆内，加入温水，和成面团。
2. 将面团分成剂子，捏成扁窝头形，上笼蒸熟。
3. 裹上白糖趁热食用。

[特点]

软黏滑润，醇香适口。

糯米球

[原料]

糯米粉400克，豆沙250克，玉米粉、椰子粉各150克，糖、色拉油各适量。

[制作]

1. 玉米粉加开水烫熟，用筷子搅成糊状，再加糯米粉搅拌，揉成有弹性的面团；面团分成剂子，擀皮包豆沙，揉成圆形。
2. 糯米圆饼放入抹有色拉油的蒸盘，入笼蒸10分钟，取出沾裹椰子粉即成。

[特点]

软糯滑爽，清香适口。

老婆饼

[原料]

面粉1000克，生油300克，糯米粉、黄油、白糖、枸杞、葡萄干、鸡蛋液各适量。

[制作]

1. 将一半面粉、生油、适量水和成面团饧发；剩下的面粉、生油搓成面团，水油面团包入油面团分剂子；糯米粉、白糖、黄油、枸杞、葡萄干制成馅料。
2. 将剂子擀成皮包上馅料，制成圆形，刷上鸡蛋液，烤熟即成。

[特点]

松软香腴，滋味丰富。

搅面馅饼

原料
精粉500克，猪肉馅150克，甘蓝、芹菜、葱花、姜末、盐、花椒粉、味精、葱油、色拉油各适量。

制作
1. 精粉加热水和面团；把甘蓝、芹菜洗净剁碎，挤去水分。
2. 猪肉馅加入盐、花椒粉、姜末、葱花、葱油、味精与菜拌匀。
3. 把面团搓成条，用手揪成剂子，按扁包上馅，擀成圆饼，上平锅烙出芝麻香时，刷油反复烙熟即成。

特点
味道丰富，口感软香。

烤馒头

原料
馒头500克，麦芽糖50克。

制作
1. 将麦芽糖用水化开，备用。
2. 馒头表面涂抹一层糖水，涂抹均匀。
3. 将涂抹糖水的馒头摆入烤盘，放入炉温150~180℃的烤炉，烤5~8分钟，至馒头皮脆上色即可。

特点
色泽金黄，外脆内嫩，香浓透甜。

糖豆

原料
黄豆500克，糖适量。

制作
1. 黄豆挑洗干净，放盆内加热水泡开。
2. 炒锅注油烧热，下黄豆炸熟，撒上糖装碗拌匀即成。

特点
甜酥香脆。

绿豆沙奶茶

原料

绿豆沙粉8克，奶精粉8克，热开水400毫升，蜂蜜30毫升，红茶包2个。

制作

1. 锅中倒入热开水、蜂蜜、绿豆沙粉、奶精粉，大火煮至溶解。
2. 加入红茶包，以小火煮1~2分钟，熄火后取出茶包。
3. 最后倒入壶中，饮用时倒入杯中即可。

特点

爽口、清香、具有排毒功效。

英式奶茶

原料

热开水400毫升，奶精16克，金酒15毫升，巧克力膏20毫升，红茶包2个。

制作

1. 锅中倒入热开水。
2. 加入奶精、金酒、巧克力膏，以大火煮至溶解，放入红茶包，小火煮1~2分钟，熄火后取出茶包。
3. 最后倒入壶中，饮用时倒入杯中即可。

特点

经典的奶茶，异国风情浓郁。

咖啡奶茶

原料

热咖啡400毫升，蜂蜜30毫升，奶精粉16克，红茶包2个。

制作

1. 锅中倒入热咖啡、蜂蜜、奶精粉，以大火煮至溶解。
2. 加入红茶包，以小火煮1~2分钟，熄火后取出茶包。
3. 最后倒入壶中，饮用时倒入杯中即可。

特点

制作简便、具有提神的功效。

姜母奶茶

原料

姜母粉8克，奶精粉8克，热开水400毫升，蜂蜜30毫升，红茶包2个，姜2片。

制作

1. 锅中倒入热开水。
2. 放入蜂蜜、姜母粉、奶精粉、姜片，以大火煮至溶解，加入红茶包，以小火煮1～2分钟，熄火后取出茶包。
3. 最后倒入壶中，饮用时倒入杯中即可。

特点

养生、暖身、长期饮用还有祛斑功效。

柠檬皇家热咖啡

原料

热咖啡150毫升，白兰地酒30毫升，柠檬皮适量。

制作

1. 将热咖啡倒入杯中。
2. 把柠檬皮剥好放在杯口。
3. 用长勺缓缓冲入白兰地酒，点火即成。

特点

咖啡香浓郁，适度爽口刺激。

蛋黄营养热咖啡

原料

热咖啡120毫升，白兰地10毫升，蛋黄1个，鲜奶油适量，玉桂粉适量。

制作

1. 将热咖啡倒入杯中。
2. 加入白兰地。
3. 挤上一层鲜奶油。
4. 把蛋黄轻轻放入奶油中间，撒上少许玉桂粉即成。

特点

营养丰富，口感嫩滑。

贵妃咖啡

原料

热咖啡100毫升，热牛奶(70℃)60毫升，荔枝酒15毫升，蜂蜜15毫升，奶泡(50℃)适量。

制作

1. 将荔枝酒、蜂蜜倒入杯中，搅拌均匀。
2. 将热牛奶缓缓冲入杯中。
3. 把奶泡盛入牛奶中。
4. 最后注入热咖啡即可。

特点

色泽悦目，奶香浓郁，爽口。

墨西哥热咖啡

原料

热咖啡130毫升，龙舌兰酒5毫升，热牛奶适量，七彩星糖适量。

制作

1. 将热咖啡倒入杯中。
2. 挤上一层鲜奶油。
3. 皇家勺匙中倒入龙舌兰酒，置于奶油上，点火。
4. 放入七彩星糖装饰即可。

特点

浓郁的异国风情，香浓爽口。

红酒卡布奇诺

原料

热咖啡120毫升，红酒30毫升，奶泡适量。

制作

1. 将红酒倒入杯中。
2. 淋入热咖啡。
3. 盛上适量奶泡即可。

特点

淡淡的酒香，适合女性饮用。

皇家咖啡

【原料】

咖啡150毫升，白兰地 5毫升，方糖1颗，奶粒1个。

【制作】

1. 将咖啡煮好倒入杯中，奶粒放在托盘上。
2. 将皇家勺匙置于杯上，放入一颗方糖。
3. 把白兰地轻轻倒在方糖上，点火。
4. 待火熄灭后倒入咖啡中即可。

【特点】

经典的咖啡做法，适口、浓香。

爱尔兰咖啡

【原料】

热咖啡150毫升，爱尔兰威士忌15毫升，方糖1颗，鲜奶油适量。

【制作】

1. 将方糖放入咖啡杯中，注入爱尔兰威士忌。
2. 放置爱尔兰杯架上，点燃酒精灯，旋转咖啡杯，酒精出现蒸汽时，在杯口点火。
3. 把热咖啡倒入杯中，挤上一层鲜奶油即可。

【特点】

异国情调浓郁、咖香浓郁。

摩卡可可热咖啡

【原料】

热咖啡150毫升，棕可可酒15毫升，鲜奶油适量，可可粉适量。

【制作】

1. 将热咖啡倒入杯中。
2. 注入棕可可酒。
3. 挤入一层鲜奶油。
4. 撒上可可粉装饰即可。

【特点】

香滑可口，适宜作下午茶。

红唇

原料

伏特加30毫升，白薄荷 30毫升，蔓越莓汁30毫升，冰块适量。

制作

1. 将冰块、蔓越莓汁、白薄荷、伏特加依次量入摇酒壶中摇匀。
2. 滤入烈酒杯即可。

特点

色泽悦目、爽口。

性感海滩

原料

伏特加 45毫升，桃子利口酒45毫升，蔓越莓汁60毫升，橙汁60毫升，凤梨汁60毫升，冰块适量，红樱桃一个。

制作

1. 将冰块、凤梨汁、橙汁蔓越莓汁、桃子利口酒、伏特加依次放入调酒壶中摇匀。
2. 滤入加冰的海波杯中。
3. 用红樱桃挂杯装饰。

特点

别有情调、口感清爽。

雪之女王

原料

伏特加30毫升，荔枝利口酒15毫升，红石榴糖浆15毫升，草莓冰淇淋球1个，苏打水适量，冰块、鲜奶油各适量。

制作

1. 将冰块、红石榴糖浆、荔枝利口酒、伏特加放入摇酒壶中摇匀。
2. 滤入加冰的果汁杯中，注入苏打水至八分满。
3. 将草莓冰淇淋球浮于杯口。
4. 用鲜奶油浮杯口装饰。

特点

色泽悦目、适宜女士饮用。

软中华

原 料

蛋黄白兰地15毫升，牛奶、豆蔻粉各适量。

制 作

1. 将蛋黄白兰地、牛奶依次倒入管中。
2. 将豆蔻粉撒在牛奶上即可。

特 点

造型别致、奶香浓郁。

冰酷

原 料

苏格兰威士忌30毫升，柠檬汁30毫升，白薄荷酒15毫升，干姜水适量，冰块适量，薄荷叶、柠檬叶各少许。

制 作

1. 将冰块、白薄荷酒、柠檬汁、苏格兰威士忌依次放入摇酒壶中摇匀。
2. 滤入加冰的洛克杯中，注入干姜水至八分满。
3. 薄荷叶、柠檬片入杯装饰。

特 点

口感冰爽。

水晶葡萄

原 料

白葡萄酒40毫升，水晶葡萄汁60毫升，冰块适量，葡萄几粒。

制 作

1. 将适量冰块放入雪克壶中。
2. 再将水晶葡萄汁、白葡萄酒依次加入雪克壶中。
3. 充分摇晃后注入白葡萄酒杯。
4. 葡萄入杯装饰。

特 点

制作简便，适宜夏季饮用。

苏格兰奶茶

[原料]

热开水400毫升,芝华士酒30毫升,奶精粉16克,红茶包 2个,蜂蜜30毫升。

[制作]

1. 在锅中倒入热开水,加入奶精粉、蜂蜜煮至溶解。
2. 再加入红茶包,以小火煮1~2分钟后熄火,取出茶包,加入芝华士酒。
3. 倒入壶中,饮用时倒入杯中即可。

[特点]

口感滑嫩,清香适口。

爱丽丝热奶茶

[原料]

威士忌10毫升,奶精粉16克,百利甜30毫升,热开水400毫升, 蜂蜜30毫升,红茶包2个。

[制作]

1. 锅中倒入热开水、蜂蜜、威士忌、百利甜、奶精粉,以大火煮 至溶解。
2. 加入红茶包,以小火煮1~2分钟,熄火后取出茶包。
3. 最后倒入壶中,饮用时倒入杯中即可。

[特点]

异国风情,奶香浓郁。

伯爵奶茶

[原料]

热开水400毫升,蜂蜜30毫升,奶精粉16克,伯爵茶叶8克。

[制作]

1. 锅中倒入热开水、蜂蜜、奶精粉,以大火煮至溶解。
2. 加入伯爵茶叶,浸泡1~2分钟。
3. 最后倒入壶中,过滤茶叶,饮用时倒入杯中即可。

[特点]

制作简便,茶香浓郁。

炸虾饭团

原料

米饭300克，大虾2只，鸡蛋液1个，海苔2条，面粉、面包粉、盐、植物油、胡椒粉各适量。

制作

1. 将大虾去头、壳及肠线，在腹部划斜刀，然后翻身按压虾背，拉长拉直，撒上少许盐、胡椒粉，裹上面粉、蛋液、面包粉，下入五成热的油锅炸酥。
2. 将炸好的虾包入米饭中，捏成饭团，最后贴上海苔条即成。

特点

脆香，滋味诱人。

梅子饭团

原料

米饭300克，梅子泥、海苔、盐各适量。

制作

1. 洗净双手蘸凉开水，手中撒少许盐，将梅子泥放入米饭团中。
2. 捏成三角形饭团。
3. 将海苔切成大宽条，贴在饭团上即可（梅子泥也可用熟三文鱼肉代替）。

特点

酸香可口，趣味性强。

坚果饭团

原料

米饭250克，核桃仁20克，黄瓜条25克，蛋松、海苔各适量。

制作

1. 将核桃仁用刀面拍碎；黄瓜条切丁。
2. 把米饭、蛋松放入碗内，与核桃仁、黄瓜丁一同拌匀。
3. 将拌好的米饭捏成三角形饭团，最后贴上海苔条即可。

特点

健脑，色泽诱人，脆嫩。

烤鱼青菜饭团

原料

米饭200克，烤鳗鱼肉（从超市买的鳗鱼肉经过微波炉烤脆也可）150克，苦苣叶、海苔各适量。

制作

1. 将鳗鱼肉切碎；将苦苣叶洗净切碎。
2. 苦苣末与鱼肉加入米饭中拌匀备用。
3. 取适量米饭，捏成圆柱形，围上海苔条即可。

特点

维生素含量高。

火腿虾仁饭团

原料

米饭300克，火腿半块，虾仁100克，黄瓜、海苔、植物油、酱油、胡椒粉、盐、米酒各适量。

制作

1. 虾仁洗净切小丁；火腿切小丁；黄瓜洗净切丁。
2. 炒锅内放油烧热，下入虾仁、盐、胡椒粉、米酒炒香，将炒好的料与火腿丁放入米饭内拌匀。
3. 拌匀后捏成三角形饭团，贴上海苔即可。

特点

饭团味道丰富美味，唇齿含香。

烤饭团

原料

米饭400克，木鱼花、日本酱油、白芝麻（熟的）、海苔各适量。

制作

1. 将米饭、木鱼花、酱油、白芝麻放入碗中拌匀备用。
2. 将拌好的米饭捏成三角形形状，放入烤箱中，在烤制过程中不断翻动米饭，使其受热均匀，直到米饭表面变硬。
3. 最后用宽海苔条包住米饭即可。

特点

海苔膙软，清香慢慢地散发。

三色饭团

原料

白饭50克，黑芝麻、青海苔、黄豆粉各适量。

制作

1. 准备温热的白饭，分成3等份，分别用保鲜膜包起，搓成球状。
2. 在3个小碗内，分别放入黑芝麻、青海苔、黄豆粉，再将圆球状的白饭团分别放入盘中翻滚蘸匀即可。

特点

米饭的特色做法，饭香可口。

铁火细卷

原料

寿司饭300克，新鲜金枪鱼条、紫苏叶、芥末、海苔各适量。

制作

1. 取小竹帘，将1/2宽海苔平铺在小竹帘上，拍上一层寿司饭，抹上芥末，放上紫苏叶。
2. 将新鲜金枪鱼条放在铺好的紫苏叶中间，卷成卷。
3. 将卷切成长段，摆入盘中，食用时可蘸日本酱油、寿司姜。

特点

健康营养的美味寿司。

泡菜卷

原料

寿司饭300克，韩国海苔（咸味）、韩国泡菜、芥末各适量。

制作

1. 将1/2宽的韩国海苔铺在竹帘上，铺上寿司饭，泡菜切成细长条，放在寿司饭中间。
2. 将寿司饭挤上芥末，卷成卷。
3. 将泡菜卷切成2段，食用时佐以寿司姜。

特点

口感酸辣，清新爽口。

天妇罗虾卷

原料

米饭300克，天妇罗虾2只，海苔、美乃滋、生菜条、黄瓜条各适量。

制作

1. 将切成2/3宽的海苔铺在竹帘上，铺上寿司饭，放上黄瓜条、生菜条。
2. 放上炸好的天妇罗虾，挤上美乃滋，卷成卷形即成。
3. 切成段放入盘中，食用时可佐以寿司姜。

特点

滋味鲜香，清脆可口。

叉烧肉沙拉卷

原料

寿司饭300克，叉烧肉100克，海苔1张，生菜、美乃滋各适量。

制作

1. 取竹帘，将切成2/3宽的海苔放在竹帘上，铺上寿司饭，将叉烧肉切成细条状放在寿司饭上。
2. 将生菜、美乃滋依次放在寿司饭上，卷成卷形切段。
3. 放入盘中，食用时佐以寿司姜。

特点

风味独特，清新不油腻。

四喜卷

原料

寿司饭300克，海苔1片，黄瓜适量。

制作

1. 将黄瓜切成1厘米宽的长条，海苔铺在小竹帘上，排满寿司饭，卷成卷，将其纵向切成4份，备用。
2. 将寿司纸铺在小竹帘上，先放上2份切好的寿司卷，再放上黄瓜，最后放上剩下的两份寿司卷，将黄瓜夹在中间，卷成卷，切段，摆入盘中，食用时可佐以芥末、日本酱油、寿司姜。

特点

造型独特，寓意美好，口味清新。

275

蛋皮卷

原料

寿司饭200克，海苔、黄瓜条、胡萝卜条、蟹棒、大根、蛋皮各适量。

制作

1. 把海苔铺在小竹帘上，铺满寿司饭放入盘中，再把蛋皮铺在竹帘上，将米向下寿司海苔朝上反拍在蛋饼上。
2. 放上黄瓜条、胡萝卜条、蟹棒条、大根条卷起。
3. 将卷好的蛋卷切成段即可。

特点

口味丰富，味道鲜美。

热狗卷

原料

寿司饭300克，香肠1根，紫苏叶3片，海苔1片，蛋皮、鱼籽、淀粉、盐、糖、奶油各适量。

制作

1. 淀粉加水、蛋、糖、盐打匀成蛋汁；将平底锅烧热抹入奶油，倒入蛋汁煎成薄蛋皮；香肠入沸水焯烫；竹帘上铺入海苔、寿司饭、鱼籽，包好保鲜纸，放上薄蛋饼、紫苏叶、香肠，卷成卷。
2. 去掉保鲜膜，切成几段，摆入盘中即可。

特点

风味独特，香咸可口。

葵花卷

原料

寿司饭300克，厚蛋烧、紫苏叶、蟹籽、海苔各适量。

制作

1. 将厚蛋烧切宽条，用紫苏叶卷起；将一半寿司饭与蟹籽混成粉红色，取两片海苔分别铺入白寿司饭、粉红色的寿司饭，相叠切条；将竹帘包上保鲜膜，把切好的寿司卷红白相间排在竹帘上。
2. 放入卷好的厚蛋烧卷起，去掉保鲜膜，切成厚段即可。

特点

葵花造形，色彩诱人。

紫菜鱼卷片

[原料]

鲮鱼200克，紫菜100克，胡萝卜、西芹、火腿各50克，盐、胡椒粉、淀粉各适量。

[制作]

1. 胡萝卜、西芹、火腿洗净切条；鱼肉洗净剁细、加盐、胡椒粉拌匀成鱼胶，放在紫菜上涂满，加入胡萝卜、西芹、火腿，排叠成长形，卷成筒，放入碟中。
2. 将鱼卷隔水蒸8分钟至熟，取出，斜切成薄块即可。

[特点]

酸咸脆嫩，清香爽口。

鳗鱼大卷

[原料]

寿司饭400克，烤鳗鱼、生菜、蛋黄酱、芥末、海苔各适量。

[制作]

1. 鳗鱼加热切成条状；生菜洗净，也切成条状；寿司饭平铺在海苔上，抹上芥末，放上切好的生菜，挤上蛋黄酱。
2. 放上切好的鳗鱼条，然后将海苔卷成卷，握紧。
3. 切成数段装盘即可；食用时佐以日本酱油、寿司姜。

[特点]

酱香浓厚，营养丰富。

鲜笋手卷

[原料]

芦笋2根，海苔1张，木鱼花片、美乃滋、寿司饭各适量。

[制作]

1. 切1/2宽海苔，在海苔的一角铺上少许寿司饭。
2. 将芦笋去皮，放入热水中汆烫熟后，浸泡在冷水中凉透捞出，沥干水分，放在寿司饭上，撒上木鱼花片，卷成圆锥形。
3. 最后在手卷上挤上少许美乃滋即可。

[特点]

鲜美柔嫩，补充维生素和矿物质。

大虾手卷

原料

寿司饭300克，大虾5只，海苔、沙拉酱、苦苣、生菜、鱼籽各适量。

制作

1. 大虾洗净，用竹签从虾尾部分沿背脊贯穿，入沸水焯烫后去壳、虾线；将1/2海苔放在手上，取少许寿司饭铺在切好的海苔一角。
2. 摆上苦苣、生菜和虾，卷紧成圆锥形。
3. 淋上沙拉酱，放上鱼籽即可，食用时佐以日本酱油、寿司姜。

特点

食材丰富，口感鲜美。

铁火手卷

原料

寿司饭200克，金枪鱼、紫苏叶、海苔、苦苣、芥末、生菜各适量。

制作

1. 将金枪鱼切成细条状；切1/2宽的海苔，取少许寿司饭铺在海苔的一角，抹上芥末。
2. 将紫苏叶放在寿司饭上，放上金枪鱼条、苦苣、生菜。
3. 卷成圆锥形，食用时佐以寿司姜、日本酱油。

特点

肉味鲜美，营养丰富。

鳗鱼军舰寿司

原料

山药50克，鹌鹑蛋4个，烤鳗鱼1/4条，寿司饭、海苔、鱼籽各适量。

制作

1. 将山药洗净去皮，磨成泥；洗净双手，蘸凉开水，取适量寿司饭握捏成小椭圆形，围上宽海苔条。
2. 将烤鳗鱼放入烤箱烤熟，取出切小块；放在寿司饭上，再放入山药泥，摆入鹌鹑蛋黄，放少许鱼籽即可。

特点

造型美观，营养丰富。

鲑鱼籽军舰寿司

原料

寿司饭300克，黄瓜1根，鲑鱼籽适量，海苔、芥末少许。

制作

1. 黄瓜洗净切成薄片，洗净双手蘸凉开水，取适量寿司饭握成饭团，抹上芥末，把抹有芥末的一面朝上，用海苔围好。
2. 在卷好的饭团内放上黄瓜和少许鲑鱼籽即可；食用时佐以日本酱油、寿司姜。

特点

色泽诱人，新鲜营养。

虾仁沙拉军舰寿司

原料

寿司饭300克，熟虾仁少许，黄瓜1根，柠檬汁、哈密瓜、鱼籽、海苔、盐、蛋黄酱、胡椒粉各适量。

制作

1. 柠哈密瓜、黄瓜、虾仁切成丁，加柠檬汁、蛋黄酱、盐、胡椒粉拌制成沙拉。
2. 将海苔切宽条，取寿司饭捏成椭圆形饭团，用海苔条把饭团围好，将制成的沙拉填入饭团内，撒上鱼籽即可。

特点

美味精致，口味清爽。

棒棒虾握寿司

原料

鲜虾4只，鸡蛋液1个，寿司饭、低筋面粉、面包糠、盐、胡椒粉、植物油、美乃滋各适量。

制作

1. 鸡蛋打散；虾去头、壳、肠泥后，加盐、胡椒粉、面粉、蛋液、面包糠上浆，炸酥；洗净双手，蘸凉开水，取适量寿司饭捏成椭圆形饭团；将炸虾放在饭团上，然后贴上海苔条。
2. 在炸虾上挤上少许美乃滋即可。

特点

造型可爱，香酥可口。

厚蛋烧握寿司

原料

寿司饭250克，厚蛋烧1个，海苔条、芥末适量。

制作

1. 将煎好的厚蛋切成长的夹刀片（中间不要切断）。
2. 手蘸湿，取适量寿司饭捏成椭圆形饭团，抹上芥末，放入切好的厚蛋片中包住。
3. 用海苔条扎牢即可，食用时佐以日本酱油、寿司姜。

特点

口感松软，营养丰富。

花枝握寿司

原料

寿司饭200克，新鲜墨鱼、寿司姜、葱末、姜泥、芥末各适量。

制作

1. 把新鲜墨鱼用清水洗净切成花枝形备用。
2. 洗净双手，蘸凉水，取适量寿司饭捏成椭圆形饭团，将花枝鱼片抹上芥末，内面朝上置于手掌上，然后放上饭团轻压。
3. 最后放上葱末、姜泥即可，食用时佐以日本酱油、寿司姜。

特点

清鲜辛辣，鲜爽怡人。

大虾握寿司

原料

寿司饭250克，新鲜大虾2个，芥末、寿司姜各适量，竹签8根。

制作

1. 大虾洗净，用竹签贯穿定形，入沸水焯烫后去壳。
2. 大虾用纸沾干水分，内面抹一层芥末；手蘸湿，取适量寿司饭捏成饭团，然后让大虾"抱"住饭团即可；食用时佐以日本酱油、寿司姜。

特点

美味宜人，鲜香可口。

田乐饭团

原料

白饭200克，鸡绞肉90克，味噌50毫升，砂糖30克，酒、色拉油各1大匙，竹签2支，酱油、山椒粉、海苔碎各适量。

制作

1. 锅注油烧热，鸡绞肉炒散，再加入糖、酒、味噌、酱油炒制成肉酱；将白饭50克捏成圆形饭团。
2. 将饭团两个一串，稍微压扁后放入烤箱微烤后取出。
3. 在饭团上涂好肉酱，入烤箱烤焦，撒入山椒粉与海苔碎即可。

特点

肉酱腴嫩鲜香，米饭晶莹。

芥末鸡肉饭团

原料

白饭400克，鸡脯肉300克，金针菇150克，美乃滋50克，淡奶油15克，绿芥末5克，盐、胡椒粉、海苔各适量。

制作

1. 将鸡脯肉煮熟撕成鸡丝；金针菇切段，用热水煮熟备用。
2. 将美乃滋、芥末、淡奶油、盐、胡椒粉全部加在一起拌匀，再放入鸡丝、金针菇、白饭混合均匀。
3. 然后捏成三角形饭团，贴上海苔即可。

特点

鲜美软嫩，味道清香。

鲜虾美乃滋饭团

原料

寿司虾4只，哈密瓜、美乃滋各50克，白饭、柠檬汁、海苔、盐、胡椒粉各适量。

制作

1. 将寿司虾、哈密瓜切成小丁。
2. 将虾丁、哈密瓜丁、美乃滋、盐、胡椒粉、柠檬汁一起拌匀，最后加入白饭拌匀。
3. 将拌好的米饭捏成三角形，贴上海苔条即可。

特点

香甜酸辣、鲜美。

海带蛎黄蛋

原料

蛎黄100克，海带50克，鸡蛋2个，葱花、盐、料酒、色拉油各适量。

制作

1. 将海带洗净蒸熟，水发，切成细丝。
2. 鸡蛋打入碗内搅拌均匀；蛎黄洗净，控净水分。
3. 炒锅注油烧至六成热，下入海带丝煸炒，加入料酒、盐、蛋液翻炒，放入蛎黄和葱花炒熟即可。

特点

养心安神，滋阴润燥，适宜春季食用。

锅烧小海鱼

原料

新鲜小黄花鱼750克，香菜末、葱丝、姜丝、盐、糖、料酒、酱油、醋、清汤、香油、花生油各适量。

制作

1. 将黄花鱼去鳃、鳞、内脏洗净，沥去水分。
2. 碗内加适量清汤、酱油、料酒、盐、醋、糖调成味汁。
3. 平底锅注油烧热，逐一放入黄花鱼两面略煎，烹入味汁，下入葱丝、姜丝，用小火烧至入味熟透，淋上香油，撒上香菜末，上桌即成。

特点

鱼肉鲜嫩，汤汁鲜浓。

西兰拌虾球

原料

海虾400克，西兰花200克，胡萝卜25克，盐、味精、料酒、葱汁、姜汁、胡椒粉、蒜泥、干辣椒、香油、植物油各适量。

制作

1. 干辣椒切丝；海虾取虾仁加黄酒、葱姜汁略腌，炸好沥油。
2. 西兰花洗净，切朵，入沸水焯透捞出沥干；胡萝卜切菱形丁，入沸水焯透捞出沥干；将虾球、西兰花、胡萝卜放入盆内，加盐、味精、胡椒粉拌匀。
3. 炒锅注香油烧热，放蒜泥、红椒丝煸香，浇在盘中稍拌即可。

特点

颜色美观，鲜嫩香辣。

日式蒸水蛋

原料

鸡腿肉、石斑鱼肉各25克，鸡蛋3个，香菇、杏仁、葱花、盐、味精、胡椒粉、料酒、香油、植物油各适量。

制作

1. 将鸡腿肉、鱼肉、香菇、杏仁分别切丁，入沸水焯过。
2. 将鸡蛋打散，加入清水、盐、味精、料酒、胡椒粉调匀。
3. 放入鸡腿肉丁、鱼肉丁、香菇丁、杏仁丁，上笼隔水蒸5分钟，取出，淋上香油，撒上葱花即可。

特点

滑嫩鲜香，颇具营养。

鸡肉蒸豆腐

原料

豆腐、鸡脯肉各25克，鸡蛋、葱、淀粉、香油、酱油各适量。

制作

1. 豆腐洗净入沸水略煮，捞出沥水研泥，摊入抹香油的盘内。
2. 鸡肉剁成细泥，放入碗内，加入切碎的大葱，鸡蛋、酱油及淀粉，调至均匀有黏性，摊在豆腐上面，用中火蒸12分钟即成。

特点

此豆腐松软，稍咸，味美。

酪香胡萝卜泥

原料

胡萝卜25克，白干酪少许。

制作

1. 将胡萝卜用开水煮软后捞出，捣烂备用。
2. 将白干酪制成泥。
3. 白干酪与胡萝卜同时放在盘中，搅拌均匀即可。

特点

含多种营养素，奶香可口。

营养土豆泥

原料

土豆50克，高汤、水各适量。

制作

1. 土豆洗净去皮，切片。
2. 将土豆片放在锅中用水熬软，捞出；趁热将土豆片捣烂。
3. 用准备好的高汤将土豆泥调稀，至黏稠状即可。

特点

黏香可口，制作简便。

菠菜香肉泥

原料

菠菜300克，鸡脯肉、香菇各50克，火腿25克，上汤、盐、白糖、味精、湿淀粉、花生油各适量。

制作

1. 将菠菜下入开水锅中烫熟，放入搅拌机中搅成泥，再放入鸡脯、火腿、泡发的香菇搅拌成泥。
2. 炒锅注油烧热，放入火腿等泥状原料翻炒，倒入上汤烧开，加入味精、盐、糖，用湿淀粉勾芡即可。

特点

碧翠清香，嫩滑可口。

美味鱼糊

原料

草鱼50克，盐、淀粉各适量。

制作

1. 将鱼肉切成块，放入开水锅内，撒盐煮熟，捞出。
2. 除去鱼骨刺和皮，将鱼肉研碎，放入锅内添鱼汤煮开，加淀粉调匀，煮至糊状，盛出晾温即成。

特点

软烂味鲜，营养丰富。

三色肝末

[原料]

猪肝25克，胡萝卜、番茄、菠菜、葱、盐、肉汤、洋葱各适量。

[制作]

1. 猪肝洗净切碎；洋葱切碎；胡萝卜洗净切碎；番茄切碎；菠菜洗净入沸水略烫，切碎。
2. 将切碎的猪肝、洋葱、胡萝卜放入锅内，添入适量肉汤煮熟。
3. 加入番茄、菠菜，撒盐煮片刻即成。

[特点]

色泽美观、鲜软适口，营养丰富。

肉丝豆苗汤

[原料]

豌豆苗150克，猪瘦肉100克，草菇10朵，姜丝、盐、料酒、色拉油各少许。

[制作]

1. 将草菇浸软挤水；豌豆苗洗净；瘦肉切丝，加盐、料酒腌10分钟。
2. 炒锅注油烧热，下姜丝爆香，加入适量水、草菇煮滚，放入肉丝、豆苗煮熟，撒盐调味即成。

[特点]

汤鲜清香，有清肠作用。

口蘑豆腐汤

[原料]

豆腐300克，口蘑50克，冬笋片、油菜叶各25克，盐、味精、高汤、熟鸡油各适量。

[制作]

1. 豆腐切小片，入沸水焯过捞出过凉，控干；口蘑洗净，去蒂，下入开水锅烫后捞出。
2. 炒锅注高汤烧热，放入豆腐、口蘑烧沸，撇去浮沫，放入精盐、油菜叶、笋片、味精烧入味，淋入熟鸡油，盛入大汤碗即成。

[特点]

汤清味鲜，豆腐鲜嫩。

青菜牛奶羹

原料

菠菜、洋葱、牛奶、水各适量。

制作

1. 将菠菜清洗干净，放入开水中汆烫至软，捞出拧去水分，选择叶尖部分仔细切碎，磨成泥状；洋葱洗净切剁成泥。
2. 将菠菜泥与洋葱泥、清水适量一同放入小锅中，用小火煮至黏稠状，出锅前添入牛奶略煮即可。

特点

菜香浓厚，易于消化，尤其适宜儿童食用。

奶味蘑菇汤

原料

椰菜花、蘑菇各200克，胡萝卜50克，小米、面粉、牛奶、盐、胡椒粉、植物油各适量。

制作

1. 椰菜花、蘑菇洗净切朵，入沸水，烫透捞出沥干；胡萝卜洗净切粒；小米用热水烫过。
2. 锅内注油，放入面粉以慢火炒至微黄色，慢慢倒入鲜奶拌匀。
3. 加入盐、胡椒粉、小米、胡萝卜粒搅匀，淋在菜花上即成。

特点

味道浓香。

玉兰片猪肝汤

原料

猪肝、玉兰片各100克，葱、姜、味精、盐各适量。

制作

1. 将玉兰片切成片。
2. 将猪肝下锅加清水煮片刻，再加葱、姜、玉兰片。
3. 将猪肝煮熟后取出，切片，再放回汤中，加入盐、味精煮开即可。

特点

清鲜可口，营养丰富。

葱姜猪蹄豆腐汤

原料

豆腐400克，猪蹄200克，姜、葱、盐、鸡精、湿淀粉、植物油各适量。

制作

1. 将猪蹄煮熟，剔去骨头，肉切片，留下汤汁备用；豆腐用开水煮透盛起；葱切段；姜切大片。
2. 炒锅注油烧热，爆香姜、葱，放入猪蹄片炒透，加入豆腐、汤汁、盐略煮，用湿淀粉勾芡，加鸡精调味，炒匀装盘即可。

特点

软烂浓香，营养丰富。

鲫鱼浓汤

原料

鲫鱼500克，猪蹄300克，通草25克，盐、味精、葱、姜、胡椒粉、料酒各适量。

制作

1. 猪蹄焯水洗净；通草洗净，鲫鱼宰杀净，葱、姜分别切段、片。
2. 锅中添适量清水，放入猪蹄煮开，加入鲫鱼、料酒、盐、胡椒粉、葱段、姜片、通草，煮至猪蹄、鱼肉熟烂，捞出姜、葱，撒味精调味后即成。

特点

汤汁浓郁，营养丰富，产妇食用更具通乳功效。

双耳甜汤

原料

雪耳、黑木耳各10克，冰糖适量。

制作

1. 将雪耳、黑木耳用温水泡发，除去杂质，洗净，撕成小朵，放入碗内。
2. 加冰糖、适量清水，上蒸笼蒸1小时，木耳熟透即成。

特点

滋阴润肺，补肾健脑。

香椿芽炒鸡蛋

原料

香椿芽250克，鸡蛋3个，盐、花生油各适量。

制作

1. 将香椿芽择洗干净，切成段。
2. 炒锅注油烧热，放入香椿芽炒熟盛盘。
3. 炒锅注油烧热，倒入鸡蛋液炒熟，放入香椿，加盐调味炒匀即可。

特点

开胃爽口，祛风除湿。

火腿笋丝炒豆苗

原料

豌豆苗250克，火腿、冬笋、葱、盐、味精、料酒、色拉油各适量。

制作

1. 葱洗净切末；豆苗择去老根，洗净，切段；火腿、冬笋切细丝；笋丝用沸水焯过，捞出，控干。
2. 炒锅注油烧热，下入葱末炝锅，放入火腿丝、笋丝煸炒，再放入豆苗略煸，烹料酒，撒盐、味精，煸炒至熟即可。

特点

颜色鲜明，味道清香。

葱爆木耳

原料

水发木耳100克，猪肉末75克，葱丝100克，青、红尖椒粒、姜丝、盐、味精、湿淀粉、酱油、蚝油、花生油各适量。

制作

1. 将木耳撕成片，下开水锅焯一下，捞出。
2. 炒锅注油烧热，下姜、葱、肉末炒香，加酱油、盐、木耳、蚝油炒片刻，再加味精调味，用湿淀粉勾芡，撒入青、红尖椒粒，出锅即成。

特点

营养丰富，口感脆爽。

芹香煎番茄

原料

番茄25克，面包粉少许，芹菜、色拉油各适量。

制作

1. 芹菜切末入沸水焯熟；面包粉放入平底锅内，烤成焦黄色；番茄用开水烫一下，剥去皮，切薄片。
2. 炒锅注油烧热，放入番茄煎熟，盛入小盘内，撒上面包粉、芹菜末即成。

特点

色泽美观，十分可口。

海米西芹

原料

芹菜350克，海米、番茄各50克，葱、姜、盐、花生油、香油、料酒各适量。

制作

1. 将芹菜择洗净，放入沸水锅内焯透，晾凉，切成段；海米洗净用开水泡透；番茄洗净切片；葱、姜切末备用。
2. 炒锅注油烧热，下入葱姜末、海米煸炒，加入盐、料酒炒匀；放入芹菜、盐、味精、香油炒匀，装盘内，用番茄镶边即成。

特点

健胃消食，清热解毒。

美味拌双耳

原料

银耳、木耳各100克，盐、味精、胡椒粉、白糖、香油各适量。

制作

1. 银耳、木耳泡发，拣去杂质，去除根蒂，洗净泥沙，用开水烫一下，立即投入到凉水中，冷却后捞出沥干。
2. 将盐、味精、白糖、胡椒粉、香油、少许凉开水调匀成味汁，食用时将味汁浇在盘中拌匀即成。

特点

鲜咸适口，脆嫩爽滑。

蒜泥三丝

原料

红肠、水发腐竹、香菜各150克，蒜泥、盐、味精、糖、醋、香油、酱油各适量。

制作

1. 腐竹切丝，入沸水氽烫至熟捞出沥干，加上盐拌匀。
2. 香菜切成段，放入沸水锅氽至断生，捞出沥干水分，加少许香油拌匀；红肠切成粗丝；加入蒜泥、盐、味精、糖、醋、酱油、香油拌匀，装盘即成。

特点

颜色美观，鲜香清爽。

棒棒沙拉

原料

芦笋50克，胡萝卜、黄瓜各25克，沙拉酱、番茄酱各适量。

制作

1. 去除芦笋的叶鞘，并将根部较硬的部分切除，切成原长度的一半，入沸水煮熟；胡萝卜、黄瓜切成长条状。
2. 将沾酱的沙拉酱和番茄酱搅拌均匀，放在已盛盘的条状蔬菜旁。

特点

色彩艳丽，以蔬果为主，营养丰富。

美味花豆腐

原料

豆腐50克，鸡蛋黄1个，小白菜、葱、姜、盐、淀粉各适量。

制作

1. 葱、姜捣碎成汁；豆腐入沸水煮一下，捞出研碎；小白菜叶洗净，入沸水烫一下，捞出切碎，加淀粉、盐、葱姜水搅匀。
2. 将豆腐做成方块形，再把熟蛋黄研碎撒一层在豆腐表面，放入蒸锅内用中火蒸10分钟即可。

特点

柔软可口，营养丰富。

牛奶香蕉糊

[原 料]

牛奶200克，香蕉100克，玉米面（白）25克，糖适量。

[制 作]

1. 将香蕉去皮，然后用勺子碾碎。
2. 将牛奶倒入锅内，加入玉米面和糖，边煮边搅匀，煮好后倒入研碎的香蕉中调匀即可。

[特 点]

粗粮细做，富含多种维生素。

蛋黄泥

[原 料]

鸡蛋1个，盐少许。

[制 作]

1. 鸡蛋洗净，放锅中煮熟。
2. 剥去蛋壳，去蛋白，取蛋黄，添入开水少许，用匙搅烂即可；也可将蛋黄泥用牛奶、米汤、菜水等调成糊状食用，可适当加一点点盐。

[特 点]

软烂适口，微咸，营养丰富。

胡萝卜苹果泥

[原 料]

胡萝卜75克，苹果50克，蜂蜜适量。

[制 作]

1. 将胡萝卜洗净擦丝，把胡萝卜丝放入沸水中煮1分钟，捞出，用榨汁机打碎；苹果去皮、核，切碎。
2. 将打碎的胡萝卜、切碎的苹果一同放入锅里，添水适量，文火煮至熟烂如糊，盛出，加入蜂蜜拌匀即可。

[特 点]

香甜软烂，营养丰富。

清香碎油菜

原料

油菜25克，盐、味精、酱油、花生油各适量。

制作

1. 油菜洗净切碎。
2. 炒锅注花生油烧热，滴入酱油，随即放入碎菜，用旺火急炒，加少许盐、味精待菜烂时即可。

特点

色艳味美，营养丰富。

清暑什锦水果羹

原料

菠萝丁、苹果丁、红毛丹丁、龙眼丁、葡萄干、红樱桃各25克，糖、糖桂花各适量。

制作

1. 将葡萄干用开水泡软。
2. 锅中放入所有水果原料，加适量清水，大火烧沸，转小火焖5分钟。
3. 加入糖、糖桂花略煮，起锅倒入碗中即成。

特点

色彩艳丽，酸甜开胃。

黄豆芽蘑菇汤

原料

黄豆芽、蘑菇各100克，盐、味精、香油各适量。

制作

1. 黄豆芽去根洗净，下锅加适量水煮20分钟；蘑菇去蒂，洗净切成片。
2. 将蘑菇放入锅内，和豆芽一起煮5分钟，加盐、味精、香油调味即可。

特点

汤浓味美，味道清香。

丝瓜蛋汤

[原料]

丝瓜400克，鸡蛋4个，葱末、盐、味精、色拉油各适量。

[制作]

1. 丝瓜去皮切块；鸡蛋加盐打匀，煎熟切块。
2. 炒锅注油烧热，下入葱末炸出香味，放入丝瓜炒至发软，添入适量开水烧沸，放入蛋块，旺火烧3分钟，见汤汁变白时，撒入盐、味精，起锅装入汤盆内即可。

[特点]

清热、祛暑、安神。

番茄肉丝汤

[原料]

番茄150克，猪肉100克，葱末、姜丝、盐、味精、料酒、香油、花生油各适量。

[制作]

1. 将猪肉洗净，切成肉丝。
2. 番茄洗净去皮，切成小块。
3. 炒锅注油烧至四成热，下葱末和姜丝炝锅，放入料酒和肉丝旺火烧开，加入番茄块烧开，撒味精、盐调味，淋入香油即成。

[特点]

肉嫩汤鲜，生津止渴。

瘦肉冬瓜汤

[原料]

冬瓜300克，猪瘦肉100克，干贝、老姜片、香菜段、盐各适量。

[制作]

1. 冬瓜洗净，去瓤、皮，切大块。
2. 猪瘦肉洗净切块，下入沸水锅焯过；干贝浸泡。
3. 将冬瓜、瘦肉、干贝、姜片放入开水锅中，小火煲约1小时，加盐调味，撒入香菜段即可。

[特点]

清香味鲜，清暑热，解烦渴，健脾胃。

三鲜冬瓜汤

原料

冬瓜500克,海带100克,淡菜50克,料酒、盐、味精、葱结、姜片、猪油各适量。

制作

1. 淡菜用温水泡软洗净,加少许水、料酒、葱结、姜片,用中火煮至酥烂;海带切成菱形块;冬瓜去皮、籽,切块。
2. 锅内注猪油烧至五成热,放入冬瓜、海带略炒,加入开水,用中火煮30分钟,放入淡菜及原汤烧沸,加味精、盐调味即可。

特点

汤汁乳白,口味清香,祛暑热。

紫菜瘦肉羹

原料

清汤300毫升,猪瘦肉50克,湿淀粉、紫菜、葱末、姜末、盐、味精、香油、醋各适量。

制作

1. 紫菜放入清水,浸渍回软,洗去杂质,捞出控水。
2. 猪瘦肉斩成末,加清水、盐搅匀。
3. 锅中放入清汤、盐和肉末烧开,加紫菜略煮,用湿淀粉勾芡,加入葱姜末、醋、味精调味,淋入香油即成。

特点

清肠去火,营养丰富。

腰花核桃仁汤

原料

猪腰500克,核桃仁300克,栗子、猪瘦肉、姜片、盐各适量。

制作

1. 栗子去壳、皮;猪腰切块,入沸水汆烫,捞出。
2. 猪瘦肉切成大块,入沸水汆烫,捞出洗去血水。
3. 锅中注水烧沸,放入猪腰块、瘦肉块、栗子、核桃仁、姜片,大火煮沸,转小火煮约3小时,加盐调味即可。

特点

制作简便、营养丰富。

白汤鲫鱼

原料

鲫鱼400克，冬笋50克，金华火腿、香菇各25克，葱段、姜片、盐、味精、熟鸡油、料酒、猪油各适量。

制作

1. 鲫鱼洗干净；火腿切片；冬笋、香菇分别洗净煮熟，切片。
2. 炒锅注油烧热，放入鱼两面略煎，加入料酒、葱段、姜片、清水烧沸，用小火煮至汤色乳白，加入盐、味精、火腿片、笋片、香菇片烧沸，拣去葱、姜，盛入大汤碗内，放入火腿片、香菇片，淋入熟鸡油即可。

特点

鱼汤醇厚，味道香美。

竹笋西瓜皮鲤鱼汤

原料

鲤鱼500克，竹笋、西瓜皮各300克，眉豆50克，红枣、姜、盐、味精各适量。

制作

1. 竹笋去壳、皮，切片，水浸1天；鲤鱼去鳃、内脏，留鳞洗净；眉豆洗净；西瓜皮洗净切块；姜洗净切片；红枣去核洗净。
2. 把鲤鱼、竹笋、西瓜皮、眉豆、姜、红枣放入开水锅内，大火煮沸，小火煲2小时，加盐、味精调味即可。

特点

利水、祛暑、健脾。

香菇木耳淡菜汤

原料

淡菜200克，干香菇50克，干木耳25克，味精、盐各适量。

制作

1. 香菇去蒂，浸软洗净；木耳泡发洗净，去蒂；淡菜浸软洗净。
2. 锅内注入清水，放入香菇、淡菜用大火煮沸，转小火煮30分钟，加入木耳煮沸10分钟。
3. 加盐、味精调味即可。

特点

海味浓郁，鲜味十足。

尖椒炒鸡蛋

原料

尖椒200克，鸡蛋3个，盐、糖、花生油各适量。

制作

1. 尖椒洗净，去蒂和籽，切成条；鸡蛋打散，加入水和盐搅匀。
2. 炒锅注油烧热，倒入鸡蛋液翻炒成块，盛出。
3. 炒锅注油烧热，放入青椒条、鸡蛋、盐、糖炒匀即成。

特点

鲜嫩微辣，营养均衡。

香菜梗炒鳝丝

原料

活鳝鱼750克，香菜梗50克，蒜泥、酱油、料酒、盐、糖、胡椒粉、湿淀粉、香油、色拉油各适量。

制作

1. 活鳝鱼杀后洗净，切成细丝，加入盐和湿淀粉拌匀，滑熟；香菜切段；酱油、料酒、糖、盐和湿淀粉调成卤汁。
2. 原锅中放入蒜泥煸香，加入卤汁，放入鳝丝、香菜梗，翻炒，淋入香油，撒上胡椒粉即成。

特点

清香鲜美。

姜丝肉

原料

瘦猪肉250克，姜100克，葱、料酒、酱油、味精、盐、香油、植物油各适量。

制作

1. 葱洗净切成末；瘦肉切成细丝；姜洗净去皮，切细丝后用凉水泡出辣味，控干。
2. 炒锅注油烧热，放入肉丝、葱末，煸炒至发白，加入料酒、酱油、味精、盐，再放入姜丝翻炒入味，淋香油，出锅即可。

特点

肉丝香辣，姜丝脆嫩。

甜酸猪肝

原料

猪肝250克，菠萝肉75克，木耳25克，葱段、白糖、淀粉、酱油、醋、香油、植物油各适量。

制作

1. 菠萝肉切片；木耳撕成小片；猪肝加酱油、淀粉拌匀上浆。
2. 锅内注油烧热，放入猪肝滑熟，盛出；炒锅留底油烧热，放入葱段、木耳、菠萝肉略炒，加入醋、白糖、少量水烧沸。
3. 用湿淀粉勾芡后，将猪肝倒入锅中，淋香油，翻炒均匀即可。

特点

清香酸甜，爽滑适口。

回锅蛋

原料

鸡蛋3个，猪肉100克，黄花菜、木耳各50克，葱花25克，白砂糖、生抽、香油、花生油、盐各适量。

制作

1. 猪肉剁碎，加生抽、花生油拌匀；黄花菜、木耳洗净沥干。
2. 炒锅注油烧热，将碎肉炒散，加入打散的蛋液，煎成饼状。
3. 将蛋饼用锅铲切成小块，加入黄花菜、木耳及调料煮至熟；撒入葱花即可。

特点

蛋香浓郁，肉香诱人。

油菜海米豆腐

原料

豆腐、油菜各250克，海米50克，葱花、盐、味精、湿淀粉、花生油、香油各适量。

制作

1. 豆腐洗净切丁；海米泡发，切成碎末；油菜择洗干净，切碎。
2. 炒锅注油烧热，下入葱花炝锅，投入豆腐、海米，翻炒几下。
3. 放入油菜炒透，撒盐，用湿淀粉勾芡，加味精和香油即可。

特点

色泽白绿，味道鲜美。

虾碎菜花

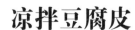

原料

菜花25克，草虾、盐、白酱油各适量。

制作

1. 菜花洗净，放入开水中煮软后捞出，切碎。
2. 虾入开水煮熟后剥去皮，切碎。
3. 虾碎中滴入白酱油，撒盐拌匀，使其具有淡咸味；倒在菜花上即可。

特点

口感细嫩，味甘鲜美。

凉拌豆腐皮

原料

豆腐皮300克，小白菜200克，猪肉、冬笋各50克，黄酒、酱油、白糖、盐、鲜汤、味精、葱、猪油、淀粉各适量。

制作

1. 豆腐皮洗净切片，小白菜切段，葱白切片，猪肉洗净切片。
2. 锅内注猪油烧六成热，下入葱白、肉片煸炒，烹入黄酒，放入小白菜、笋片略煸，倒入鲜汤煮沸，加入精盐、酱油、白糖略煮，下入豆腐皮，撒入味精搅匀，用湿淀粉勾芡，淋猪油即可。

特点

味道香浓，口感丰富。

水梨百合羹

原料

水梨1个，鲜百合75克，蜂蜜适量。

制作

1. 将梨洗净去皮、核，切块，放入盅内；鲜百合洗净，分成瓣。
2. 鲜百合放在梨块上，淋入蜂蜜，加适量清水。
3. 放入蒸锅蒸30分钟，至梨熟烂即可。

特点

汤汁甜美，滋阴润肺，止咳祛痰。

水果奶蛋羹

原料

鸡蛋黄1个，苹果、橘子各25克，牛奶25毫升，糖、玉米粉各适量。

制作

1. 玉米粉与糖放入锅中搅匀，加入蛋黄再次搅匀；苹果洗净捣成苹果泥。
2. 将牛奶慢慢倒入锅中，边倒边搅拌，用小火熬煮至黏稠状。
3. 将橘子瓣捣烂同苹果泥放在奶羹上即可。

特点

味道鲜爽，营养，注意不要过甜。

番茄鳝鱼羹

原料

鳝鱼300克，番茄100克，葱段、姜片、盐、胡椒粉、料酒、色拉油各适量。

制作

1. 鳝鱼洗净；番茄洗净去皮，切块。
2. 炒锅注油烧热，放入鳝鱼略煎，加入姜片、葱段炒香，烹入料酒，倒入清水，大火烧开，撇去浮沫，炖待汤色奶白，加入盐、番茄块炖10分钟，撒入胡椒粉调味即可。

特点

酸鲜微辣，鱼肉嫩爽。

番茄鳜鱼糊

原料

鳜鱼100克，番茄75克，盐、鸡汤各少许。

制作

1. 将收拾好的鱼肉放在锅里煮熟，捞出后除去鱼皮、鱼刺，将鱼肉弄碎；番茄洗净，烫一下，剥去皮，切碎。
2. 将鸡汤添入锅中，放鱼肉末同煮，再放入番茄，撒盐，小火煮成糊状，晾温后即可。

特点

酸香软烂，营养丰富。

椰汁奶糊

原料

小米面100克，椰汁200克，牛奶400克，干枣25克，白糖适量。

制作

1. 椰汁、小米面拌匀成稀糊；红枣去核洗净。
2. 锅内添适量清水，放入白糖、牛奶、红枣慢火煮开。
3. 慢慢倒入面糊，不停搅拌至煮开，盛入碗中即可。

特点

椰味浓厚，滑嫩可口。

双豆炖猪蹄

原料

猪蹄300克，黄豆、赤小豆各100克，香菜末、葱、姜、盐、鸡精、味精、鲜汤、酱油、蚝油、香油、植物油各适量。

制作

1. 猪蹄剁块，入沸水焯烫捞出过凉；葱、姜洗净切成块。
2. 锅内注油烧热，放入葱、姜、猪蹄、蚝油和酱油炒上色，加入鲜汤、盐、味精、鸡精和黄豆、赤小豆炖至猪蹄酥烂。
3. 淋入香油，撒入香菜即可。

特点

双豆酥烂，猪蹄香浓。

栗香丝瓜液

原料

丝瓜50克，栗子、姜各适量。

制作

1. 栗子泡30分钟左右，放入榨汁机内，添入半杯水打烂，滤渣取汁；丝瓜洗净削皮，切成薄片；姜洗净切片。
2. 锅中添入4杯水，放入丝瓜，下入姜片煮沸，再转用小火煮8分钟；放入栗子汁，继续煮2分钟，关火待温即可。

特点

富含纤维，润肠除燥。

肉丸冬瓜汤

[原料]

冬瓜、猪肉馅各150克，蛋清1个，香菜碎、姜末、姜片、盐、鸡粉、料酒、香油各适量。

[制作]

1. 冬瓜切片；肉馅加入蛋清、姜末、料酒、盐拌成泥，挤成丸。
2. 汤锅添水烧开，放入姜片，转小火，放入肉丸，待肉丸变色，转大火烧开。
3. 放入冬瓜片、盐、鸡粉调味，撒入香菜碎，淋入香油即可。

[特点]

清鲜味美，滋润除燥。

排骨冬瓜汤

[原料]

排骨200克，冬瓜100克，姜片少许。

[制作]

1. 将冬瓜洗净，去皮切块。
2. 将排骨剁块，洗净，放入开水锅中汆烫，捞起。
3. 锅中添入适量水，放入姜片、排骨、冬瓜，炖至熟烂即可。

[特点]

汤清鲜，肉香糯。

鱿鱼须冬瓜汤

[原料]

冬瓜200克，鱿鱼须100克，盐、胡椒粉各适量。

[制作]

1. 将鱿鱼须改刀，放入开水锅汆烫捞出沥水。
2. 冬瓜去皮、瓤，洗净切片。
3. 锅中添入适量水烧热，放入冬瓜片、鱿鱼须、盐、胡椒粉，煮沸即可。

[特点]

鲜咸微辣，开胃润燥。

排骨南瓜汤

原料
老南瓜500克，猪排骨(大排)300克，赤小豆50克，蜜枣、陈皮、盐各适量。

制作
1. 将猪排骨洗净，斩段；南瓜洗净，切大片；红小豆、蜜枣洗净；陈皮浸软洗净。
2. 将所有原料放入汤锅，添入适量清水，大火烧开，改用小火煮至熟烂汤浓，加盐调味即可。

特点
温补，去火，适宜秋季食用。

猪血豆腐汤

原料
猪血200克，豆腐150克，葱、姜、蒜、盐、味精、料酒、植物油各适量。

制作
1. 猪血和豆腐均切小块；姜、葱切末。
2. 锅内注油烧热，爆香葱、姜、蒜，放入猪血，烹料酒，添水烧沸，放豆腐块煮熟。
3. 加入盐、味精调味即可。

特点
颜色美观，汤汁鲜美。

鲤鱼菜薹汤

原料
鲤鱼300克，油菜薹1000克，春笋50克，鸡蛋清25克，虾米、盐、湿淀粉、色拉油各适量。

制作
1. 鲤鱼取肉洗净，加盐、鸡蛋清、湿淀粉搅匀，滑散沥油；油菜薹洗净切段；冬笋切片。
2. 炒锅留油烧至六成热，倒入菜薹，炒至翠绿色，放入笋片、虾米、盐及适量水烧几分钟，倒入鱼片，再烧1分钟即成。

特点
鱼片玉白滑嫩，菜薹香脆爽口，汤清味鲜。

木瓜鲫鱼煲

原料

鲫鱼500克，木瓜100克，枣、姜片、盐、味精、清汤、黄酒、植物油各适量。

制作

1. 鲫鱼洗净沥干；木瓜洗净切块；红枣洗净去核待用。
2. 锅内注油烧至六成热，下入姜片煸香，放入鲫鱼煎黄。
3. 锅内添适量清汤，大火烧开，放入鲫鱼、木瓜、红枣、黄酒煮沸，转小火煲2小时，加盐、味精调味即可。

特点

味道香浓，鱼肉细嫩。

鲫鱼炖豆腐

原料

鲫鱼400克，豆腐250克，萝卜100克，香菜末、葱丝、姜丝、盐、料酒、胡椒粉、清汤、花生油各适量。

制作

1. 鲫鱼去鳃、鳞、内脏，入沸水焯烫捞出；豆腐洗净切块；萝卜洗净切丝。
2. 炒锅注油烧热，下入葱姜丝炝锅，放入清汤和鱼烧开。
3. 加入豆腐、萝卜丝、盐、胡椒粉，用慢火炖至汤汁浓厚，撒入香菜末即成。

特点

益气养血，养颜润肤。

胡萝卜水

原料

胡萝卜50克，糖适量。

制作

1. 胡萝卜洗净切碎，入锅添水，上火煮约2分钟。
2. 用纱布过滤后，在胡萝卜水中撒入糖，调匀即可。

特点

口味略甜，制作简便，营养丰富。

肉末海带烧白菜

原料

水发海带250克，白菜200克，猪肉末150克，郫县豆瓣酱、葱末、姜末、蒜末、盐、湿淀粉、料酒、鲜汤、花椒油、色拉油各适量。

制作

1. 将海带洗净，切成宽条；白菜切同宽的条；豆瓣酱剁碎。
2. 炒锅注油烧至五成热，下入肉末炒至变色，放入豆瓣酱、葱、姜、蒜末炒出红油，加入料酒、鲜汤、海带、白菜、盐烧开。
3. 转中火炖熟透，用湿淀粉勾芡，加入花椒油，盛入汤盘即可。

特点

富含碘，具有温补功效。

肉丝炒芹菜千张丝

原料

芹菜100克，猪肉、豆腐丝各50克，酱油、植物油、盐、葱、姜、料酒、淀粉各适量。

制作

1. 猪肉切丝，用淀粉、酱油、料酒调汁拌好；芹菜洗净去叶，切成寸段，入沸水焯烫；葱、姜洗净，葱切段，姜切片。
2. 锅内注油烧热，放入肉丝用旺火煸炒，盛出；锅内注油烧热，放入芹菜煸炒，加入豆腐丝、肉丝，加酱油、料酒炒匀即可。

特点

健脾开胃，钙质丰富。

松仁玉米

原料

玉米粒400克，胡萝卜、青豆各25克，炸好的松子仁、盐、糖、味精、色拉油各适量。

制作

1. 将胡萝卜洗净，切成小丁。
2. 玉米粒、胡萝卜丁放入沸水锅中焯过捞出备用。
3. 炒锅注油烧热，放入胡萝卜丁、玉米粒炒熟，加盐、糖、味精调味，用湿淀粉勾芡，装盘，撒上松子仁即可。

特点

玉米浓香，味美可口。

酸菜炒杂烩

原料

酸白菜200克，芹菜100克，鸡肝、鸡心、鸡腰、鸡肠、姜、姜汁、盐、白糖、湿淀粉、白酒、酱油、香油、食用碱、植物油各适量。

制作

1. 芹菜洗净切段；酸白菜洗净切片，略炒；鸡肝、鸡心、鸡腰、鸡肠用盐、白酒、食用碱洗净，切块，用姜汁腌片刻，放入开水锅中焯水。
2. 炒锅注油烧热，放芹菜翻炒盛起，再放鸡杂和酸白菜，加油、酱油、白糖、湿淀粉、盐、清水、香油翻炒，加芹菜炒匀即可。

特点

营养丰富，味道香浓。

白烧蹄筋

原料

猪蹄筋150克，油菜50克，火腿25克，葱段、姜丝、盐、料酒、鲜汤、味精、植物油各适量。

制作

1. 蹄筋泡发洗净，切成3厘米长段；火腿切成片；油菜切成段。
2. 将蹄筋和油菜分别放入沸水锅中烫透，捞出沥水。
3. 锅内注油烧热，放入葱、姜爆香后除去；将蹄筋、火腿片放入锅内，加盐、料酒、味精、鲜汤煮烂，放入油菜炒匀即成。

特点

味道浓厚，营养丰富。

火腿虾粒香豆腐

原料

虾仁150克，豆腐100克，火腿、西葫芦各50克，盐、白砂糖、淀粉、胡椒粉各适量。

制作

1. 虾仁洗净，沥干切粒，用少许油炒熟，盛出；火腿切粒。
2. 豆腐洗净，撒盐涂匀，切厚块隔水蒸熟；西葫芦洗净切粒。
3. 注油将调料煮滚，放入虾仁、火腿、西葫芦同煮至熟，铺在豆腐上即可。

特点

鲜香可口，营养全面。

牛奶煮蛋

原料

鸡蛋1个，糖、牛奶适量。

制作

1. 将鸡蛋的蛋白与蛋黄分开，把蛋白调至起泡待用。
2. 锅内加入牛奶、蛋黄和糖，混合均匀用微火煮一会儿，再用勺子一勺一勺把调好的蛋白放入牛奶蛋黄锅内稍煮即成。

特点

蓬松柔软，是婴儿最佳的午后食品。

猪肉蛋羹

原料

鸡蛋2个，瘦猪肉25克，葱、盐、香油、酱油各适量。

制作

1. 将猪瘦肉剁成肉末；葱洗净切成末。
2. 鸡蛋磕入碗内打散，撒盐，淋酱油，加入葱末、猪肉末、清水搅匀，放蒸锅内小火蒸12分钟，取出，淋上香油即成。

特点

咸香软嫩，爽滑可口。

红枣泥

原料

枣100克，白糖25克。

制作

1. 将红枣洗净，放入锅内，加入清水煮20分钟，至红枣烂熟。
2. 去掉红枣皮、核，捣成泥，加少许水再煮片刻，加入白糖搅匀即可。

特点

软黏香甜，补血营养。

腊肠番茄泥

原料

番茄、腊肠25克，盐、肉汤各适量。

制作

1. 将番茄用热水烫后剥去皮，去籽切碎；腊肠切碎。
2. 锅置火上，添肉汤，放番茄、腊肠边煮边搅拌，并用勺背将其研成糊状，撒少许盐调味即可。

特点

酸咸得当，双重营养。

猪肝泥

原料

猪肝50克，盐、香油、酱油各适量。

制作

1. 猪肝洗净，横剖开，去掉筋膜和脂肪，放在菜板上，用刀剁成泥状。
2. 将肝泥放入碗内，滴入香油、酱油及盐调匀，上笼蒸20~30分钟即成。

特点

软烂鲜香，含有丰富的铁和多种维生素。

芋泥拌味噌芝麻

原料

芋头100克，芝麻、味噌各适量。

制作

1. 芋头清洗干净，去皮，放入开水中煮软，捣成泥状。
2. 添入少量的冷水调稀。
3. 加入准备好的芝麻和味噌搅拌均匀即可。

特点

味道香浓，制作简便。

萝卜蛋花汤

原料

白萝卜250克，鸡蛋2个，蒜、盐、香油、色拉油各适量。

制作

1. 将鸡蛋打入碗内搅匀；蒜切末；白萝卜去头尾洗净，切细丝。
2. 炒锅加油烧热，下入蒜末爆香，加入萝卜丝翻炒，添入适量清汤烧开。
3. 淋入鸡蛋液煮开，淋上香油，加盐调味即成。

特点

健脾，尤其适宜冬季食用。

白萝卜浓汤

原料

白萝卜200克，玉米粉25克，高汤适量。

制作

1. 白萝卜洗净去皮，切成圆片，取1/4烫软，捣烂。
2. 将少许高汤倒入锅中煮开，倒入捣烂的白萝卜略煮。
3. 均匀的放入调稀后的玉米粉，调匀后即可食用。

特点

浓稀适宜，顺气助消化。

芙蓉豆腐汤

原料

豆腐400克，莴笋50克，香菇、豌豆尖、蘑菇各25克，牛奶、素汤、盐、白糖、湿淀粉、胡椒粉、味精各适量。

制作

1. 豆腐剁碎，加牛奶、盐、味精、湿淀粉调匀，上屉蒸10分钟。
2. 将香菇、蘑菇、莴笋、豌豆尖洗净，蘑菇、莴笋切片。
3. 炒锅注油烧热，放入素汤、香菇、蘑菇、莴笋煮熟，捞出摆在豆腐糕四周，汤里加盐、胡椒粉、白糖、味精搅匀，用湿淀粉勾芡即成。

特点

造型美观，营养丰富。

蔬菜肉丸

原料

鸡蛋液1个，里脊肉25克，洋葱、青椒、香菇、胡萝卜、淀粉、色拉油、番茄酱、酱油各适量。

制作

1. 在猪绞肉中加蛋液、淀粉搅拌，做成小肉丸子，上屉煮熟。
2. 洋葱、胡萝卜、青椒、香菇分别切成易入口的块。
3. 炒锅注色拉油烧热，放入蔬菜炒熟，添水煮开；加番茄酱、酱油，用湿淀粉勾芡，加入煮熟的小肉丸即可。

特点

味道浓郁，营养丰富。

鲫鱼炖猪蹄

原料

鲫鱼300克，猪蹄200克，盐、水适量。

制作

1. 鲫鱼去鳃、鳞及内脏，洗净；猪蹄洗净，切开。
2. 锅内添适量水，放入鲫鱼、猪蹄，用旺火炖至猪爪熟透，撒入适量盐调味即可。

特点

营养丰富，滋补功效显著，产妇食用可治乳汁缺少。

鲫鱼砂仁汤

原料

鲫鱼450克，砂仁、姜、盐、花生油各适量。

制作

1. 鲫鱼去鳃、鳞和肠杂洗净；砂仁研末，置鱼腹内，放入炖盅盖好；姜洗净切片。
2. 将姜片、鱼放入锅中，隔水炖熟，加油、盐调味即可。

特点

滋补功效明显，孕妇食用更有安胎的作用。

鲫鱼枸杞汤

原料

鲫鱼200克，枸杞叶150克，陈皮、姜、盐各适量。

制作

1. 鲫鱼去鳃、鳞、内脏，洗净；陈皮、生姜洗净。
2. 锅内添适量水，放入鲫鱼、陈皮、生姜小火慢炖至熟烂。
3. 将鲜枸杞叶洗净，放入锅内，与鲫鱼同煮开，改小火炖至鱼熟汤浓，加盐调味即成。

特点

汤浓鱼酥菜嫩，咸鲜微苦。

胡椒鸡汤

原料

母鸡1000克，猪瘦肉200克，胡椒根100克，红枣25克，盐适量。

制作

1. 老母鸡剁块，除去皮、脂；胡椒根用温水洗净，斩碎；红枣去核，洗净；猪瘦肉洗净，切片。
2. 煲内注水烧沸，放入老母鸡、胡椒根、红枣、猪瘦肉煲约4小时，加盐调味即可。

特点

固本养颜，滋味鲜美。

猪肚黄芪汤

原料

猪肚500克，萝卜250克，芹菜50克，黄芪、葱、姜、蒜、花椒、八角、盐、植物油各适量。

制作

1. 猪肚洗净入沸水焯烫过捞出切块；萝卜切块；芹菜、葱切段；姜、蒜捣碎；锅内添适量水，下猪肚煮开，去除浮油和泡沫。
2. 放入萝卜、芹菜、葱、姜、蒜、黄芪、花椒和八角，煮至猪肚变软，加入油，盐调味即可。

特点

健脾胃，养容颜，益元气。

糯米黄芪粥

原料

糯米100克，黄芪25克，枣适量。

制作

1. 将黄芪焙干，研细末。
2. 将糯米、黄芪末、红枣置瓦罐内，添清水，旺火煮沸，改用小火煨1小时即可。

特点

益气养血，滋补功效明显，尤其适宜孕妇食用。

鱼香蛋饼

原料

鸡蛋液1个，草鱼25克，洋葱、番茄酱、花生油少许。

制作

1. 洋葱切成碎末；鱼肉煮熟，去皮、刺，研碎；鸡蛋液放入碗内，加入鱼肉泥、洋葱末，调拌均匀成馅待用。
2. 炒锅注油烧热，将馅团成小圆饼，放入油锅内煎炸至熟，起锅装盘；将番茄酱淋蛋饼上，晾温即可。

特点

蛋饼色泽美观，软嫩鲜美。

香菇炒面

原料

面条200克，猪肉丝100克，鲜香菇50克，冬笋25克，葱、盐、味精、酱油、香油、花生油各适量。

制作

1. 香菇、冬笋分别洗净切丝，葱切末；面条煮熟，捞出沥干。
2. 炒锅注油烧热，下入葱末爆香，加入猪肉丝、香菇丝、冬笋丝煸炒，放入面条略炒，倒入酱油炒匀，加盐、味精调味，淋入香油即可。

特点

滋味清鲜，酱香浓郁。

熘腰花

原料

鲜猪腰300克，胡萝卜100克，青椒50克，葱末、姜末、蒜末、盐、味精、白糖、湿淀粉、酱油、料酒、香油、色拉油各适量。

制作

1. 猪腰切成腰花，加盐、酱油、料酒腌渍，滑散；胡萝卜、青椒洗净，切片；将盐、酱油、糖、味精、料酒、湿淀粉调成味汁。
2. 炒锅注油烧热，加入葱末、姜末、蒜末炝锅，放入胡萝卜片、青椒片煸炒，倒入腰花，添入味汁炒匀，淋入香油，装盘即成。

特点

滋补益气，口感香嫩。

锦绣炒鲜奶

原料

鸡蛋清250克，鲜牛奶150克，金华火腿、鸡汤、香菇、冬笋、青红椒、粉丝、香菜、淀粉、盐、味精、料酒、植物油各适量。

制作

1. 将鲜牛奶、鸡蛋清、盐、味精、淀粉调匀，炒熟；香菇、笋、青红椒洗净切片；金华火腿2/3切菱形片，1/3切丝；粉丝炸松。
2. 锅内注油烧热，放入香菇、笋、青红椒、火腿片煸炒，加盐、味精、料酒和鸡汤烧开，放鲜奶片略煮，加粉丝、细火腿丝、香菜叶煮开即可。

特点

奶香浓郁，滋补。

香炒胡萝卜

原料

胡萝卜25克，白芝麻、白砂糖、油、酱油、高汤各适量。

制作

1. 用削皮器将胡萝卜刨成薄片。
2. 炒锅注油烧热，先炒胡萝卜，再添入高汤稍微煮一下。
3. 待胡萝卜煮软后，加入砂糖和酱油拌匀再熄火；撒上白芝麻即成。

特点

做法简便，营养丰富，香甜适中。

做菜更好吃的厨房秘技300例

煮粥好吃的窍门

◇原料下锅有顺序
要注意原料下锅的先后顺序，不易煮烂的先放入，如豆类、含淀粉类原料。

◇原料处理要得当
莲子要先去掉苦的芯；生的杏仁、核桃仁最好先用水泡并剥皮去苦味后再下锅；生花生、藕、百合等原料宜在快熟时最后放入，以保持鲜脆的感觉；薏米下锅之前要先泡至发亮，因为易熟，所以不需太大火候，起锅前几分钟放入即可。

◇水的使用
煮粥前最好一次性把水放足，掌握好水、米的比例，不要中途添水，否则粥会泻和稀，在黏稠度和浓郁香味上大打折扣。

◇煮豆粥时
放米之前，待豆子开锅后兑入几次凉水，豆子"激"几次容易开花，之后再放米。

◇煮菜粥时
应该在米粥彻底熟后，放盐、味精等调味品，最后再放生的青菜（不要焯水），这样青菜的颜色不会有变化，营养保存得更全。

◇煮大米粥
制作大米粥时千万不要放食用碱，因为大米是人体维生素B_1的重要来源，食用碱能破坏大米中的维生素B_1，会导致维生素B_1缺乏，出现"脚气病"。

煮肉类鲜汤好吃的窍门

◇选料要得当
选料得当是制好鲜汤的关键。 用于制汤的原料，必须鲜味足、血污少。肉类食品含有丰富的蛋白质、琥珀酸、氨基酸、核苷酸等，家禽肉中含有能溶解于水的含氮浸出物，包括肌凝蛋白质、肌酸、肌酐、尿素和氨基酸等非蛋白质含氮物质，它们是汤中鲜味的主要来源。

◇原料要新鲜
新鲜并不是历来所讲究的"肉吃鲜杀鱼吃跳"的"时鲜"。

现代所讲的鲜，是指鱼、畜禽杀死后3～5小时，此时鱼或畜禽肉的各种酶使蛋白质、脂肪等分解为氨基酸、脂肪酸等人体易于吸收的物质，不但营养最丰富，味道也最好。

◇炊具要得当

制鲜汤时以陈年瓦罐煨制效果最佳。瓦罐能均衡而持久地把外界热能传递给内部原料，相对稳定的环境温度，有利于水分子与食物的相互渗透，这种相互渗透的时间维持得越长，鲜香成分溢出得越多，煨出的汤的滋味就越鲜醇，被煨食品的质地就越酥烂。

◇火候要适当

煨汤的要诀是：旺火烧沸，小火慢煨。这样才能使原料内的蛋白质浸出物等鲜香物质尽可能地溶解出来，以达到鲜醇味美的目的。只有文火才能使浸出物溶解得更多，使汤味浓醇。

◇配水要合理

水温的变化、用量的多少，对汤的风味有着直接的影响。用水量一般是煨汤的主要原料重量的3倍，同时应使原料与冷水共同受热，既不直接用沸水煨汤，也不中途添加冷水，以使原料中的营养物质缓慢地溢出，最终达到味浓汁厚的效果。

◇调料投放有序

熬汤时不宜先放盐；若在汤中加蔬菜应随放随吃，以减少对蔬菜中维生素C的破坏；汤中可适量放入味精、香油、胡椒、姜、葱、蒜等调味品，使其别具特色，但注意用量不宜太多，以免影响汤的原味。

 ## 做鱼好吃的窍门

◇原料要新鲜

选择新鲜的鱼是做鱼好吃的第一步。

挑选新鲜的鱼，可以通过以下的方法：

[看鱼形]

挑选鱼形整齐，头尾均匀，脊椎、尾脊不弯曲、不僵硬的鱼。

[观鱼鳞]

挑选鱼鳞有光泽的，不要选择鱼鳞部分脱落，鱼皮发黄，尾部灰青的。

[辨鱼鳃]

有的鱼表面看起来新鲜，但如果鱼鳃不光滑、形状较粗糙，呈红色或灰色，这些鱼大都是被污染的鱼。

[瞧鱼眼]

挑选鱼眼有光泽，眼球不向外凸起的鱼。

[闻鱼味]

新鲜的鱼，散发自然的腥香气。不要选择带有煤油味、大蒜味、杏仁苦味、氨水味、农药味的鱼。

◇处理要干净

把鱼处理干净，是去掉鱼腥味的重要一步。处理时不仅要去内脏、鱼鳞，还要注意彻底处理鱼鳃的根部和腹内黑膜。有些鱼如鲤鱼，应注意需要特别处理的部分，如抽掉鲤鱼皮内两侧的白线筋。

◇ 放料的诀窍

烧鱼时不宜过早放姜，应待到鱼的蛋白质凝固后再放姜，这样，姜才能真正发挥其去腥增香的效能。在烹制鱼类菜肴时放点醋，可以去腥增鲜，使鱼刺软化，有利于人体对钙的吸收。鱼入锅煮10分钟后再放盐，然后煮10分钟，再放入其他配料会使鱼味鲜美。

◇ 煎鱼的诀窍

煎鱼时，油要适量宽松，并且不要急于、勤于翻鱼身以免弄破。用鲜生姜在热煎锅底抹上一层姜汁，再注油煎鱼，鱼皮不会粘锅；也可采用佐料提前腌渍、裹匀鸡蛋糊、蘸匀面粉的方法，使煎鱼时不但不粘锅，而且味道香脆。

◇ 做鱼汤

[鱼汤汁浓的诀窍]

鱼汤呈奶色富有鱼香味，只需要在煮鱼汤之前先把鱼煎为大半熟，再注水烧，用大火煮沸后转中火炖片刻，汤就会色泽乳白；勾芡会使汤汁浓厚。

[鱼汤鲜美的诀窍]

做鱼汤必须用凉水，并一次把水加足，否则会冲淡原汁的鲜味。添加少许啤酒，汤熟后不仅鱼肉嫩白，而且汤味更加鲜美，

◇ 做蒸鱼

[做蒸鱼的方法]

蒸鱼时先将锅内水烧开再放鱼，锅盖盖严隔水蒸，这样蒸出来的鱼便会新鲜可口，香味纯正，切忌用冷水蒸。

[蒸鱼更滑嫩的秘诀]

蒸前最好在鱼身上撒上细盐，均匀地抹遍鱼身，腌渍半小时，淋入鸡油或猪油，可使鱼肉更加滑嫩。

[做鱼丸子的诀窍]

做鱼丸子时，先将鱼肉加工成茸状，然后加水并顺着一个方向搅拌，使鱼肉吃进适量的水，再撒入盐，即可捏制鱼丸。

做虾好吃的窍门

◇ 选料要新鲜

挑选新鲜的虾是做虾好吃的第一步，挑选新鲜虾的方法详见后文。

◇ 处理要得当

[鲜虾的处理方法]

鲜虾剪掉虾头，去掉虾胃中的残留物，将虾煮至半熟，剥去虾壳，翻起虾背肌肉，去除虾线、虾肠。

[冻虾的处理方法]

清理冻虾一定要剪开虾背，清除虾线，再放入盐水中泡10分钟，捞出冲洗干净，抹干水分，虾肉就变得又爽又干净了。

[干虾的处理方法]

干虾要经过浸发才可除去异味，第一次浸水后异味仍然很重，不能用来烹煮，第二次浸水后的水和虾才可用来烹煮。

[虾米的处理方法]

食用前最好将虾米加水略煮，或在日光下暴晒3～6小时，以去掉虾米所含的亚硝基化合物。

[虾皮的处理方法]

食用前最好将虾皮入水略洗，然后捞出沥干。

[处理虾仁的方法]

从市场、超市买回的虾仁，应先放入加食用碱的清水中浸泡20～30分钟，取出用水漂洗净后再进行烹饪。

[挤虾仁的方法]

鲜虾挤虾仁之前，放入加少许明矾的清水中浸泡片刻，这样既容易挤又不会使虾壳带肉。

[炸虾仁好吃的秘诀]

虾仁去泥、肠洗净，加入蛋清、淀粉、沙拉油上浆后，可先放入冰箱中冷藏片刻，再下入热油锅中炸，这样炸熟的虾仁更入味。

◇ **选好吃虾的季节**

冬季饮食要遵循养阴的原则，适宜吃虾。而百花盛开的春天，是过敏性疾病的多发季节，有慢性疾病或过敏体质的人，春天一定要忌口，不宜吃虾，否则旧病极易复发。

◇ **煮虾好吃的方法**

煮虾时水不要太多，淹没虾即可。

煮虾时放入葱段、姜片、柠檬片，滴入少许料酒，可以使虾肉味道更鲜美。

虾煮至刚熟的时候最好吃，此时虾肉雪白饱满，不透明，虾壳贴身，表面平滑。

食用时准备一碗蘸汁：姜泥、葱泥、熟油、生抽、醋搅匀即成，味道鲜甜清爽。

◇ **炒虾好吃的诀窍**

将蒜在油锅中爆香后放入虾，炒至变色，撒入少许盐，翻几下即可出锅。

炒虾时不需要添水，注意控制火候。

◇ **制作虾饺防止破皮的诀窍**

和面的水要烫，用开水烫面。倒水速度要慢，每个地方都要烫到。

即擀即包，不然皮干了就容易裂，暂时用不到的皮全部用湿布盖起来。

即包即蒸，一般包好4～8个就蒸一锅，蒸上一锅的时间就把下一锅包好。这样虾饺搁置的时间最短。

出锅时用手轻轻拎起，如用筷子则要小心，避免碰破皮。

◇ **食用虾的宜忌**

[宜]

中老年人、孕妇和心血管病患者很适合食用虾，每次30~50克为佳；虾子（虾卵）又名虾春，含高蛋白，助阳功效甚佳，肾虚者可常食。食用时应配以干白葡萄酒，其中的果酸具有杀菌与去腥的作用。

[忌]

虾为发物，染有宿疾者不宜食用；上火时不宜食虾。

吃虾时最好不要大量喝啤酒，避免产生过多的尿酸，引起痛风。

虾与猪肉、南瓜、红枣、黄豆、鹿肉、糖、果汁不可同食，不利于消化，易引发腹泻、痢疾等疾病，严重者会导致食物中毒。

◇ **食用小龙虾的注意事项**

小龙虾下锅时要用大火，如用慢火煮，肉容易糜。

吃小龙虾要注意烧煮时间，时间短使细菌未被杀灭，极可能造成食物中毒。

忌生吃小龙虾。小龙虾则是肺吸虫的中间寄主，生吃小龙虾后，肺吸虫一旦进入人体，会造成肺脏损伤，严重者会使肠道发炎或肠道水肿充血。

做好凉菜的窍门

◇ **选择蔬菜**

凉拌菜由于大多用于生食或烫生食用，因此选料一定要新鲜，最好使用时令适宜蔬菜做凉拌菜。

适合生食的蔬菜：大多口感甘甜、脆嫩，通常不需加热，只需洗净即可直接调味食用，如大白菜、圆白菜、小黄瓜等。

生熟食皆宜的蔬菜：气味独特，口感脆嫩，常含有大量纤维质。既可洗净直接调拌生食，也可用沸水氽烫后拌食，如芹菜、甜椒、芦笋、秋葵、苦瓜、白萝卜、海带等。

须氽烫后食用的蔬菜：通常淀粉含量较高或具生涩气味，须以沸水氽烫，再加调味料调拌，即有脆嫩、清鲜滋味，如四季豆、莲藕、山药等。

◇ **食材处理很重要**

蔬菜需充分洗净，仔细清洗菜叶根部、菜叶，去除泥沙、虫卵，洗净后最好加清水漂滤30分钟。

部分蔬菜用盐略腌再挤出水分；或用清水洗净沥干，再加入其他材料拌匀，不仅口感较好，调味也会较均匀，例如小黄瓜、胡萝卜等。

◇ **焯烫的窍门**

将水烧开，根据不同材质确定焯烫时间，随即捞出，放入冷水冷却，捞出后务必完全沥干，避免拌入的调味酱汁味道被稀释。

在水里滴入沙拉油、醋、盐，可以使焯烫后的青菜颜色鲜艳。

◇ **掌握刀法很关键**

拌菜一般使用切刀法分为直切、推切、滚刀切等多种刀法，所有材料最好都切成一口可以吃进的大小。

[直切]

要求刀具垂直向下，一刀一刀切下去。这种刀法适用于萝卜、白菜、山药蛋、苹果等脆性的根菜或鲜果。

[推切]

适用于质地松散的原料，要求刀具垂直向下，切时刀由后向前推，着力点在刀的后端。

[滚刀切]

是使原料呈一定形状的刀法，每切一刀或两刀，将原料滚动一次，用这种刀法可切出梳背块、菱角块、剪刀蓼等形状。

有些新鲜蔬菜用手撕成小片，口感会比用刀切还好，如生菜、紫橄榄等。

◇ **器皿的处理**

盛装凉拌菜的盘子在高温消毒后，最好能预先冰过，冰凉的盘子装上冰凉的菜肴，绝对可以增加凉拌菜的美味。

◇ **凉菜更爽口的秘诀**

可将凉拌菜放入冰箱的冷藏室稍作冷藏，这样不仅能保持菜品的鲜度不受到自然挥发影响，而且还可以使凉拌菜的温度适宜，美味爽口。

◇ **调制好味汁**

调味料要先用小碗调匀，最好能放入冰箱冷藏。

可根据个人口味去调理，胃口寡淡的可略咸点，一可浓味，二能使蔬菜脱水，适度发挥防腐作用。糖能引出蔬菜中的天然甘甜，使菜肴更加美味。葱、姜、蒜味道辛香，能去除材料的生涩味或腥味。红辣椒与葱、姜、蒜的作用相当，但其更为刺激的独特辣味，使许多凉拌菜令人开胃。花椒能散发出特有的"麻"味，是增添菜肴香气的必备配料。料酒主要作用是去腥提香。白醋能除去蔬菜根茎的天然涩味。

◇ **适时淋上味汁**

不要太早加入调味酱汁，因多数蔬菜遇咸都释放水分，会冲淡调味，因此最好准备上桌时再淋上酱汁调拌。

◇ **常用的10种调味汁**

[盐味汁]

以盐、味精、香油加适量鲜汤调和而成，为白色咸鲜味。适用拌食鸡肉、虾肉、蔬菜、豆类等，如盐味鸡脯、盐味虾、盐味蚕豆、盐味莴笋等。

[麻叶汁]

用料为芝麻酱、盐、味精、香油、蒜泥。将麻酱用香油调稀，加盐、味精调和均匀，为黄色咸香料。拌食荤素原料均可，如：麻酱拌豆角、麻汁黄瓜、麻汁海参等。

[姜味汁]

用料为生姜、盐、味精、油。生姜挤汁，与调料调和，为白色咸香味。最宜拌食禽类，如：姜汁鸡块、姜汁鸡脯等。

[蒜泥汁]

用料为生蒜瓣、盐、味精、香油、鲜汤。蒜瓣捣烂成泥，加调料、鲜汤调和，为白色。拌食荤素皆宜，如：蒜泥白肉、蒜泥豆角等。

[酱醋汁]

用料为酱油、醋、香油。调和后为浅红色，为咸酸味型。用以拌菜或炝菜，荤素皆宜，如：炝腰片、炝胗肝等。

[糖醋汁]

以糖、醋为原料，调和成汁后，拌入主料中，用于拌制蔬菜，如：糖醋萝卜、糖醋番茄等。也可以先将主料炸或煮熟后，再加入糖醋汁炸透，成为滚糖醋汁。多用于荤料，如：糖醋排骨、糖醋鱼片。还可将糖、醋调和入锅，加水烧开，凉后再加入主料浸泡数小时后食用，多用于泡制蔬菜的叶、根、茎、果，如：泡青椒、泡黄瓜、泡萝卜、泡姜芽等。

[红油汁]

用料为红辣椒油、盐、味精、鲜汤，调和成汁，为红色咸辣味。用以拌食荤素原料，如：红油鸡条、红油鸡、红油笋条、红油里脊等。

[鲜辣汁]

用料为糖、醋、辣椒、姜、葱、盐、味精、香油。将辣椒、姜、葱切丝炒透，加调料、鲜汤成汁，为咖啡色酸辣味。多用于炝腌蔬菜，如：酸辣白菜、酸辣黄瓜。

[麻辣汁]

用料为酱油、醋、糖、盐、味精、辣油、香油、花椒面、芝麻粉、葱、蒜、姜，将以上原料调和后即可。用以拌食主料，荤素皆宜，如：麻辣鸡条、麻辣黄瓜、麻辣肚、麻辣腰片等。

[胡椒汁]

用料为白椒、盐、味精、香油、蒜泥、鲜汤，调和成汁后，多用于炝、拌肉类和水产原料，如：拌鱼丝、鲜辣鱿鱼等。

做猪肉好吃的窍门

◇选料要得当

[健康鲜猪肉]

肌肉有光泽，红色均匀，脂肪呈乳白色；外观微干或湿润，不粘手；纤维清晰，有韧性，肌肉指压后凹陷处立即恢复；具有鲜猪肉固有的气味，无异味。

[健康冻猪肉]

肌肉呈均匀红色，无冰或仅有少量血冰，切开后，肌间冰晶细小；解冻后，肌肉有光泽、红色或稍暗，脂肪白色，肉质紧密，有韧性，指压凹陷处恢复较慢；外表湿润，切面有少量渗出液，不粘手。

◇处理要得当

猪肉食用前不宜用热水浸泡，可以使用热淘米水清洗，脏物就比较容易清除掉。

冻肉不宜在高温下解冻。遇高温，冻猪肉的表面会结成硬膜，影响肉内部温度的扩散，给细菌造成了繁殖的机会，肉也容易变质。

◇切法要得当

猪肉需要斜切，因其肉质较细，筋膜少，如横切，炒熟后会变得凌乱散碎；斜切，既可使其不碎，吃起来也不会塞牙。

◇炖肉的秘诀

炖猪肉不要用急火，火势一急，肉会紧紧缩在一起。

炖肉时，在锅里加上几块桔皮、醋、山楂或几个土豆，可除异味、去油腻、缩短时间增加汤的鲜味，而且肉容易被炖得酥烂。

◇炒猪肉的秘诀

炒肉菜时宜在将熟时加盐，出锅前滴入几滴醋，鲜嫩可口。

肉切成薄片加酱油、黄油、淀粉，打入鸡蛋，倒入少许啤酒拌匀，炒散；待肉片变色后，再加佐料稍炒几下，肉片味美、鲜嫩。

◇巧切肉馅

先将肉放入冰箱冻实，再用擦菜板把冻肉擦成细条，最后只需用刀剁几下即成。

◇巧拌肉馅

做肉丸时，按50克肉10克淀粉的比例调制，可使肉丸软嫩。

搅拌肉馅时，应顺着一个方向搅拌，边搅边慢慢加水。

◇做蒸肉的秘诀

蒸肉时千万不要用小火，在蒸前一定要把水烧开，然后再放上肉，这样蒸出来的肉有光泽、味道好。

◇炸肉不崩油的方法

用水煮熟的肉有很多水分，所以炸肉时油会向外崩。避免崩的方法是将肉从锅边慢慢放下，速度不要太猛。

◇炸肉外酥里嫩的秘诀

肉片裹匀面糊后，可先下入热油锅中，以高温炸一遍捞出，再下入热油锅中复炸一遍，可做到外酥里嫩。

◇制作需注意

吃猪肉一定要做熟，不熟的猪肉很容易感染猪绦虫病。

◇烧焦的猪肉不宜吃。

猪肉经长时间炖煮后，脂肪会减少30%～50%，不饱和脂肪酸增加，而胆固醇含量会大大降低。

成年人每天80～100克就可满足一天的需要，儿童每天50克即可。

◇食用猪肉宜忌

食用猪肉后不宜大量饮茶。因为茶叶中的鞣酸会与蛋白质合成具有收敛性的鞣酸蛋白质，使肠蠕动减慢，不但易造成便秘，还会增加有毒物质的吸收率，影响健康。

患有肝病、动脉硬化及高血压病的患者应少食或不食猪肉。

肥胖和血脂较高的人不宜多食猪肉，尤其是肥肉。

做牛肉好吃的窍门

◇选料要得当

新鲜牛肉肌肉呈均匀的红色,具有光泽,脂肪白色或呈乳黄色,具有鲜牛肉的特有正常气味。表面微干或有风干膜,触摸时不粘手。弹性好,指压后的凹陷能立即恢复。

优质冻牛肉解冻后,汤汁透明澄清,脂肪团聚浮于表面,具有一定的香味。

◇切法要得当

牛肉要横切,不可顺丝切。因为牛肉的筋腱较多,并且顺着肉纤维纹路夹杂其间,如不仔细观察,随手顺着切,许多筋腱便会整条地保留在肉丝内,这样炒出来的牛肉丝,就很难嚼得动。

◇牛肉变嫩的秘诀

牛肉加盐、酒、胡椒、蛋清、苏打粉、淀粉、糖、少许水、色拉油搅匀,腌渍2小时,牛肉就变得很嫩。

◇牛肉去腥味的秘诀

牛肉加料酒、老抽、生抽、五香粉提前腌渍半小时,即可达到去腥、提鲜、入味的效果。

◇炊具要得当

不宜使用炒过其他肉食后未清洗的锅炒牛肉。

◇炖牛肉的秘诀

[选料要得当]

适于炖食的牛肉部位很多,如腱子、腰板、弓口、胸口、外脊等,约占全牛肉的70%部位。这些部位有筋有皮,肥瘦相间,从表面看上去有些不美观, 但只要做法得当,成熟之后则肉质膨松,既喧且烂,鲜香适口。

[处理要得当]

肉选好后,先整块冲洗,去掉表面附着脏物;擦净后切成核桃块,浸泡在清水中约半小时,去除污血杂质,捞出备用,但切忌用热水或开水紧肉,否则肉质变老,不易炖烂。

[用水要注意]

炖牛肉时,应该使用热水,不可使用冷水,因为热水可以使牛肉表面蛋白质迅速凝固,防止肉中氨基酸流失,保持肉味鲜美。

汤水要一次加足,若汤不够,只能加热水或开水,不能中途加凉水,否则开锅的肉遇到凉水,易使肉表面收缩变紧,热量不易内传,肉质会变得即硬又皮,不易嚼咽。

[炖煮要得当]

炖牛肉应该先将水烧开,再往锅里放牛肉,待用旺火煮开后,开盖敞锅炖,用以挥发牛肉的血腥味,20分钟后盖盖,改为文火小开,3个小时左右就可炖熟。

[配料有讲究]

炖牛肉时炖至半熟时再放盐,也可以加入适量孜然,能祛腥解腻,使肉质鲜美芳香,增加食欲。

炖牛肉时除了放入各种调味品,还可以再加一小袋普通茶叶、半个洋葱、2~3个带壳核桃及几个山楂,这样不但牛肉熟得快,而且味道清香。

[焖牛肉时如何省时省火]

把洗净切好的牛肉放入锅内,加上佐料翻炒,待肉变色后放入酱油,开锅后加入适量开水和盐,再次烧开;然后把牛肉连汤一起倒入保温瓶内,盖好盖儿,焖2~3小时,这样烧出的牛肉不但肉烂味浓,而且还省时省火。

◇ **红烧牛肉的秘诀**

[选料要得当]

挑选带有鲜红肉丝的部位来做炖牛肉；口感滑嫩。

[配料有秘诀]

红烧牛肉时，加入少许雪里蕻，会使肉味更加鲜美。

◇ **做牛肉馅的秘诀**

　　牛肉不要切得太小，放一点蔬菜，例如芹菜、包菜等，调馅时打入一个鸡蛋，加盐、鸡精、味精、十三香等调味，顺着一个方向搅拌，搅"上劲"，静置5分钟入味，再慢慢一点一点地添水搅匀，这样做熟的馅口感绵软、抱团。

◇ **食用牛肉的注意**

　　牛肉不宜常吃，一周一次为宜。

　　牛肉的肌肉纤维较粗糙不易消化，含有很高的胆固醇和脂肪，老人、幼儿、消化力弱的人、患皮肤病、患肝病及患肾病的人不宜多吃。

　　鲇鱼、鳗鱼、韭菜、橄榄、红糖、田螺、白酒均不宜同牛肉同食。

做羊肉好吃的窍门

◇ **选料要得当**

　　新鲜羊肉的肉色红而均匀，有光泽；肉质细嫩，有弹性，外表微干，不粘手；气味新鲜，无异味。

　　新鲜冻羊肉的肉色鲜艳，有光泽，脂肪为白色；外表微干或有风干膜，湿润不粘手；肌肉结构紧密，手压有坚实感，肌肉纤维韧性强，具有羊肉的正常气味；煮沸后的肉汤澄清透明，脂肪团聚于表面，具有鲜羊肉汤固有的香味和鲜味。

◇ **切法要得当**

　　羊肉中有很多膜，切丝之前应先将其剔除，否则炒熟后肉发硬，吃起来难以下咽。

◇ **羊肉去膻味的秘诀**

　　烧羊肉时放一些胡萝卜，再加些葱、姜、酒等调料一同烧。羊肉与胡萝卜同烧，不但可以去掉膻味，还能弥补羊肉所缺乏的胡萝卜素和维生素，这样烧出来的羊肉，吃起来不仅不觉得油腻，而且能提高食用营养价值。

　　烧羊肉时放点桔皮，杏仁，红枣等，也可以消除膻味。

　　烧羊肉时，放少量绿豆，也可以去膻味。

◇ **炖羊肉的秘诀**

[器具选择要得当]

炖羊肉时使用砂锅慢火熬炖，风味更佳。

[配料要得当]

炖羊肉时可以搭配豆腐、生姜、萝卜、莲子芯，能起到清热泻火、除烦、止渴的作用。

[时间要得当]

将肉炖烂、炖熟，否则生羊肉中的酪酸和梭状芽孢杆菌不易被胃肠消化吸收，食后会导致四肢乏力。

◇ **炒羊肉的秘诀**

[羊肉片不沾锅的秘诀]

羊肉片要切得薄且均匀，并用大火快炒，烹制时才能同时炒熟且不粘锅。

[爆炒羊肉的秘诀]

爆法通常以葱爆羊肉为代表。做时应选用鲜嫩的羊后腿肉，切成薄片，配上新鲜葱白，旺火炒制。益气补虚、温中暖下，还兼有发汗解毒之功效。

◇ **涮羊肉的秘诀**

涮羊肉片的时间不宜太短，否则不能完全杀死肉片中的细菌和寄生虫卵。

在涮肉时，下一些海产品，如海带、海参可帮助温补脾肾的功效，加入豆腐、鱼片，能增添更多的蛋白质。

在涮肉的同时涮一些茼蒿、蒿子秆之类的蔬菜，则可以起到清火降热的功效。

◇ **烤羊肉的秘诀**

烤羊肉味道鲜美，烤的时候最好选用鲜羊肉，别用冷冻的。这样，营养流失少，而且容易消化。

◇ **注意食用季节**

夏秋季节气候热燥，不宜吃羊肉。

◇ **食用忌讳**

羊肉不应与栗子、醋、何首乌、红豆、茶、南瓜、豆酱、乳酪、竹笋、田螺、西瓜同食，避免引发食物中毒等症状。

做鸡好吃的窍门

◇ **挑选新鲜的鸡**

健康的活鸡有精神，羽毛紧密而油润；眼睛有神、灵活，眼球充满整个眼窝；冠与肉髯颜色鲜红，冠挺直，肉髯柔软；两翅紧贴身体，毛有光泽；爪壮有力，行动自如。挑选散养鸡识别的方法可以看爪，爪应细而尖长，粗糙有力。挑选已经宰杀的鸡，注意检查刀口、放血情况，选择刀口不平整、放血良好的。

◇ **去鸡肉腥味**

[新鲜的鸡去腥味]

将鸡放入加盐、胡椒及适量啤酒腌渍入味，异味即可消除。

[冻鸡肉去腥味]

将鸡加姜末、生抽腌渍10分钟，即可除腥。

◇处理要得当

[鸡身处理要得当]

除了应该拔鸡毛，去外皮，还应该去掉鸡屁股，因为鸡屁股是淋巴最为集中的地方，也是储存病菌、病毒和致癌物的仓库。

[鸡内脏处理要得当]

鸡心、鸡肝、鸡肠、鸡肾均可洗净备用，鸡珍用刀剖开，扔掉未消化的食物冲洗干净。鸡肠可以用一根筷子把肠翻过来，冲洗干净，加盐略揉洗净。

◇鸡肉焯烫有秘诀

鸡肉洗净切块之后，下入加葱、姜的开水锅中煮开，这样不但能洗净，更可以去味增香。

◇切法要得当

鸡肉要顺切，因为相比之下，鸡肉显得细嫩，其中含筋少，只有顺着纤维切，炒时才能使肉不散碎，整齐美观，入口有味。

◇防止鸡肉脱浆的秘诀

为防止鸡肉下油锅滑时糊与肉分离，即"脱浆"，可先用蛋清包裹住鸡肉，放置几分钟后再加入淀粉拌均，这样就不会脱浆。

◇炖鸡

[炖鸡味道香浓的秘诀]

炖鸡的时候放入蒜、二三十颗黄豆、花椒可使鸡肉不但熟得快，而且味道香浓。

[佐料投放要适当]

炖鸡时应少放盐并最后放盐，因为鸡肉中富含具有鲜味的谷氨酸钠，本身就会有些咸味，并且含水分较高，先加盐，鸡肉在盐水中浸泡，组织细胞内水分向外渗透，蛋白质产生凝固作用，煮熟后的鸡肉硬、老，口感粗糙。

◇炸鸡肉的秘诀

鸡肉打入鸡蛋，倒入少许啤酒，按50克肉5克淀粉的比例上浆略脆，封上保鲜膜放入冰箱，待炸时再取出，炸出的鸡肉软滑、酥脆可口。

◇拌鸡丝的秘诀

凉拌鸡丝时，鸡肉宜沿着纹理撕成粗丝，不要太细，因为鸡肉肉质嫩，太细易断。

◇炖鸡汤的秘诀

[器皿选择要得当]

推荐使用具很好的保温功能的砂锅，这样熬煮出的鸡汤香浓醇厚，营养丰富。

[火候掌握要适当]

炖鸡汤应先大火煮约10分钟烧开再转文火，开的程度应掌握在似开非开，因为若等沸腾时再调小火，它的后继沸腾过程对汤品的"鲜"是一个损失。而且这10分钟里千万不要揭盖，"跑气"了的汤就没了原汁原味。

[适合食用的季节]

春季多风、少雨、寒冷、干燥，鸡肉性温而且不油腻，且利于体内消化，是春季的补益佳品。

◇ **食用鸡肉忌讳**

鸡肉不宜与芹菜、兔肉、芥末、菊花、糯米、芝麻同食，易伤元气，引起身体不适。

做鸭肉好吃的窍门

◇ **选料要得当**

[观色]

鸭的体表光滑，呈乳白色，切开后切面呈玫瑰色，表明是优质鸭。

[闻味]

好的鸭子香味四溢；一般质量的鸭子可以从其腹腔内闻到腥霉味；若闻到较浓的异味，则表明鸭已变质。

[辨形]

新鲜质优的鸭，形体一般为扁圆形，腿的肌肉摸上去结实，有凸起的胸肉，在腹腔内壁上可清楚地看到盐霜。

◇ **处理要得当**

新鲜的鸭子不仅要去毛，更要去内脏、足、舌、鸭臊及翅尖，并应洗净沥干。经过这样处理的鸭子，烹饪时不易产生异味。

◇ **提前焯烫有秘诀**

将鸭下入加葱、姜的温水锅中煮约7~8分钟，不盖盖并适时翻动。不但可以去掉生腥味，更可以使鸭肉清香。

◇ **爆炒鸭子的秘诀**

在爆炒鸭子的时候一定要注意控制火候，先用旺火，后用文火，既能保证鸭肉熟烂，又能使鸭块酥透入味。

中途添水，需要添加热水，避免鸭肉遇冷水收缩，失去鲜味。

◇ **红烧鸭块的诀窍**

需红烧的鸭块要先下油锅进行过油，这样不但会逼出部分鸭肉的油脂，更可以使鸭肉香嫩。

◇ **腌鸭子的诀窍**

将事先炒好的花椒盐涂匀鸭身，并用保鲜膜包好腌渍一天，然后再用小火煮，味道均匀且口感酥香，麻辣可口。

◇ **卤鸭子的诀窍**

需要将蜜枣、山楂、板栗、泡发的香菇、枸杞塞入净鸭的肚子中，卤制的佐料中添加蜂蜜味道会咸甜宜人。

◇ **烤鸭子的诀窍**

需要先在热水中将鸭皮烫起，再将鸭皮上涂匀蜂蜜，这样烤制出的鸭子表皮酥香，味道香甜。

◇ **煮鸭子的秘诀**

煮鸭子时，在锅里放几个田螺或放 3 ～ 4 枚山楂，鸭肉易烂。

◇ **熬煮鸭汤的秘诀**

取鸭架放入锅中，添加冷水、啤酒，用小火熬至乳白色，再放入葱丝、胡椒、味精即可。

◇ **食用鸭血的窍门**

事先将鸭血在开水中略烫，不但可以清洁鸭血，更可以去除鸭血的异味。

◇ **老鸭煮烂的秘诀**

老鸭在杀之前，先灌进一汤匙食醋，然后再杀，再用文火煮炖，就会煮得烂熟。

◇ **食用鸭子的禁忌**

鸭子不与栗子、鳖同食，肥胖、动脉硬化者应少食多脂肪的鸭肉。

做蔬菜好吃的窍门

◇ **选材要得当**

在市场上采购蔬菜应挑选最新鲜的，不应贪图便宜而购买萎蔫蔬菜。

新鲜蔬菜在冰箱内的储存期不应超过3天。凡是已经发黄、萎蔫、水渍化、开始腐烂的蔬菜都不要食用。

◇ **清洗要注意**

蔬菜、水果应该浸泡、清洗后食用。

生吃的蔬菜，用淡盐水浸泡20分钟可起到消毒杀菌的作用。包心菜、大白菜应去外围的叶片，再单片冲洗；鸡毛菜、小白菜应先将根切除，直立冲洗；苦瓜、小黄瓜如不去皮应用软毛刷刷洗。

◇ **洗切顺序要得当**

蔬菜应先洗后切，不可先切后洗。以防营养流失。

◇ **处理要得当**

入锅炒的蔬菜，不论是切丝、切丁或切块，都要切得大小一样，才能使食材在短时间内均匀炒熟。

有些蔬菜，例如：茄子，烧的时候应尽量避免用刀切块。因为下刀后就会变得不吃油，味道就渗不到里面去，所以最好的办法就是用手掰成小块。

◇ **食材投放有顺序**

把不易熟的食材先入锅中，炒至略热后，再把容易炒熟的材料下锅一起均匀炒熟后，然后起锅。

◇**炒菜不溅油的秘诀**

尽量沥干炒菜，可以避免溅油，此外，放菜之前在油里放一点盐，可以很好地防止溅油。

在锅烧得很热的时候，把油倒进去，然后不等油热了，就把菜放进去，这样就不会被溅到。

◇**火候控制要注意**

蔬菜味道鲜嫩，富含维生素、叶绿素、微量元素、纤维素和丰富的水分。炒菜时一般需要旺火快炒，避免营养素的流失。

◇**炒好青菜的秘诀**

[青菜处理很重要]

先择好青菜，去掉黄烂叶、梗，洗好后控干水分。不可切成段，只宜将一条条菜梗带叶掰开，小棵菜不用掰，可整棵下锅。这种整棵或整掰炒出来的青菜，由于内中的水分基本保留，吃起来脆嫩鲜美。

[火候控制是关键]

关键在于"炒"得恰到好处，不可过头，当然也不能带"生"。其奥妙在于掌握好火候，猛火快炒，一熟即可，宁愿稍偏"生"也不要炒得过熟，因为青菜过熟会失去本身的水分，便不好吃了。

[干脆利落地炒]

锅中多放油，烧至略微冒油烟，将控干水的青菜整棵或整条地放入锅中，在猛火下急炒，翻动几个来回，要让菜梗两边都尽量沾油，受热均匀。以刚刚熟透溢出少量汤汁为度，迅速加盐和味精，咸度适宜即可。炒的过程中不可盖锅盖。更无需加水"焖"熟。

◇**煮菜不变色的秘诀**

先在滚水中加入一小茶匙的盐，再把青菜放入锅中，过一下热水后就捞起，立刻用冰水过一下，这样可使青菜青翠爽口。

◇**调味有秘诀**

一般应为：糖、盐、醋、酱油、味精。因为糖分子比盐大，依分子大小的先后加入，才不会造成渗透，最后再加入酱油和味精，味道才不会流失。

◇**"勾芡"也有秘诀**

"勾芡"、"挂糊"也有科学。在炒菜时常常采用湿淀粉勾芡，使汤汁浓厚，淀粉糊包围着蔬菜，有保护维生素C的作用。同理，挂糊、油炸也是保护营养素改善口味的好方法。

◇**食用野菜需注意**

多数野菜性寒味苦，能败火，具有保健作用，但多吃会伤及脾胃，引发胃痛、恶心、呕吐等轻微中毒症状。野菜在食用之前，必须用开水烫，应多浸泡，煮烂，弃汤而食，或晾晒1～2天后再吃，去除潜在毒素，并且食用量不宜过多。

 做水果更好吃的窍门

◇**选材要得当**

选购新鲜、时令相符的水果，不要选择离时令期不远的水果，更不要选择离时令期较远的反季节水果，因这两类水果可能是使用催熟剂和激素促进生长的。

不可迷信高档进口水果。进口水果在旅途中便已经开始发生营养物质的降解，新鲜度并不理想。因为要长途运输，往往不等水果完全成熟便采摘下来，通过化学药剂保鲜，可能影响水果的品质。

霉烂水果不要吃。水果霉烂后会产生一些毒素（如黄曲霉素）危害人体的安全，食用时只将腐烂部分挖除还不够，因为毒素已扩散到没烂的部分，因此腐烂水果最好不要吃。

◇食用前要清洗干净

在食用水果之前要尽可能将水果清洗，通过表面清洗能有效减少农药残留。可以选择水果专用洗涤剂或添加少量的食用碱浸泡，然后用清水冲洗数次。

削皮。药残留主要集中在水果的表皮，由于很多农药不溶于水，简单浸泡还不能解决，食用之前尽可能要削皮以去除水果表皮中的残留农药。

◇让水果沙拉不但好吃而且耐饥的秘诀

使用高淀粉含量的蔬菜，例如土豆、山药，很容易产生饱腹感。

添加宜凉拌细嫩的肉质，例如鸡肉，也可以增加能量。

◇使沙拉味道别样的秘诀

可以在沙拉中滴入少量的白兰地或朗姆酒，不但提升水果的新鲜口感，而且味道很有异域风情。

◇水果的黄金搭配

水果之间可以互相搭配，产生清爽的口感，还有一些经典搭配，如与酸奶、牛奶、蜂蜜、各种果味酱汁、藕粉、玉米粉、米粉等。

◇炸水果的做法

[炸高淀粉类水果]

将水果切成适口小块，粘匀各种香料屑后，下入热油锅中慢火略炸，捞出滴入少许白兰地、朗姆酒拌匀即成。

[炸高水分类水果]

将当季水果切适口小块，裹匀面糊，下入热油锅中用急火略炸，捞出即可食用。

◇水果烧烤的做法

将时令水果沥干，涂匀黄油置于烤架之上，大火烤成焦糖色，淋入各种调味汁即成。

◇制作水果羹的秘诀

添水的量要足够，避免粘锅，最后打入一个鸡蛋，不但增加营养，而且味道清香。

◇吃水果应注意

水果一般可以分为寒凉、温热、甘平3类，需要根据个人体质选择不同水果。

寒凉类水果有柑、橘、菱角、荸荠、香蕉、雪梨、柿子、西瓜等，体质虚寒的人慎食；

温热类水果有枣、栗、桃、杏、龙眼、荔枝、葡萄、樱桃、石榴、菠萝等，体质燥热的人食用要适量；

甘平类水果有梅、李、椰、枇杷、山楂、苹果等，这类水果适宜于各种体质的人。

◇**培养好的吃水果习惯**

不可用水果代替蔬菜和正餐，不可采用多吃水果减肥，忌一次食水果过多。不能空腹吃水果，饭后不可立即吃水果，吃水果后要漱口。

豆制品及豆类的烹饪窍门

◇**原料选择要得当**

[挑选豆腐]

好的豆腐为淡黄或白色，边角完整，不凹凸，口感细嫩，软硬适宜，醇香无杂质，无异味。

[挑选豆腐皮]

微黄均匀，片状，表面细腻，薄厚均匀，有弹性，不发黏，无杂质。

[挑选腐竹]

一级品色黄、油亮，干燥筋韧，无碎块。

[挑选油豆腐]

表面金黄或棕黄色、皮脆、内暗黄，酥松可口。

[挑选豆腐乳]

红腐乳表面呈红或枣红色，内杏黄色，有发酵食品特有的香气，滋味鲜美，咸淡适口，无酸、涩、腥、霉和腐臭味，块均匀，质细腻，无杂质；白腐乳表面乳黄，若加了辣椒酱，仍依稀可见乳白色，带浓厚酒香；青腐乳颜色青白，气味独特，即"香中带臭，臭中带香"，块形整齐，质地细腻。

◇**泡发干豆腐皮的秘诀**

干豆腐皮用开水泡发，直至无硬块即可。

◇**泡发腐竹的秘诀**

腐竹要用凉水泡发，这样可以使腐竹整洁美观，如果用热水泡容易碎。

◇**煮豆子的秘诀**

未煮熟烧透的黄豆不宜食用。煮豆子时应提前泡一晚，下锅用文火慢煮，煮的过程中要不断加水，让水能盖过豆子1厘米，煮到软为止。

◇**炒豆芽**

[炒黄豆芽的秘诀]

烹调黄豆芽切不可加食用碱，要加少量食醋，这样才能保持维生素B不减少。

加热豆芽时一定要注意掌握好时间，八成熟即可，没熟透的豆芽往往带点涩味，加了醋即能去除涩味，有能保持豆芽爽脆鲜嫩。

[炒绿豆芽的秘诀]

绿豆芽质嫩鲜美，营养丰富，但吃时一定要炒熟，否则会引起恶心、呕吐、腹泻、头晕等不适反应。

绿豆芽烹调时油、盐不宜太多，要尽量保持其清淡的性味和爽口的特点。

[去掉豆腥味的秘诀]

炒豆芽时，先加点黄油，然后再放盐，能去掉豆腥味。

[炒黄豆去掉豆腥味的秘诀]

炒黄豆时，滴几滴料酒，再放入少许盐，这样豆腥味会少得多，或者，在炒黄豆之前用凉盐水洗一下，也可达到同样的效果。

[煮绿豆易烂的秘诀]

将绿豆在铁锅中炒10分钟再煮能很快煮烂，但注意不要炒焦。

◇炖豆腐的秘诀

炖豆腐时，加少许豆腐乳或汁，味道芳香。

◇煮豆腐的忌讳

煮豆腐时往往要放些葱，其实这是不科学的。豆腐里含有钙质，而葱中含有草酸。草酸很容易和钙质溶和，生成草酸钙。这种草酸钙是不容易为人体所吸收的，从而破坏了豆腐对人体的营养作用。所以豆腐不宜放葱，以免破坏其营养成分。

◇食用豆腐的忌讳

一次食用过多豆腐会阻碍人体对铁的吸收，而且容易引起消化不良，出现腹胀、腹泻等不适症状，所以吃豆腐要适量。

豆腐不宜与小葱、猪血、酸牛奶、菠菜同食。

◇炸豆腐的秘诀

将切成小块的豆腐放入生蛋黄里，用汤匙取出(不要用筷子，否则只好喝豆腐蛋花汤了)，再沾匀面粉下入热油锅炸至色泽金黄即可。

◇豆浆加糖的秘诀

饮豆浆不要加红糖，白糖须在豆浆煮熟离火后再加。

◇食用豆浆的秘诀

在豆浆中加放脱脂粉或硫酸钙，即可消除豆浆腥味。

忌空腹喝豆浆；忌喝未煮熟的豆浆；豆浆忌冲红糖；忌用保温瓶装豆浆；豆浆忌喝过量。

豆浆不宜与蜂蜜、鸡蛋、药物同食，避免阻止豆浆营养的摄入。

 做菌菇类好吃的窍门

◇选料要得当

挑选蘑菇时不要选择特别大的鲜蘑菇，因为它们可能是用激素催肥的，大量食用会对身体造成损害。

优质木耳颜色乌黑光润，背面呈灰色；手摸干燥，分量轻；嗅之有清香味；吸水膨胀性好。

◇**处理菇类要得当**

　　清洗菇类时，在洗蘑菇的水里放点食盐，搅拌使其溶解后将蘑菇放在里面泡一会儿再洗，污物和泥沙就很容易洗掉。

　　注意蘑菇不宜在吃前过度清洗或浸泡，避免损失过多营养。

　　最好吃鲜蘑，市场上有泡在液体中的袋装口蘑，食用前一定要多漂洗几遍，以去掉某些化学物质。

◇**吃法要得当**

　　香菇每次摄入量不可过多。

　　忌生吃新鲜木耳。新鲜木耳含叶林类光感物质，生吃新鲜木耳后，可引起日光性皮炎，严重者出现皮肤瘙痒、水肿和疼痛。

◇**泡发木耳的秘诀**

　　木耳用淘米水泡发，不但肥大、松软，味道也鲜美。

　　将木耳放入温水中，再放入盐，浸泡半小时可以让木耳快速变软。

◇**清洗木耳的窍门**

　　将木耳放入温水中，加两勺淀粉后搅拌，可以去除木耳细小的杂质和残留的沙粒。

◇**炸蘑菇的秘诀**

　　蘑菇洗净之后，放入加糖的清水中浸泡30分钟，这样炖出来的蘑菇不但鲜味十足，而且带有淡淡的甜香，汤味会更鲜美。

◇**炒蘑菇的诀窍**

　　先炒其他不易熟的食材，最后放入蘑菇炒至入味即成。

◇**蘑菇饺子的诀窍**

　　制作蘑菇饺子，既可以将蘑菇作为主料，也可以将其作为饺子的辅料。制作时，将蘑菇洗净沥干，切碎，拌入其他陷中即可。

◇**金针菇的做法**

　　金针菇宜熟食，不宜生吃。

　　金针菇放入沸水锅内汆一下捞起，凉拌、炒、炝、熘、烧、炖、煮、蒸、做汤均可，亦可作为荤素菜的配料使用。

◇**草菇的做法**

　　草菇可炒、熘、烩、烧、酿、蒸等，也可做汤，或作各种荤菜的配料。

◇**平菇的制作秘诀**

　　平菇口感好、营养高、不抢味、但鲜品出水较多，易被炒老，须掌握好火候。

◇ **炊具要得当**

煮蘑菇时也不能用铁锅或铜锅，以免造成营养损失。

◇ **最适宜食用的季节**

菇类普遍具有清解内热、滋养肝脏的的功效，最适宜在燥热的春季和秋季食用。

◇ **食用菌菇类禁忌**

木耳不宜与红酒、萝卜、田螺同食，同食不但降低人体对木耳营养物质的吸收，更宜引发皮炎等皮肤类疾病。

做鱿鱼、墨鱼好吃的窍门

◇ **选料要得当**

挑选新鲜的鱿鱼、墨鱼是做鱿鱼、墨鱼好吃的第一步，挑选新鲜鱿鱼、墨鱼的方法详见后文。

[挑选干鱿鱼]

挑选干鱿鱼、墨鱼时，要选择外表平滑、肉质坚硬、身干体厚、无霉点、有光泽的。

◇ **干鱿鱼泡发的方法**

先将鱿鱼放在冷水中浸泡2小时，捞出后再放到1∶100的食用碱水中浸泡8～12个小时，干鱿鱼即可发透。接着将发透的鱿鱼捞出，用清水漂洗干净，边洗边用手捏，直到鱿鱼外表不滑腻且无任何异味为止。之后，仍将鱿鱼浸在冷水中，随用随取。

◇ **清洗新鲜鱿鱼**

剪开头、腹的连接处，拉出头足，取出腹中的软骨。

剪开腹部，把墨囊小心取出，墨囊可用盐与高粱酒浸泡，做成墨鱼汁酱。

剥下皮，剪下头部的内脏。鱿鱼的眼睛最好也剪去，因它的汁液呈浅褐色，会使菜色不美。把嘴取出，用水清洗干净即可。

◇ **处理要得当**

鱿鱼、墨鱼的皮焯水时会出红色，影响菜的颜色和美观，所以很多人做鱿鱼料理的时候去皮。但鱿鱼皮含有对身体有好处的成分，所以不要去掉直接料理。

◇ **鱿鱼、墨鱼除腥有技巧**

处理时需去掉鱿鱼、墨鱼身上和触须上的暗红色的膜衣，以除去腥味。

鱿鱼、墨鱼焯烫时可以加入少许洋葱，帮助除腥。

◇制作有技巧

[炒鱿鱼、墨鱼有技巧]

鱿鱼、墨鱼炒的时间越长就越老，口感也就越硬。只需要用开水烫一下就可以捞出，然后用大火速炒。

[炸鱿鱼圈有技巧]

炸鱿鱼圈时油要热，要在最短的时间内炸熟。鱿鱼在油炸时会渗出水分，令滚油四溅，可先将鱿鱼煮熟，再切圈炸。

[水煮鱿鱼有技巧]

锅里开水煮滚，水里放少许姜片除腥，水开后才放入鱿鱼，下锅后只需十秒钟即可捞出。

[铁板鱿鱼有技巧]

需先将铁板烧热，再在铁板上均匀地刷上一层植物油，再撒入洋葱粒炒香，然后放入鱿鱼，在烤制过程中应时刻注意调节火力的大小，并不断地刷油、翻面，以免烤糊，最后撒入五香粉、孜然粉、辣椒粉、花椒粉即可。

[制作鱿鱼粥有秘诀]

鱿鱼粥，最重要是确保鱿鱼要有嚼劲。应将鱿鱼切成条状，放入热粥中略煮，清清淡淡，特别可口。

[制作鱿鱼注意]

鱿鱼应煮熟透后再食，因鲜鱿鱼中有一种多肽成分，若未煮透就食用，会导致肠运动失调。

[墨鱼食用禁忌]

墨鱼与茄子相克，同食容易引起霍乱。

 做海蜇好吃的窍门

◇选料要得当

[看]

好的海蜇皮呈白色、乳白色或淡黄色，表面湿润而有光泽，无明显的红点，次质海蜇皮呈灰白色或茶褐色，表面光泽度差。

[闻]

有异味者为腐烂变质之品，不可食用。

◇处理要得当

新鲜海蜇不宜直接食用。不但因为其皮体较厚，更因含有毒素。

◇清洗海蜇皮的方法

将海蜇平摊在菜板上，片成片，或切成丝，然后泡入浓度为5%的盐水里，用手搓洗片刻，捞出，再用相同浓度的盐水泡洗，这样连续泡洗三五次后，洗净泥沙，再用流动水反复漂洗，去掉过重的盐分。

◇海蜇皮的储存

发好的海蜇皮，一时吃不完，可浸在盐水时，防止风干。

海蜇忌与白糖同腌，否则不能久藏。

◇ 使海蜇皮清脆爽口的秘诀

将去除泥沙、漂尽盐分的海蜇丝放入清水盆里，按每1000克海蜇放10克苏打粉的比例放入苏打粉，搅匀后浸泡约20分钟，然后用清水洗净，捞出沥干，可使拌制的海蜇清脆爽口。

◇ 焯烫海蜇的秘诀

海蜇在热水中汆烫时水温不宜过高，五六成热即可，需要控制在热水中汆烫时的时间，过了太老，不够脆性就不足。

◇ 海蜇不"走味"

食用凉拌海蜇时应适当放些醋，会避免海蜇"走味"。

◇ 炒海蜇的秘诀

炒海蜇时，讲究旺火快炒，动作迅速，否则质感不脆爽。由于海蜇水分含量多，胶质重，故将其用于烧菜时，一定要最后放入，否则海蜇容易溶化。

◇ 拌海蜇的秘诀

凉拌海蜇时应适当放些醋，否则会使海蜇"走味"。

◇ 食用要注意

[忌]

海蜇皮性凉味咸，脾胃虚寒者慎食。

[宜]

适宜中老年急慢性支气管炎，咳嗽哮喘，痰多黄稠之人食用；适宜高血压，头昏脑胀，烦热口渴，以及大便秘结者服食；适宜单纯性甲状腺肿患者食用；适宜醉酒后烦渴者食用。

做蟹好吃的窍门

◇ 选料要得当

挑选优质蟹是做蟹好吃的第一步，挑选优质蟹的方法详见后文。

◇ 清洗方法要得当

将螃蟹放入水中，用一只手的大拇指和中指抓住螃蟹的左右两侧，要蟹壳朝上，在流动的水下面用小刷子冲洗螃蟹的肚皮、脚和蟹钳，螃蟹毛一定要用力地刷，而且要用水不断地冲洗，因为污垢最容易藏匿在螃蟹毛中。

◇ **处理要得当**

螃蟹的鳃、沙包、内脏含有大量细菌和毒素，吃时一定要去掉。

◇ **配料要得当**

螃蟹性寒，属食腐动物，吃时蘸姜末、醋汁、芥末都可帮助来祛寒、杀菌、解毒。

在煮食螃蟹时，宜加入一些紫苏叶、鲜生姜，以解蟹毒，减其寒性。

橘皮煎成汤饮用，可解蟹毒。

◇ **做法要得当**

[生螃蟹取肉的秘诀]

生螃蟹去壳取肉时，先用开水烫3分钟，这样蟹肉很容易取下，且不浪费。

[清蒸螃蟹的秘诀]

清蒸螃蟹是食用螃蟹的最佳方法之一，既可以做到在高温下对螃蟹的彻底消毒，又可以不破坏螃蟹的蛋白质，保留更多的螃蟹味道鲜嫩的本色。

蒸煮螃蟹要在沸水中充分煮透，吃剩的螃蟹存放超过6小时应再煮一次才能吃。

蒸蟹时应将蟹捆住，防止蒸后掉腿和流黄。

[炒螃蟹的秘诀]

需要先用洋葱在热油锅中炸出油，然后加入生螃蟹块进行翻炒，添加佐料和水之后，盖盖烧透（一定要烧透，否则不易杀死螃蟹中寄生的细菌）。

[炸螃蟹的秘诀]

一定要控制好油温，要放入八成熟的热油中炸，至螃蟹外壳变红即成。

[卤螃蟹的秘诀]

卤螃蟹，最好选母螃蟹；公的适合蒸熟了吃。母的有籽，蒸着吃特别硬，口感不好。卤螃蟹时，一定要使螃蟹熟透，避免感染寄生虫。

◇ **食用螃蟹要注意**

[忌吃的螃蟹]

忌生吃螃蟹，醉蟹或腌蟹等未熟透的蟹不宜食用，应蒸熟煮透后再吃。更不能食用死蟹。因为死蟹体内含有大量细菌和有害物质，会引起过敏性食物中毒。

[食螃蟹禁忌]

螃蟹不宜与梨、枣、蜂蜜、番茄、芹菜、茄子、花生、泥鳅、甲鱼、石榴、香瓜、地瓜、南瓜、柿子、冰同食，避免引起食物中毒、腹泻等病症。

做螺、贝类好吃的窍门

◇ **选料要得当**

挑选新鲜的螺、贝类是做螺、贝好吃的第一步，挑选新鲜螺、贝的方法详见后文。

◇ **处理要得当**

螺贝类在烹饪前，先用清水洗一遍，再放入加盐的清水中，于阴凉处静置30分钟吐尽泥沙。
贝类中的泥肠不宜食用应去除。

◇ **配料要得当**

贝类本身极富鲜味，烹制时不要再加味精，也不宜多放盐，以免鲜味反失。
干贝烹煮前必须先浸透、蒸至软身，否则其香、甜味无法渗透出来。

◇ **海螺的制作秘诀**

[海螺的吃法]

螺肉可爆、炒、烧、氽汤、打卤、或水煮后佐以姜、醋、酱油食用。

[炒海螺的窍门]

鲜海螺肉洗净泥沙片成片，加料酒、姜片略腌后，再放入松肉粉、淀粉抓匀，这样炒出的海螺香滑细嫩可口。

[拌海螺的窍门]

取出海螺肉洗净后，下入开水锅中焯熟，再迅速放入凉水中过凉，这样拌出的海螺口感滑爽，没有土腥味。

[烤海螺的窍门]

烤海螺的味汁中加入适量鲜奶，倒入海螺壳内，放入螺肉，再用厚面饼封口，烤熟后味道鲜香可口。

[海螺食用注意]

吃螺不可饮用冰水，否则会导致腹泻。
食用螺类应烧煮10分钟以上，以防止病菌和寄生虫感染。

◇ **贝类的制作秘诀**

[洗贝类的窍门]

各色贝类煮熟后，取其肉在煮过的原汤中净洗，即可洗净杂质。又可保持
贝类的固有的鲜香。

[干贝泡发的窍门]

干贝上的老筋剥去，洗去泥沙，放入容器中，加料酒、姜片、葱
段、高汤，上屉蒸2～3小时，能展成丝状即为发好，并用原汤浸泡待用。

[贝类配料的秘诀]

煮贝须多放大葱，这不仅能缓解贝类的寒性，而且还能抗过敏。防
止食用贝类后产生过敏性咳嗽、腹痛等症状。

[煮贝类面的窍门]

需要先将贝类洗净煮熟，取肉在原汤中洗净，然后同面一起略煮即可。

◇**烹煮要得当**

烹煮贝类时一定要煮熟，以免传染上肝炎等疾病。

◇**食螺、贝类禁忌**

螺、贝类性多寒凉，肠胃不适、脾胃虚寒及伤风感冒患者不宜多吃。

做饺子好吃的窍门

◇**和面有秘诀**

和饺子面时每500克面里打入一个鸡蛋，使面容易捏合，饺子下锅后不"乱汤"，饺子出锅凉后不爱"坨"，并且口感好，营养增加。

◇**做饺子馅有秘诀**

[白菜帮做嫩馅]

将白菜帮里的淡黄或白色的硬筋抽出(菜帮内侧皮薄，从内抽)，剁成馅，挤出水分，加入肉泥和成饺子馅，吃着就很嫩。

[剁肉不粘刀]

剁肉前，把菜刀放进热水里泡3～5分钟，剁肉时肉末就不再粘刀。

[鸡蛋让肉馅更美味]

用鸡蛋搅肉馅，能使肉馅肥而不腻，瘦而不"柴"，口感松香鲜美。

[拌馅的窍门]

在调制饺子馅时，馅的瘦肉多可多放水，肥肉多则应少放水，要慢慢往肉馅中加水，将剁好的菜和肉馅一起拌匀，并用筷子朝一个方向搅动，待肉馅比较稀时，再加盐。

[和馅佐料投放有顺序]

肉馅搅匀后，放入葱姜末，喜欢的可以放点甜面酱、味精、五香粉，搅一段时间之后放盐，这样可以把所有的调料包住，让馅不干。调好的肉馅最好放一个小时再放蔬菜，这样肉进了味，又不破坏蔬菜的香味，放什么菜吃出来的就是什么菜的味儿。

[菜馅水的新用途]

包饺子的白菜或瓜馅，挤出的水含有多种维生素，倒掉很可惜，可以把挤出的菜水放到肉馅里，用筷子顺时针方向搅肉馅，使之成为肉滑，然后，再和菜馅搅匀，这样饺子馅就不再出水了，而且包出的饺子既不失营养味道又鲜美。

[白菜馅"机械"脱水法]

将剁好的白菜馅用纱布包严，均匀地放置在洗衣机的甩干筒内，开启后1分钟左右即可取出，省时省力，效果又佳。

◇ **煮饺子的秘诀**

[巧用高压锅煮饺子]

用高压锅煮饺子不破皮，不跑味，不浑汤，又省时间。煮时，在高压锅内放半锅水，水沸后下饺子，用勺子推转两圈，扣上锅盖，不扣安全阀，待蒸气从阀孔直喷约半分钟后即可关火。

[煮饺子不粘锅]

煮饺子时，在锅内的水烧开之前，先放入少量的大葱尖，水开后饺子下锅，这样煮出的饺子不易破，熟后在盘中也不互相粘连。

[煮饺子不外溢的秘诀]

煮水饺时，在锅中加少许食盐，锅开时水也不外溢。

[煮饺子不破的秘诀]

煮饺子先煮皮，后煮馅。盖锅煮馅，敞锅煮皮。

◇ **饺子出锅不粘盘**

饺子煮熟出锅后，在温开水里浸一下，饺子表面的糊精即被溶解，这时装盘不会互粘。

做馄饨的窍门

◇ **馄饨皮的材料选择要得当**

馄饨皮推荐使用高劲面粉，皮一定要够薄，这样才可以透过皮看到里面的馅。

◇ **做好馄饨馅**

[馄饨馅香而不腻的秘诀]

调制馄饨馅时，加入姜、盐、味精、王守义十三香搅拌，可以使肉馅香而不腻。

[拌馄饨馅的秘诀]

在调制饺子、馄饨馅时，要慢慢往肉馅中加水，并用筷子朝一个方向搅动，待肉馅比较稀时，再加盐。

[馄饨馅水、肉、菜的搭配秘诀]

馅的瘦肉多可多放水，肥肉多则应少放水，将剁好的菜和肉馅一起拌匀，不要多搅，否则会出汤。

[馄饨馅出汤的解决方法]

如出汤，可掺些面粉，也可放到冰箱或室外晾一晾，油脂一凝，就好了。

◇ **包馄饨的秘诀**

馄饨是这样包的，把一点馅放在一个角，对角卷，卷到一半两边就向后一捏,捏紧就可以了。

◇ **制作馄饨汤的窍门**

可以用鸡骨头汤、猪骨头汤用作馄饨汤，不但香味浓厚，而且营养丰富，还可以在汤中添加鲜木耳或鲜冬菇，提升汤的鲜味。

◇ **佐料添加有顺序**

馄饨汤开后应依次加入鸡精、香油、紫菜、虾米、香菜、葱丝、榨菜、盐。使汤的味道鲜香十足。

◇ **煮馄饨的秘诀**

为了使馄饨不浑浊，在煮馄饨时不要加盖，水一沸即改为中火。

做包子好吃的窍门

◇ **和面的秘诀**

[包子皮好吃的秘诀]

和面时需要用温水和，将酵母用少量温水化开，均匀倒进面粉中，再加入适量温白糖水、牛奶，打入1个鸡蛋，这样的包子皮有奶香、甜味，比较好吃。

[发酵的时间控制]

揉成光滑的面团后盖盖发酵。1～2小时后，待面团体积至少膨胀一倍，用手指戳开看，如里面都是蜂窝状的大孔，则面已经发好了。

[包子面的制作]

将少许苏打粉撒进发好的面里，把面团揉紧，边揉边加干面粉，直到揉成光滑面团，不粘手，放在案板上，盆或锅扣起来，饧10分钟，就可以分成若干剂子擀皮了。

◇ **拌好素馅的小窍门**

[拌馅加油防出水]

把菜切碎放入盆中，倒入少许食用油，轻轻拌一下，再把调好的其他材料拌进去即可，包之前再调入盐。因为菜被一层油包裹，遇盐就不容易出水了。

[蛋清使素馅更"团结"]

做素馅包子、饺子时，馅特别容易散。在拌馅的时候，放一些蛋清，让馅有一定的黏度，就不容易散了。

[葱姜碎过油更香醇]

一般人做素馅，葱姜碎直接加到馅里了，其实放入花椒油里爆香更香醇提味。

[虾皮、花椒不可少]

虾皮和花椒看似很小的一部分，可在素馅里却起着举足轻重的作用。

◇ **拌好肉馅的小窍门**

取适量肉馅，加葱末、姜末，酱油、花椒粉、五香粉、胡椒粉、盐、味精，用筷子顺着一个方向搅和，慢慢加入水，每次加水量不宜过多，不断的加水至馅发黏即可。

◇ **包包子的秘诀**

[包法要得当]

将包子皮儿擀得厚一些，放入馅，右手拿着皮的任意一处，左手把旁边隔半厘米的皮往右手拉，这就是折子，一次贴着馅把左边的皮都折想右手原点，而后把这些聚起来形成的奶嘴一样的头儿一转捏紧，这样怎么蒸都不会开。

[包好之后需要"二次发酵"]

包好后，千万不能立刻放锅蒸，放在案板上，下面扑些干面粉，以免粘底。用保鲜膜盖住所有包好的包子，边上用东西压住，以防风干。放上20分钟，最多25分钟，这就是所谓的"二次发酵"。

◇蒸好包子
[蒸包子的方法]

蒸包子的锅里放凉水，一定要凉水，有蒸笼最好，上面垫纱布。纱布水里冲一下，弄湿。再拧干，放上包子，这样包子蒸出来皮不会粘在纱布上。

[蒸包子不缩的秘诀]

大火蒸15～20分钟，关火。过5～10分钟再揭开盖子，这样包子不会缩。

[蒸包子不粘锅的窍门]

除了蒸包子的时候用屉布可以防止粘锅之外，还可以在屉上抹一些食用油，效果很好。

 做饼好吃的窍门

◇和馅有秘诀
做肉饼时，1000克肉馅放2小匙盐，这样的配比使馅咸淡可口。

◇团面有秘诀
可在面团中放少许白糖，不仅起发快，而且做出的饼更可口。

◇饼松软、味香的秘诀
做饼时，如果在发面里揉进一小块猪油，做出来的饼不仅松软，而且味香。

◇烤制面饼有秘诀
烤制薄面饼时，在面粉中掺一些啤酒，烤制出来的饼又脆又香。

 做面好吃的窍门

◇选料要得当
优质面条特征为不粘锅、不浑汤、不碎条，鉴别方法如下：

[看外表]

好挂面包装紧，两端整齐，竖提起来不掉碎条。

[闻味道]

抽出几根面条，或在面条的一端用鼻子闻一下，如有芳香的小麦面粉味，而无霉味或酸味、异味，就说明是好挂面。

[试筋力]

上好的面，用手捏着一根面条的两端，轻轻弯曲，其弯度达到5厘米以上。

◇煮面的秘诀

[煮面的通用方法]

煮面的时候在锅底里有小气泡往上冒时下面条，然后搅动几下，盖好盖，等锅内水开了再适量添些凉水，等水沸了即熟。

[巧煮挂面]

煮挂面时一要多加些水，因为挂面还有个"涨发"过程，要吸收一些水分。

[面汤不外溢的秘诀]

煮面条时，在开水锅内放一小匙食用油，面条就不易粘连，而且面汤锅里的泡沫也不会容易外溢。

[煮面有嚼劲的秘诀]

水烧开后加少量盐，再下面条，面条不会烂掉还有嚼劲，开锅加冷水，开3次后面基本就熟了。

◇**煮面条掌握火候**

[煮干切面和挂面]

锅中煮面的水不要太开，等面条下锅开锅后也宜用中火煮，因为面本身很干，用太大的火煮，水温很高，使面条表面形成一层黏膜，热量无法向里传递，易形成硬心和面条汤糊化。中火煮时，随开随点些凉水，使面条均匀受热。

[煮手擀面]

需水大开时下面，然后用筷子向上挑几下，以防面条粘连。用旺火煮开，每开锅一次点一次水，点两次水，就可以出锅了。

◇**做好切面**

[切面去碱味的秘诀]

买来的切面有时碱味很重，在面条快煮好的时候，加入几滴醋，可以使面条碱味全消，面条的颜色也会由黄变白。

[切面口感好的秘诀]

使用新鲜的切面，可以使切面营养成分不受损，口感好。

[切面的火候]

煮湿切面一定要注意用旺火，否则温度不够高，面条表面不易形成黏膜，面条就会溶化在水里。

◇**冷面更美味的秘诀**

吃冷面时，加入面条卤，再倒上一小匙甜酒，会使味道格外鲜美可口。

◇**做好炒面的秘诀**

面条需要入开水煮至无硬芯，捞出过凉，再下入热油锅炸制成面坯。待其他佐料炒熟之后，放入炒面，添水翻炒，需要不断地搅拌，避免煳锅。

◇**做好烩面的秘诀**

面稍微软一点，最关键的面里要放盐；每半个小时和一次，一共和个3~4次即可，饧至少3个小时以上。

◇**做好凉面的秘诀**

煮熟的面条捞出后，立刻用香油拌匀，然后对着电风扇吹至面条降下温度。这样冷却的凉面口感非常筋道。

煮饭好吃的窍门

◇ **原料选择要得当**

选择好的大米煮饭成功了一半。

[看硬度]

大米的硬度主要是由蛋白质含量决定的，硬度越强，蛋白质含量越高，透明度越高。

[看面色]

正常的米应是洁白透明，腹白色泽正常（紫、黑米除外）。

[看新陈]

时久的米，色泽暗淡，香味寡淡，表面有白道间纹甚至出现灰粉状，灰粉越多，时间越长。当然，有霉味的或者是有蛀虫的更可能是陈米了。

◇ **洗米要得当**

洗米时第一次加入大量的水，快速地搅拌后立刻将水倒掉，用手掌以按压的方式搓洗米，用水冲洗至清澈即可。

◇ **水量要适宜**

洗好的米放入锅内，添入刚没过手背水量即可。

◇ **煮饭的秘诀**

[煮饭不干的秘诀]

洗好的米放入锅内，添水放置约30分钟，让米吸收水分再开始煮饭。饭煮好后保温约10～15分钟即可。

[煮饭又软又松的秘诀]

煮饭时，加少量食盐、少许猪油，饭会又软又松。

[煮饭味香的秘诀]

煮饭时，滴几滴醋，煮出的米饭会更加洁白、味香。

[米饭亮晶晶的秘诀]

米洗好后加少许盐和沙拉油再煮，可以让煮出来的饭亮晶晶。

[煮饭营养的秘诀]

用大米制作米饭时一定要"蒸"，不要"捞"，因为捞饭会损失掉其中大量维生素。

[焖米饭要注意]

焖米饭加热时间过长，维生素B_1损失会超过30%，如果撇去米汤水，维生素损失超过40%。

[煮饭不粘锅]

煮饭前在水中加适量沙拉油，饭粒不会粘在一起，也不会粘在锅底。

[煮饭不溢锅]

煮饭时向锅内滴几滴香油，就不会溢锅。

[煮寿司饭的秘诀]

米饭煮好后20～30分钟，趁热一点点加入寿司醋，均匀搅拌，即成寿司饭。

◇ **煮饭补救措施**

[饭烧焦了]

饭有了焦味，不要搅动，可将饭锅置于潮湿处或一盆冷水中，10分钟后，烟味就没有了。

立即将火关掉，放一块面包皮在米饭上，再盖上锅盖，过几分钟，面包皮即可把糊味吸收。

[米饭夹生]

若米饭全部夹生，可用筷子在饭内扎些直通锅底的小孔，适当加些温水重新焖；若局部夹生，就在夹生处扎些孔；若表层夹生，可将表层翻到中间再焖。

若米饭夹生了，还可在饭中加2～3勺米酒，拌匀再煮，即可消除夹生。

[米饭串烟]

如果米饭有串烟味，可倒一碗白开水，将碗坐在饭锅中间，盖上锅盖焖一会儿，烟味就会消失。

◇ **做蛋炒饭的秘诀**

蛋液下锅油温勿高，快速滑炒打散。

冷饭下锅慢慢铲松不加水。

蛋炒饭切记不要放味精，放了味精就没有鸡蛋的鲜味了。

◇ **剩饭巧处理**

蒸剩饭时，可往水里放点食盐，吃时口感像新饭。

食品安全选购与食用窍门400招

食品安全选购五大原则

对于每个家庭来说，厨房都相当于一个小小的"食品加工厂"，安全选购食品是确保饮食卫生、健康的重要环节，也是健康饮食的第一关。

选购合格的食品要注意以下几点：

◇ **注意选购地点**

一定要到证照齐全、主体资格合法有效的经营场所选购食品，而且要选购正规经营厂家生产的食品。

◇ **进行初步鉴别**

进行感官方面的初步鉴别。腐败变质的、霉变的、混有其他异物的食品不要购买。

◇ **查看食品包装**

在挑选食品的时候要看一下包装。看包装是否完整，有没有破损，印刷是否规范，避免买到假冒伪劣食品。

◇ **注意标签和说明**

因为标签和说明反映食品质量很重要的方面。比如食品的名称、净含量、生产者的名称、地址、生产日期、配料表、保质期、保存期、食用方法以及产品标准号，这些必须在食品包装上标明。另外，食品标签与包装容器不能分开，比如矿泉水，上面有标签内容，必须把标签贴在矿泉水瓶子上，如果把标签放到旁边，按规定是不允许的。上面的计量单位也应该是国家规定的计量单位，比如毫升、克，这方面也要注意。

◇ 依据具体的鉴别方法：

选购食品时要根据种类不同分别对待，比如鱼、肉、蛋、蔬菜都有各自的鉴别方法，而新鲜食品和冷冻食品的标准也有不同。

另外，要注意搜集政府部门发布的食品质量信息，比如工商部门在集贸市场、商场、超市都设立了食品安全信息公示栏，定期公示不安全食品信息，进行消费提示和警示，消费者在购买食品的时候可以留意一下这方面的内容。

 肉制品

◇ 熟肉制品
[注意保质期]
选择近期生产的肉产品。
[注意肉质弹性]
挑选肉质弹性好的食品，这样的产品肉的含量高，蛋白质含量多，品质好。
[注意储存]
有的熟肉制品要冷藏，购买时一定要看清储存温度要求。

◇ 酱卤肉类制品
[看]
完好的自然块，洁净、新鲜润泽。
[色]
呈肉制品应具有的自然色泽。例如，酱牛肉应为酱黄色；叉烧肉切面有光泽，微呈赤红色，脂肪白而透明。

◇ 肠类制品
[看]
完好无缺，不破损，洁净无污垢。
[摸]
肠体丰满，干爽，有弹性，组织致密。
[闻]
具备该产品应有的香味，无异味。

◇ 熏制的肉制品
[色]
经过熏制的肉制品一般为棕黄色。

[闻]

带有烟熏香味。

[看]

配料表中如标明含有淀粉，则产品为肉糜脯，肉糜脯产品表面较光滑。

肉脯产品表面有明显的肌肉纹路。

◇ **腊肉**

[好的腊肉]

色：色泽鲜艳，肌肉呈鲜红色或暗红色，脂肪透明或呈乳白色。

摸：肉身干爽结实，富有弹性，指压后无明显凹痕。

闻：具有其特有的香味。

[变质的腊肉]

色：色泽灰暗无光泽，脂肪呈黄色，表面有霉斑，揩抹后仍有霉迹。

摸：肉身松软无弹性且带黏液，表面湿润，发黏。

闻：有酸败味。

◇ **咸肉**

[好的咸肉]

看：肌肉结构紧密，切面平坦，均匀无斑，无虫蛀，色泽鲜红或玫瑰色，脂肪白色或带微红色，质坚实。

摸：肉皮干硬而清洁，呈苍白色，无黏稠感。

闻：无哈喇气及其他异味。

[劣质咸肉]

看：切面暗红或灰绿色，有虫蛀。

摸：皮呈灰白色，黏滑、软化，肌肉结构疏松。

闻：有哈喇气味。

◇ **火腿**

[优质火腿]

摸：表面干燥，清洁，结实，指压凹陷能立即恢复，基本上不留痕迹。

看：肌肉切面为深玫瑰色、桃红色或暗红色，脂肪呈白色、淡黄色或淡红色，且具有光泽，切面平整、光洁。

[劣质火腿]

摸：表面湿润，松软，甚至呈黏糊状。

闻：有酸败或油哈味。

鱼类

鱼类营养丰富，口感细嫩，富含动物蛋白和钙、磷及维生素A、维生素D、维生素B_1、维生素B_2等物质，且易为人体消化吸收，常食可延年益寿。

◇ **安全选购新鲜鱼**

吃鱼最好吃活鱼，如果买不到活鱼，则应尽量挑选新鲜鱼。

[眼睛]

新鲜鱼的眼澄清而透明，很完整，向外稍有凸出，周围无充血及发红现象；不新鲜鱼的眼睛多少有点塌陷，颜色灰暗，有时由于内部溢血而发红；腐败的鱼眼球破裂，有的眼睛瘪。

[鱼鳃]

新鲜鱼的鳃颜色鲜红或粉红，鳃盖紧闭，黏液较少呈透明状，无异味；不新鲜鱼的鳃的颜色呈灰色或褐色；腐败的鱼，鱼鳃颜色呈灰白色，有黏液、污物。

[鱼鳞]

新鲜鱼鱼鳞紧密完整而有光亮；不新鲜鱼鱼鳞松弛，层次不明显且有脱片，没有光泽。

[触摸]

新鲜鱼表皮上黏液较少，体表清洁，用手指压一下松开，凹陷随即复平；鲜度较低的鱼，黏液量增多，透明度下降，鱼背较软，呈苍白色，用手压凹陷处不能立即复平，失去弹性。

[气味]：

新鲜的鱼多带一股自然的腥香味；不新鲜的鱼闻起来腥味过重，有呛鼻的氨臭味。

◇安全选购冷冻鱼

[眼睛]

质量好的冷冻鱼，眼球饱满凸起，新鲜明亮；眼睛下陷、无光泽的则质次。

[外表]

质量好的冷冻鱼，外表鲜亮，鱼鳞无缺，肌体完整；皮色灰暗、无光泽、体表不整洁、鳞体不完整的为次品。

[肛门]

质量好的冷冻鱼，肛门完整无裂，外形紧缩，无浑浊颜色；肛门松弛、突出，肛门的面积大或有破裂的为次品。

[气味]

有臭味的为变质冷冻鱼。

◇食用窍门

[鲜鱼类]

鲅鱼：鲅鱼富含脂肪，鲜肥适口，多用于家常食用，洗净后即可烹制，最宜红烧。

带鱼：带鱼肉肥刺少，味道鲜美，营养丰富，鲜食、腌制、红烧、糖醋、煎炸、清蒸均可。

黄鱼：黄鱼肉质鲜嫩，适合清蒸，如果用油煎的话，油量需多一些，以免将黄鱼肉煎散，煎的时间也不宜过长。烧黄鱼时，揭去头皮就可除去异味。

鲫鱼：鲫鱼肉嫩味鲜，可做粥、做汤、做菜、做小吃等，清蒸或煮汤营养效果最佳。

鲤鱼：鲤鱼鱼腹两侧各有一条同细线一样的白筋，去掉它们可以除去腥味。

鲢鱼：鲢鱼适于烧、炖、清蒸、油浸等烹调方法，尤以清蒸、油浸最能体现出鲢鱼清淡、鲜香的特点。清洗鲢鱼的时候，要将鱼肝清除掉，因为其中含有毒素。

鲇鱼：鲇鱼体表黏液丰富，宰杀后放入沸水中烫一下，再用清水洗净，即可去掉黏液。清洗鲇鱼时，一定要将鱼卵清除掉，因为鲇鱼卵有毒，不能食用。

鳝鱼：鳝鱼宜现杀现烹，鳝鱼体内含组氨酸较多，味很鲜美，死后的鳝鱼体内的组氨酸会转变为有毒物质，故所加工的鳝鱼必须是活的。鳝鱼味鲜柔美，并且刺少肉厚，又细又嫩，以小暑前后一个月的夏季鳝鱼最为滋补味美，故有"小暑黄鳝赛大参"之说。

三文鱼：切勿把三文鱼烧得过烂，只需把鱼做到八成熟，这样既保存了三文鱼的鲜嫩，也可祛除鱼腥味。

[冷冻鱼]

冷冻鱼一旦解冻，极易变质，即使买回来的是好的冷冻鱼也应及时食用，不要将其再放入冰箱内第二次冷冻。

[鱼子]

鱼子中胆固醇含量较高，故中老年人和高血脂、高胆固醇者应忌食。

[特别提示：去除鱼胆，防中毒]

青鱼、鲢鱼、鳙鱼 、草鱼和鲤鱼是人们经常食用的淡水鱼类，因为它们的胆有毒，所以属于胆毒鱼类。这些鱼的胆汁中含有毒成分，主要损害肾及肝脏，亦可损害心、脑等，如果吞服鱼胆，极易发生中毒，严重者会引起死亡。因此，食用鱼类前一定将内脏去除干净。

虾类

虾，也叫海米、开洋，肉质肥嫩鲜美，又没有骨刺，老幼皆宜，是滋补壮阳之妙品。虾主要分为淡水虾和海水虾：青虾、河虾、草虾、小龙虾等都是淡水虾；对虾、明虾、基围虾、琵琶虾、龙虾等都是海水虾。

◇安全选购新鲜虾

[看]

鲜虾虾身自然弯曲，虾壳明亮有光泽，虾肉饱满，虾头与虾身紧密连接，虾头、虾尾没有变黑及白色斑点。

[摸]

鲜虾虾壳硬挺，摸起来有弹性，有干燥感，不会感觉软烂，挑出的肠泥不易断裂，而且即使用外力使虾身弯曲变形，外力消除后，虾身仍恢复原有姿态。当虾变质时，虾壳下层分泌黏液的细胞分解，黏液渗到外壳上，摸上去有滑腻感，且缺乏新鲜虾体的弹性。

[嗅]

若嗅之有臭味，说明虾已经变质，不宜购买。

◇食用窍门

中老年人、孕妇和心血管病患者很适合食用虾，每次30～50克为佳；对于少数老年人来说，尤其是一些过敏疾病患者，如过敏性鼻炎、支气管炎、反复发作性过敏性皮炎等患者则不宜吃虾。

虾子（虾卵）又名虾春，含高蛋白，助阳功效甚佳，肾虚者可常食。

色发红、身软、掉须的虾不新鲜，尽量不要吃，腐败变质虾不可食。

虾背上的虾线应去除。

虾皮、虾米食用前最好先用水略煮，或在日光下暴晒3～6小时，这样可去掉内含的亚硝基化合物。

吃小龙虾等食品要注意，烧煮时间短，细菌未被杀灭，极可能造成食物中毒。

虾为发物，染有宿疾者不宜食用；上火时不宜食虾。

吃虾时不可吃糖，对身体有害。

大虾不宜与猪肉同食。

食用虾时严禁同时服用大量维生素C，否则，可生成三价砷，能致人死亡。

蟹类

蟹是公认的食中珍味，不但味奇美，而且营养丰富，是一种高蛋白的补品，对滋补身体很有益处。

◇ **安全选购新鲜蟹类**

[看肢与体的连接程度]

新鲜蟹类口中含有泡沫，步足和驱体连接紧密，提起蟹体时，步足不松弛下垂；不新鲜蟹类在肢、体相接的可转动处，明显呈现松弛现象，提起蟹体，可见肢体(步足)向下松垂现象。

[看腹脐上方的"胃印"]

蟹类多以腐殖质为食，死后一段时间，胃内容物就会腐败而在蟹体腹面脐部上方泛出黑印。

[看蟹黄是否凝固]

当蟹体在尸僵阶段时，蟹黄是呈现凝固状的；不新鲜蟹类，即呈半流动状。到蟹体变质时更变得稀薄，手持蟹体翻转时，可感到其在壳内的流动。

[看鳃]

新鲜蟹类鳃洁净、鳃丝清晰，白色或稍带黄褐色；不新鲜蟹类鳃丝开始腐败而粘连。

◇ **实惠小窍门**

新鲜蟹类，大小相当者，应挑选重量较重的，肉质会较饱满、鲜美。

◇ **安全选购冻螃蟹**

购买冻螃蟹，可查看其腹部，颜色较白、较坚硬者为好；不好的螃蟹有氨臭味，且会流出汁水。

◇ **食用窍门**

存放过久的熟蟹不宜食用。

螃蟹不宜与茶水同食，吃蟹时和吃蟹后1小时内忌饮茶水。

贝类

贝类，包括蛤(蛤蜊、花蛤、文蛤)、牡蛎、九孔、蛏子等，其肉质鲜美，高蛋白、高微量元素、高铁、高钙、少脂肪，是不可多得的健康美食。

◇ **安全选购新鲜贝类**

[看]

新鲜贝类带有硬壳，肉足常露出壳外活动，偶尔会喷出水柱。

[摸]

将数个新鲜贝类相互敲击，音似石头撞击声；而死贝则有空壳声。

[嗅]

若嗅之有臭味，则不宜购买。

◇ **螺、贝类食用窍门**

[淡菜（海虹）]

个体越大越好，质嫩，肉肥，味鲜，适宜与冬瓜、萝卜等一同煨食。

[蛤蜊等贝类]

蛤蜊需煮熟后食用，不要食用未熟透的贝类，以免传染上肝炎等疾病。贝类中的泥肠不宜食用。

[螺类]

螺肉可爆炒、烧、氽汤、打卤、或水煮后佐以姜、醋、酱油食用。食用螺类应烧煮10分钟以上，以防止病菌和寄生虫感染。死螺不能吃。田螺性寒，凡消化功能弱者和老人、儿童，应当食有节制，以免多食引起消化不良。胃寒者应忌食，以防危害身体。螺类是发物，有过敏史及疮疡患者应忌食。不宜与中药蛤蚧、西药土霉素同服。

头足类

头足类包括鱿鱼、墨鱼、章鱼等，营养价值很高，富含蛋白质、钙、磷、铁等，并含有十分丰富的诸如硒、碘、锰、铜等微量元素。

◇ **安全选购头足类**

[看]

新鲜的头足类，眼睛明亮，外皮鲜艳、光泽，挺直有力。

[摸]

触摸感觉光滑、细致，且肉质厚实、有弹性者较佳。

[嗅]

若嗅之有臭味，则不宜购买。

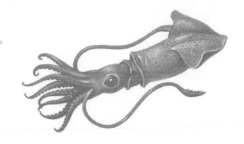

◇ **食用窍门**

[鱿鱼]

鱿鱼煮熟透后再食，因鲜鱿鱼中有一种多肽成分，若未煮透就食用，会导致肠运动失调。鱿鱼之类的水产品性质寒凉，脾胃虚寒者应少吃。鱿鱼含胆固醇较多，故高血脂、高胆固醇血症、动脉硬化等心血管病及肝病患者应慎食。

鱿鱼是发物，患有湿疹、荨麻疹等疾病的人忌食。

四季饮食安全与营养指南30例

 季节饮食法则

　　饮食要随季节变换及时调整。一年四季气候的变化特点是春温、夏热、秋燥、冬寒。按照"用温远温，用热远热，用凉远凉，用寒远寒"的原则，热性的食品应该避免在温暖炎热的春夏季节食用，而寒性的食物则不宜在秋冬寒冷季节食用。

 春季食品安全与营养忠告

◇春季健康饮食常识

　　春季气温逐渐上升，细菌繁殖较快，食品容易腐败变质，是食物中毒高发、多发季节，为有效预防和消除各种食品安全隐患，饮食要注意以下几点。

春季少吃"发物"

　　百花盛开的春天，空气中弥漫着大量的花粉，是过敏性疾病的多发季节。有慢性疾病或过敏体质的人，春天一定要忌口，忌服"发物"，如虾、蟹等，否则旧病极易复发。

春季宜平补

　　春季宜平补，少吃酸味，多吃甘味的食物，以滋养肝脾两脏，这样对防病保健大有裨益。

　　性温味甘的食物首选谷类，如糯米、黑米、高粱、黍米、燕麦；蔬菜干果类，如刀豆、南瓜、扁豆、红枣、桂圆、核桃、栗子；肉鱼类，如牛肉、猪肚、鲫鱼、花鲤、鲈鱼、草鱼、黄鳝等。人体从这些食物中吸取丰富的营养元素，可使养肝与健脾相得益彰。

　　顺应春升之气，多吃些温补阳气的食物，尤其早春仍有冬日余寒，可选吃韭菜、大蒜、洋葱、魔芋、大头菜、芥菜、香菜、生姜、葱等。这些蔬菜均性温味辛，既可疏散风寒，又能抑杀潮湿环境下孳生的病菌。

春季巧降火

　　春日时暖风或晚春暴热袭人，易引动体内郁热而生肝火，或致体内津液外泄，可适当配吃些清解内热、滋养肝脏的食物，如荞麦、薏米、荠菜、菠菜、蕹菜、芹菜、菊花苗、莴笋、茄子、荸荠、黄瓜、蘑菇等。

　　至于新鲜水果，虽有清热、生津、解渴作用，但大多味酸而不宜在春天多食。若需解内热，以吃甘凉的香蕉、梨、甘蔗为好。

◇春季少吃过冬食物

　　春季天气变暖，新鲜蔬菜、瓜果也陆续上市，然而过冬食物的身影还四处可见。食品专家表示，春季最好吃时令蔬菜，红薯、白菜、萝卜等过冬食物到了春季，不仅水分、营养已多半流失，而且还会腐烂、孳生细菌或产生毒素。

食用土豆需注意

　　有黑斑、表皮发青、发芽的土豆一定不要购买。

　　发芽土豆不仅要切掉芽，还应把根部1.5厘米处挖掉。局部发青的，把青的部位削掉后再食用，而且一定要煮或炒熟后再吃。

春季食用甘蔗注意

春季出售的甘蔗多是秋季存储下来的，不少甘蔗断面上有红色的丝状物，有酸味。购买时要选看上去新鲜，切口呈淡黄色的储藏良好的甘蔗。

霉变甘蔗含有毒素，损伤人体中枢神经系统，食用后2～8小时即发病，严重者可导致昏迷、呼吸衰竭、死亡，其死亡率和出现后遗症的概率达50%。

时令菜符合自然生长规律，相应地，生长过程中使用的人工药物就会减少。春季应多吃一些菠菜、油菜、蒜苗、莴笋等时令菜。

但需注意，时令菜也不应该存放时间太长，尽量当天买当天吃完。莴笋存放时，必须削皮，用保鲜膜包好，放入冰箱，存放不宜超过5天。否则口感不好，营养流失，易变质产生毒素，食用后引起食物中毒。

夏季食品安全与营养忠告

◇夏季健康饮食常识

夏季气温高、雨水多、湿度大，高温高湿的环境为细菌、霉菌、病毒的孳生繁衍创造了条件，也给家庭食品安全带来了严重的隐患，怎样才能守护家人健康呢？

[蔬菜水果尽可能浸泡、清洗后食用]

夏季是植物病虫害高发季节，用农药杀虫在所难免。所以应到正规农贸市场或超市购买果蔬，并注意市场内有关农药残留检测的公示。买回的果蔬先浸泡半小时后再清洗食用。

[食用卤菜要冷藏]

夏天食用卤菜要注意两点：一要到正规的卤菜店购买，街边卤菜通常会滥用色素、亚硝酸盐等违禁添加剂，使酱卤肉颜色鲜亮，如食用，很容易发生食物中毒；二要注意购买的量不要太多，能满足一餐的需要即可，如果有剩余，一定要及时冷藏。

[不要贪吃路边烧烤]

路边烧烤摊大多未经正规审批，人员健康、原料新鲜都很难保证。烧烤时产生大量烟灰，烧烤过程中滴下的油脂，在高温及火炭上会产生大量如苯并芘类的致癌物质，经常食用可能导致胃癌、肠癌等。

[食用冷饮要适量]

进食不洁冷饮、冷食，是夏季食物中毒的一个重要原因。夏季冷饮例来是安全性较低的食品，这既有生产、加工、运输、冷藏等方面的原因，也有家庭保管不当的问题。因此，购买冷冻饮品要尽量选择正规商场和超市，除了查看标签、生产日期、保质期外，还要查看包装是否完好，不要购买包装粗糙、破裂、变形的产品，不要追求色泽鲜艳，这可能是添加了色素等添加剂。买回的冷冻饮品要及时食用，或及时放入冰箱冷冻格中保存，特别是不能一次吃完的桶装冰淇淋，必须避免在化冻后重新冷冻保存。

[有些死亡的水产品不宜食用]

各种鲜活水产品因天热容易缺氧死亡，特别是黄鳝、龟鳖、螃蟹等死亡后极易变质，切勿食用。另外，海鱼一旦出现腐败，体内会产生过敏物质，食用后容易引发食物中毒，也不要食用。

[不宜在常温下保存剩饭菜]

在高温天气，对于吃不完的饭菜，即使不过夜，也一定要及时冷藏，不能在常温下保存。夏天的午餐与晚餐之间相隔时间长，如果在常温下保存，会给病菌的生长繁殖和释放毒素创造条件。因此，吃剩的饭菜一定要及时放入冰箱冷藏。对于荤菜和荤汤，食用后要加热烧开，待冷却后放入冰箱。

[管好家中的冰箱]

冰箱的低温只能延缓细菌生长繁殖的速度，推迟食品变质的时间，但不会杀灭细菌，而某些细菌就是在冰箱的冷藏温度下繁殖产生毒素，这种食品进入腹内，就可能造成食物中毒。此外，从冰箱中取出的冷藏食物最好重新煮透后再食用。

[水是最好的解渴饮料]

夏季气温高，身体水分消耗量很大。超市中的饮料琳琅满目，究竟哪种最好？答案是：凉开水！各种冷冻、冷藏的饮料及饮品由于与气温差别太大，对胃肠道的刺激很大。特别是老人、儿童及体弱者，大量冷食进入肠胃后会严重影响消化吸收的能力，甚至造成腹痛、腹泻；各种加入奶、糖、豆、可可等营养物质的饮料以及啤酒、咖啡等对解除口渴作用非常有限，甚至有越喝越渴的感觉，这与其中的高糖、高脂、高热量物质含量较多有关，摄入过多，还有可能使身体发胖的。

◇**夏季饮食不能过分求清淡**

随着气温的升高，汗液的蒸发，体内水分流失增加，需要不停地补充水分。结果，胃酸被冲淡、消化液被稀释，致使食欲下降，胃肠道消化吸收功能也下降。清淡少油的饮食较易消化吸收，但是，很多人过分追求饮食清淡，天天以素食为主，久而久之，身体抵抗力降低，容易出现疲乏、贫血、感冒等病症。

[消夏饮食对策]

每餐要保证有主食，且不低于50克。主食类的食物碳水化合物含量高，提供能量方便快捷，消化吸收负担小。如果饭量难以增加，可通过饥饿时吃一些零食、水果、点心等办法增加热能的摄入。

蛋白质类食物的补充以牛奶、鸡蛋、豆制品、鱼虾、瘦肉为主。

烹调方法尽量减少过油、煎、炸，可多采用炒、熘、炖、焖、烩、蒸等方式。

如果炒菜放油太少，饭后常有不满足的感觉，可以吃几粒核桃、花生、腰果、开心果以及少量葵花子等，以满足人体对脂肪酸的需求。

秋季食品安全与营养忠告

◇**秋季健康饮食常识**

立秋之后，气温逐渐下降，天气由热转凉，再由凉转寒，所以秋天饮食宜多食用生津润肺、养阴清燥、补气养肝的食物，多补充水分及水溶性维生素B、维生素C，以抗秋燥。晚秋时节，天气渐寒，是感冒以及心血管疾病的多发期，日常饮食可多摄入含蛋白质、镁、钙丰富的食物，增强体质，预防疾病的发生。

[秋季饮食原则]

秋季燥热，人体肺旺肝衰，饮食应以润肺滋阴为要，宜增酸减辛，助长肝气。

秋季阴气加重，应少食生冷食物，以防伤脾胃。

秋季饮食应以温、软、淡、素、鲜为宜，不宜吃过冷、过烫、过硬、过辣、过黏的食物。

秋季人们容易触景生情、心情忧郁，可适当吃些高蛋白食物，如牛奶、鸡蛋、豆类等，可消除抑郁情绪。

秋季适宜平补，为冬补奠定基础。

[适宜食物]

枇杷、梨、菠萝、苹果、柿子、柑橘、山楂、核桃、杏仁、萝卜、莲藕、银耳、百 合、南瓜、竹笋、蘑菇、海带、泥鳅、芝麻、粳米、蜂蜜、牛奶等。

[不宜食物]

葱、姜、蒜、韭菜、辣椒、胡椒、烈性酒等大辛大热食品不宜多吃，以防出现口舌生疮、鼻腔及皮肤干燥、咽喉肿痛、咳嗽、便秘等"秋燥"现象。

西瓜：立秋之后体弱者不宜食用。

羊肉：夏秋季节气候热燥，不宜吃羊肉。羊肉属大热之品，凡有发热、牙痛、口舌生疮、咳吐黄痰等上火症状者都不宜食用。

老茄子：特别是秋后的老茄子有较多茄碱，对人体有害，不宜多吃。

◇秋季保健润燥有良品

秋天空气中水分减少，人们常出现的咽干鼻燥、唇干口渴、咳嗽无痰、皮肤干涩等现象被称为"秋燥"，合理的饮食调节有助于缓解秋燥现象。

[润燥首选——梨]

如何食用？

生食：生吃梨能明显解除上呼吸道感染患者所出现的咽喉干、痒、痛、音哑，以及便秘尿赤等症状。

榨汁：将梨榨成梨汁，或加胖大海、冬瓜籽、冰糖少许，煮饮，对天气亢燥、体质火旺、喉炎干涩、声音不扬者，具有滋润喉头、补充津液的功效。

冰糖蒸梨：冰糖蒸梨是我国传统的食疗补品。可以滋阴润肺、止咳祛痰，对嗓子具有良好的润泽保护作用。

梨饮料："梨膏糖"闻名中外，它是用梨加蜂蜜熬制而成，对患肺热久咳症的病人有明显疗效。

[健康食用红绿灯]

梨有利尿作用，夜尿频者，睡前少吃梨。

血虚、畏寒、腹泻、手脚发凉的患者不可多吃梨，并且最好煮熟再吃，以防湿寒症状加重。

梨含果酸多，不宜与氨茶碱、小苏打等同食。

梨不应与螃蟹同吃，以防引起腹泻。

[苹果]

苹果性平，有补心润肺、生津解毒、益气和胃、醒酒平肝、缓解不良情绪等功效，每日吃一个苹果还可以大大降低患老年痴呆症的概率。但是苹果含果糖和果酸较多，对牙齿有较强的腐蚀作用，吃后最好及时漱口刷牙。

[葡萄]

葡萄性平，味甘酸，能滋肝肾、生津液、强筋骨，有补益气血、通利小便的作用。葡萄的含糖量很高，所以糖尿病人应特别忌食葡萄；食用葡萄后应间隔4小时再吃水产品为宜，以免葡萄中的鞣酸与水产品中的钙质形成难以吸收的鞣酸钙，引起胃肠不适。

[枣]

鲜枣中含有丰富的维生素C，使体内多余的胆固醇转变成胆汁酸，降低身体胆固醇、结石的形成概率。枣甘温益气、质润养血，味甘又能缓和药性，具有抗过敏、宁心安神、益智健脑、增强食欲的功效。

[白菜]

秋冬季节寒风对人的皮肤伤害很大。白菜中含有丰富的维生素C、维生素E，多吃白菜，可以起到很好的护肤和养颜效果。

冬季食品安全与营养忠告

◇冬季健康饮食常识

冬季饮食应首先保证热量的供给，可适当多摄入富含碳水化合物和脂肪的食物。对于老年人来说，脂肪摄入量不能过多，以免诱发老年人的其他疾病，但应摄入充足的蛋白质。蛋白质的供给量以占总热量的15%～17%为宜，所供给的蛋白质应以优质蛋白质为主，如瘦肉、鸡蛋、鱼类、乳类、豆类及其制品等，这些食物所含的蛋白质，不仅便于人体消化吸收，而且富含氨基酸，营养价值较高，可增加人体的耐寒和抗病能力。冬季蔬菜水果相对缺乏阳气，但不宜过于燥热，以适应秋冬养阴的原则。

适宜冬季食用的食物有：鸡肉、龟肉、羊肉、虾肉、粳米、玉米、小麦、黄豆、豌豆、萝卜、胡萝卜、狗肉、芥菜、油菜、葱、蒜、辣椒、香菜、荔枝、柚子、橘子、椰子、菠萝等。

特别提示：冬季小吃安全防范方法

[冰糖葫芦]

有些冰糖葫芦的山楂未成熟，个别商贩就用焦糖给糖葫芦上色。焦糖色素是一种添加剂，它含有砷、铅、汞等有毒元素，如果摄入过多，将严重危害人体健康。

防范方法：人工合成色素主要是以煤焦油中分离出来的苯胺染料为原料制成的。几乎所有的合成色素对人体都没有任何营养价值，某些合成色素还有致癌作用，因此，尽可能少吃冰糖葫芦。

[糖炒栗子]

街头上有些"糖炒栗子"油光发亮、香甜可口，很多都是加了工业石蜡和糖精炒制的，工业石蜡含有多环芳烃和稠环芳烃，具有非常强的致癌性。国家早就规定食品中绝对不能添加工业石蜡和糖精。

防范方法：学会鉴别糖炒栗子，正规的糖炒栗子应该用麦芽糖和精制植物油炒制。如果发现炒栗子外表乌黑发亮，放置一段时间色泽仍不退，这样的栗子多是加了石蜡，不宜食用。

营养食谱搭配举例60例

我们常常会听到，在民间流传的饮食中"食物相克"的说法，意思是说两食物放在一起食用，如搭配不当，极易导致生病或中毒。但从现代营养科学观点看，两种或两种以上的食物，如果搭配合理，不仅不会相克，而且起到营养互补、相辅相成的作用，发挥其对人体保健的最大作用。也有一些食物是在搭配食用后，营养呈加法递增的"最佳拍档"，不仅能使人体更有效地吸收营养，而且还有一定的防病治病的作用。

营养食谱搭配原则

◇一是要注重主食与副食平衡搭配

小米、燕麦、高粱、玉米等杂粮中的矿物质营养丰富，人体不能合成，只能靠从外界摄取，因此不能只吃菜、肉，忽视主食。

◇二是酸性食物与碱性食物平衡搭配

酸性食物包括含硫、磷、氯等非金属元素较多的食物，如肉、蛋、禽、鱼虾、米面等；碱性食物主要是含钙、钾、钠、镁等金属元素较多的食物，包括蔬菜、水果、豆类、牛奶、茶叶、菌类等。酸性食物吃多了会让人感到身体疲乏、记忆力衰退、注重力不集中、腰酸腿痛，增加患病的概率，需要一定的碱性食物来中和。

◇ 三是干与稀的平衡

只吃干食会影响肠胃吸收，容易形成便秘；而光吃稀的则轻易造成维生素缺乏。有专家认为，饮食中只要把握了这些食物搭配的大原则，基本上就能保证营养均衡了。

[海带 + 芝麻]

把它们放一起同煮，能起到美容、抗衰老的作用。因为芝麻能改善血液循环，促进新陈代谢，其中的亚油酸有调节胆固醇的功能，维生素E又能防衰老。海带含有钙和碘，能对血液起净化作用。促进甲状腺素的合成，两者合一，效果倍增。

[海带 + 豆腐]

豆腐营养丰富，其所含的皂角甙能促进食物内的碘排出，而被人体吸收。海带含有大量的碘，两者同食可提高营养效能。

[海带 + 冬瓜]

冬瓜有益气强身、延年益寿、美容减肥的功效。海带有清热利尿，祛脂降压的功效。二者搭配，适合高血压、冠心病、水肿及肥胖症患者食用。

[西红柿 + 西兰花]

抗癌效果更佳。研究人员指出，同时食用西红柿和西兰花，将产生更大的抗癌功效。

[西红柿 + 橄榄油]

将含有类胡萝卜素的食物如西红柿与某种健康脂肪如橄榄油相结合，将促进人体对这些营养物质的吸收。

[菠菜 + 大米]

大米加菠菜熬成粥，在李时珍《本草纲目》记载，具有补血、止血、和血、润肠的功效。菠菜性冷，味甘，可疗湿热毒患者，菠菜粥能清理肠胃之热毒，适用于高血压、糖尿病、便秘和年老体弱患者食用。

[菠菜 + 腐竹]

菠菜含有较多叶酸和铁，有补血的功效；腐竹含有对血管有保护作用的营养物质磷脂。二者同食对保护血管和预防贫血有很大好处。

[菠菜 + 柑橘]

增香又补铁，在菠菜沙拉中加入柑橘，这不但会给沙拉增加柑橘的清香，而且柑橘中的维生素C也会促进人体对菠菜中铁的吸收。

[菠菜 + 鸡蛋]
菠菜富含铁质，高蛋白的鸡蛋可以帮助人体对铁质的吸收，所以菠菜与鸡蛋同炒食，营养更佳。

[鸡蛋 + 番茄]
番茄含有丰富的维生素C、糖类、维生素A、维生素B1、维生素B2、维生素E、维生素P及多种无机盐。鸡蛋有丰富的蛋白质、脂肪、多种维生素等营养成分。二者搭配，能为机体提供全面的营养，并有一定的美容和抗衰防老功效。

[鸡蛋 + 百合]
有滋阴润燥、清心安神的功效。中医认为，百合清痰水、补虚损，而蛋黄则能除烦热，补阴血，二者加糖调理，效果更佳。

[鸡蛋 + 韭菜]
两者混炒，可以起到补肾、行气、止痛的作用，对治疗阳痿、尿频、肾虚、痔疮及胃痛有一定疗效。

[松花蛋 + 姜 + 醋]
松花蛋不宜多吃，食用时还应配些姜末和醋，以解其毒。

[韭菜 + 虾仁]
韭菜与虾仁配菜，能提供优质蛋白质，同时韭菜中的粗纤维可促进胃肠蠕动，保持大便通畅。

[韭菜 + 猪肉]
肉类维生素B1的含量极为丰富，韭菜与维生素B1合在一起，既可产生一种叫"蒜胺"的物质，能发挥比维生素B1更强的作用，并大大延长在体内的停留时间，从而增加吸收机会。

[百合 + 冰糖、大米]
三者搭配熬成百合粥，有润肺止咳、调中镇静、清热养阴的功效，对肺弱、肺痨、神经衰弱、慢性支气管炎、妇女绝经期神经官能症及结核病有辅助治疗作用。

[茄子 + 肉类]
二者搭配，营养更加丰富，可维持血压，加强血管的抵抗力，对防治紫癜症也有帮助。

[茄子 + 苦瓜]

苦瓜有解除疲劳、清心明目、益气壮阳、延缓衰老的作用。茄子具有去痛活血、清热消肿、解痛利尿及防止血管破裂、平血压、止咳血等功效，两者搭配是心血管病人的理想菜肴。

[胡萝卜 + 鸡片]

胡萝卜具有对抗癌症的功能，还能增强免疫力，提高眼睛视力。多数红色、黄色或橙色的蔬果，都含有胡萝卜素的成分，这种脂溶性化合物都有抑制多种癌症的作用，并且可降低哮喘、类风湿性关节炎等疾病的风险。

[胡萝卜 + 菠菜]

可以明显降低中风的危险。二者同食，可有效将胡萝卜素转化为维生素A，防止胆固醇在血管壁上沉积，保持脑血管畅通，从而防止中风。

[绿豆芽 + 姜丝]

绿豆芽性寒，烹调时应配上一点姜丝，以中和它的寒性，十分适于夏季食用。

[黄豆芽 + 豆腐 + 排骨]

黄豆芽配豆腐炖排骨汤，对脾胃火气大、消化不良者很适宜。

[生姜 + 羊肉]

羊肉补阳生暖，生姜驱寒保暖，相互搭配，暖上加暖，同时还可驱外邪，并可治寒腹痛。

[生姜 + 蜂蜜]

蜂蜜具有大量的营养成分，与能祛寒保暖的姜搭配，对治疗感冒有一定作用。此外，姜与蜂蜜都含有清除体内自由基的成分，二者搭配加水饮用，可有效防斑，长期饮用，对防止老年斑很有作用。

[生姜 + 螃蟹]

生姜具有解毒杀菌的作用，日常吃蟹时，放上一些姜末、姜汁，可以起到很好的杀菌消毒的作用。

[蔬菜 + 脂肪]

营养吸收好。适量的脂肪有利于蔬菜中的一些营养元素被吸收，如绿辣椒中的叶黄素，红辣椒中的辣椒素，番茄中的番茄红素，以及柠檬中的柠檬精油，这些营养物质与核桃、核桃油、初榨橄榄油等混合是不错的选择。

[牛肉 + 土豆]

牛肉营养价值高，并有健脾胃的作用。但牛肉粗糙，有时会破坏胃黏膜，土豆与之同煮，不但味道好，且土豆含有丰富的维生素，能起到保护胃黏膜的作用。

[牛肉＋芹菜]

牛肉滋补健身，营养价值高；芹菜含有大量的粗纤维，还具有一股特殊的芳香，这种芳香有安神镇定、诱人食欲的作用，特别是芹菜中的香芹，香味更是浓郁。辛香的芹菜和牛肉是很好的搭配，不但牛肉香味浓郁，而且能保证营养供给，不增加体重。

[牛肉＋葱]

牛肉有补脾健身、强筋健骨的功效，葱含有多种维生素及糖类，具有祛毒消肿、降低胆固醇、杀菌抗癌的作用。二者搭配，适用于治疗风寒感冒，头痛鼻塞、面部水肿等症。

[猪肉＋大蒜]

据研究，瘦肉中含维生素B的成分，而维生素B在人体内停留的时间很短，吃肉时再吃点大蒜，不仅可使维生素B的析出量提高数倍，还能使它原来溶于水的性质变为溶于脂的性质，从而延长维生素B在人体内的停留时间，这样对促进血液循环以及尽快消除身体疲劳、增加体质等都有重要的营养意义，因此，吃肉的时候，别忘了吃几瓣大蒜。

[猪肉＋白菜]

白菜含多种维生素、较高的钙及丰富的纤维素。猪肉为常吃的滋补佳肴，有滋阴润燥等功能，两者搭配适宜于营养不良、贫血、头晕、大便干燥等人食用。

[猪肝＋白菜]

白菜含有丰富的维生素A、B族维生素、维生素C、维生素E、钙、磷、钾；猪肝有护眼明目的功效，搭配食用，可促进人体对二者营养物质的吸收。

[猪肝＋菠菜]

猪肝、菠菜都有补血的功能，一荤一素，相辅相成，共同吸收，可以调理身体机能，有助减淡色斑，也是不错的防治老年人贫血的食疗方法。

[鸡肉＋栗子]

鸡肉补脾造血，栗子健脾，脾健则有利于吸收鸡肉的营养成分，造血机能也随之增加。若用老母鸡煨栗子效果更佳。

[鸡肉＋人参]

人参大补元气，止渴生津。鸡肉含蛋白质、脂肪、碳水化合物、钙、磷、铁、维生素。两者同食有填精补髓、活血调经的功效。

[鸭肉＋山药]

老鸭既可补充人体水分又可补阴并可清热止咳，山药的补阴之力更强，与鸭肉共食，可消除滑腻，补肺效果更佳。

[鸭肉＋干贝]

鸭肉有补气健脾、滋阴养胃的功效，干贝滋阴补肾、和胃调中。做菜时，以鸭肉为主，再配以冬笋、豆腐、腐竹、干贝等辅料，蛋白质含量高，食而不腻，老少咸宜。

[鲤鱼＋白菜]

两者搭配，营养丰富，其中丰富的蛋白质、碳水化合物、维生素C等多种营养素，对妊娠水肿具有辅助治疗作用。

[鲤鱼＋米醋]

鲤鱼本身有涤水之功，人体水肿除肾炎外大都是湿肿，米醋有利湿的功能，若与鲤鱼共食，利湿的功能倍增。

[海鲜＋蔬菜]

海鲜是"高嘌呤"并呈极高酸性的食物，摄入过多会引起代谢紊乱，增加血尿酸浓度，引发痛风。如果吃海鲜时，多吃些蔬菜，这些碱性食物就可以中和尿酸盐浓度，有利于尿酸排出，大大降低得痛风的危险。

[海鲜＋奶制品]

奶类及奶制品也属于含嘌呤较少的食物，能够中和海鲜这类"高嘌呤"并呈极高酸性的食物。

[鳖肉＋生姜]

鳖肉与生姜同食，有滋阴补肾、填精补髓的功效，适宜肾阴虚、头晕目眩、腰膝酸软等患者食用。

[甲鱼＋蜜糖]

不仅甜味上口，鲜美宜人，而且含有丰富的蛋白质、脂肪、多种维生素，并含有本多酸、硅酸等，实为不可多得的强身剂，对心脏病、肠胃病、贫血均有疗效，还能促进生长，预防衰老。

[木耳＋豆腐]

木耳有益气、养胃、润肺、凉血止血、降脂减肥等作用，豆腐有益气、生津、润燥等作用。两者搭配，对高血压、高血脂、糖尿病、心血管病有防治作用。

[木耳＋黄瓜]

生黄瓜有抑制体内糖转化为脂肪的作用，有减肥的功效。木耳也具有滋补强壮、和血作用，二者同食既可平衡营养，又能减肥瘦身。

[黑木耳 + 白木耳]

黑木耳和白木耳都具有防止脂褐素形成的作用，均属于益寿、抗衰的食品。同时，两种木耳中都含有多糖类物质，具有增强免疫力、抗病毒的作用。但由于两者营养素成分含量不同，食用后对人体产生的作用仍有差异。

白木耳中富含维生素D，能防止钙的流失，对生长发育十分有益；所含磷脂有健脑安神作用，适合中老年人食用。中医认为，白木耳有润肺生津、补养气血、滋肾益精等功效，适合呼吸系统较弱的人群。

黑木耳中铁的含量是各种素食中最多的，常吃能养血驻颜，并可防治缺铁性贫血。此外，黑木耳中的胶质具有极强的吸附能力，可减少粉尘对肺的伤害；黑木耳内还有一种类核酸物质，可以降低血中的胆固醇水平，对冠心病、动脉硬化患者颇有益处。

[银耳 + 莲子]

银耳与莲子搭配，有助于胃肠蠕动，能减少脂肪吸收，对肥胖症、脂肪肝、高血脂、高血压、心脑血管病、面部黄褐斑、雀斑有疗效。

[银耳 + 雪梨、川贝]

银耳和雪梨均有滋阴润肺、镇咳祛痰的功效。川贝亦有润肺止咳的作用。三者搭配，对慢性支气管炎疗效显著。

[豆浆 + 馒头、面包]

传统医学认为豆浆性质平和，能补虚润燥、清肺化痰；而现代医学则认为喝豆浆对延缓衰老有明显好处。

豆浆最好的搭档是馒头、面包这些淀粉类食物。豆浆含有丰富的蛋白质，而蛋白质在淀粉的作用下，能与胃液充分发生酶解作用，使人体更容易吸收其中的养分。

[豆浆 + 荸荠]

豆浆与荸荠搭配食用，具有清热解毒等功效，主治便血，补充营养，缓解抑郁症。

[豆腐 + 萝卜]

豆腐含有丰富的植物蛋白，但多食会引起消化不良，萝卜特别是白萝卜有消食化积的功能，两者合用有助于胃肠道的消化吸收。

[豆腐 + 鱼]

豆腐煮鱼不仅味道鲜美，还可预防多种骨病，如儿童佝偻病。鱼肉一起吃，能对钙的吸收与利用起相加效应。鲫鱼与豆腐、莼菜搭配炖汤，汤汁浓厚，营养最佳。草鱼与豆腐同食，具有补中调胃、利水消肿的功效。